De CSI-revolutie

Ook van Katherine Ramsland
De forensische wetenschap van CSI
De forensische wetenschap van de Cold Case Files

Ook in de serie CSI
Dubbelblind
Verboden vruchten
Koudvuur
Bewijskracht
Hartslag
Oud Zeer
Teamgeest
Slangennest

CSI – *Miami*
Vluchtgevaar
Doelwit
Onderstroom

CSI – *New York*
Hard bewijs
Vermist

Voor alle informatie over de CSI-boeken ga dan naar
www.karakteruitgevers.nl/csi

Katherine Ramsland

De CSI-revolutie

Karakter Uitgevers B.V.

Oorspronkelijke titel: *The C.S.I. Effect*

Vertaling: Vanja Walsmit

Omslag: Björn Goud

ISBN 978 90 6112 944 8
NUR 332

Ter nagedachtenis aan Ethan Jensen
Immer enthousiast, stimulerend en toegewijd aan het recht

Inhoud

Woord van dank 7
Inleiding: de CSI-revolutie 9

1 Whodunit.com 17
2 Vis-à-vis 48
3 Vergif: een veelzijdig moordwapen 69
4 Niets dan de waarheid 93
5 Psycho-logica 125
6 De afwijkende psyche 148
7 De taal van subculturen 173
8 Een ongeluk zit in een klein hoekje 191
9 Complicerende variabelen 214
10 Het graf in 231
11 De forensische voorhoede 253
12 Unieke toepassingen 279

Verklarende woordenlijst 299
Literatuur 307
Index 312
Over de auteur 317

Woord van dank

Het zou heel lastig zijn geweest om zo veel aspecten van de forensische wetenschap te behandelen als ik geen hulp had gehad van vakmensen op dit gebied, die hun tijd beschikbaar hebben gesteld om vragen te beantwoorden en me over concrete zaken te vertellen. Ik ben vooral dank verschuldigd aan Frank Bender, dr. Tom Crist, Dr. Carole Chaski, Vernon Geberth, Mack House, dr. Tim Palmbach, James E. Starrs, Karen Taylor, Steven Teppler, John Trestrail, Joyce en David Williams en Zachary Lysek. Daarnaast wil ik al die mensen bedanken die ik tijdens verschillende conferenties heb ontmoet en die uitleg hebben gegeven over hun werk, me hebben geïnspireerd om een bepaalde richting in te slaan of me goede boeken hebben aanbevolen.
Ook wil ik de vrienden, familieleden en collega's bedanken die me op andere manieren hebben geholpen, met onderzoek, middelen of creatieve ideeën, zoals Ruth Osborne, Dana DiVito, dr. Scott Paul, Gregg McCrary, dr. Richard Noll, Kim Lionetti en Al Sproule. Het enthousiasme van Ginjer Buchanan en Leslie Gelbman bij uitgeverij Berkley heeft ervoor gezorgd dat dit boek er kwam, en mijn agent, John Silbersack, is en blijft mijn grootste steun bij de totstandkoming van mijn boeken, en is bovendien een goede vriend. Ik ben ze allemaal zeer dankbaar.

Inleiding: de CSI-revolutie

Op 27 oktober 2001 werd in een park in Fort Worth (Texas) het toegetakelde lichaam van een man gevonden. In eerste instantie dacht de politie dat de 37-jarige dakloze, Gregory Biggs, het onfortuinlijke slachtoffer was geworden van een beroving. Zijn dood werd als een ongeluk bestempeld.

Vier maanden later gebeurde er echter iets bizars. Een vrouw die Chante Mallard heette, bleek, toen ze op een nacht onder invloed van drugs en alcohol naar huis reed, Biggs te hebben aangereden toen deze op straat liep. Uiteindelijk biechtte ze dit op aan een kennis, die de politie waarschuwde. Tijdens haar verhoor bekende Mallard dat ze de man had geraakt, maar ze hield vol dat het een ongeluk was geweest. De autoriteiten waren daar niet zo zeker van, maar het zou forensisch gezien een hele klus zijn om na zo veel maanden genoeg bewijsmateriaal te vinden – waarmee inmiddels wellicht doelbewust of onbedoeld was geknoeid – om het incident zodanig te kunnen reconstrueren dat het echte verhaal naar boven zou komen: ongeluk of ernstig misdrijf?

Rechercheurs doorzochten Mallards huis en ontdekten dat haar Chevrolet Cavalier, die duidelijk beschadigd was, nog steeds in haar garage stond. Iemand had echter geprobeerd bewijsmateriaal te laten verdwijnen of te verwijderen. De voorruit was er grotendeels uitgeslagen en er was een stoel weggehaald, zodat een reconstructie van het incident moeilijk zou worden. Toch stortten forensisch onderzoekers zich met speciale hulpmiddelen op het interieur van de auto, en ze vonden al snel wat ze nodig hadden.

Bloedspetters in de auto bleken van Biggs te zijn, net als het bloed dat werd aangetroffen in het opbergvak van een van de portieren. Dat bewees dat hij in de auto had gezeten. Bovendien kon aan de hand van de verschillende bloedvlekken worden gereconstrueerd wat er die nacht was gebeurd. Een van de vlekken leek afkomstig van bloed dat was uitgehoest, en er bevonden zich stukjes haar en vlees van een blanke persoon op de resterende gedeelten van de verbrijzelde voorruit. Bovendien werd door middel van sporenanalyse aangetoond dat een op de achterbank aangetroffen hamer was gebruikt om glas mee in te slaan, een indicatie dat er met bewijsmateriaal was geknoeid. Volgens de zorgvuldige omschrijving van een analist in de rechtszaal wees alles erop dat een levende man in die auto veel bloed had verloren en voor zijn leven had gevochten. Aan de hand van bloedvegen kon zelfs worden opgemaakt in welke verwrongen houding zijn bloedende lichaam had gelegen.

De medisch onderzoekers van beide partijen waren het erover eens dat Biggs gestorven was aan bloedverlies. Bij het ongeluk had hij verschillende gebroken botten en een bijna afgerukt been opgelopen. Ze verschilden echter van mening over het precieze tijdstip van zijn overlijden, in hoeverre hij had geleden en of mevrouw Mallard hem had kunnen helpen. De arts die de autopsie uitvoerde, stelde dat geen van zijn verwondingen erop wees dat de dood direct was ingetreden, wat betekende dat Biggs het ongeluk had kunnen overleven als hij medische hulp had gekregen. De arts dacht dat Biggs een aantal uren lang voor zijn leven had gevochten en dat Mallard, een assistent-verpleegster, genoeg expertise had om hem te kunnen redden. Ze had op zijn minst hulp kunnen gaan halen. (De arts van de verdediging meende dat Biggs bewusteloos kon zijn geweest, hoewel Mallard aangaf dat hij gekreund en bewogen had.)

Afgaande op de getuigenverklaringen van de verschillende partijen die het slachtoffer hadden gezien, de bekentenis van Mallard en de reconstructie van het misdrijf aan de hand van fysiek bewijsmateriaal leek zich het volgende scenario te hebben afgespeeld: Mallard was die nacht onder invloed van een mengeling van drugs en alcohol achter het stuur gekropen. Toen ze Biggs aanreed, kwam die met zijn hoofd door haar voorruit zetten en bleef daar steken, met zijn armen tegen zijn lichaam gedrukt. In plaats van te stop-

pen om hem te ontzetten, reed Mallard de bijna vijftien kilometer naar haar huis en parkeerde haar beschadigde auto in haar garage. Biggs liet ze bloedend en lijdend achter op haar motorkap.
Omdat ze niet durfde te doen wat ze eigenlijk moest doen, belde ze vrienden op, die beloofden haar te komen helpen. (Een van hen zei dat Mallard had geweigerd een ambulance te bellen toen hij daarop aandrong.) Terwijl de doodsbange Biggs twee uur lang voor zijn leven vocht, waarin hij waarschijnlijk ondraaglijke pijnen leed, ging Mallard bij hem kijken en bood ze hem zelfs haar excuses aan. Toen ze zag dat hij was gestorven, dumpte ze hem samen met twee vrienden in het park.
Het verhaal bracht heel Amerika in beroering. Op basis van het bewijsmateriaal dat tegen haar was gevonden werd Mallard beschuldigd van moord en veroordeeld tot vijftig jaar gevangenisstraf, met nog eens tien jaar voor het knoeien met bewijsmateriaal. Ook haar twee vrienden kregen straffen. Omdat het zo'n opzienbarend en bizar incident was, dat alleen kon worden opgelost met behulp van de expertise van forensisch analisten, is het niet zo verwonderlijk dat dit een van de zaken is geweest die als inspiratiebron hebben gediend voor de schrijvers van de tv-serie *C.S.I.: Crime Scene Investigation*. Zij gebruikten hem als basis voor de aflevering 'Anatomy of a Lye'. Ook andere waargebeurde zaken, zoals de moord door Michael Peterson op zijn vrouw in het trapgat van hun huis, het incident bij een crematorium in Georgia waarbij lijken buiten lagen te ontbinden en het onderzoek naar grondlasers die gericht waren op overvliegende vliegtuigen, vormden de basis voor *CSI*-afleveringen, en hoewel de schrijvers er over het algemeen hun eigen specifieke draai aan geven, is de grens tussen feit en fictie niet altijd even duidelijk. Door de manier waarop zulke incidenten in tv-programma's worden verwerkt maakt de juridische sector zich tegenwoordig soms zorgen over wat ook wel 'het *CSI*-effect' wordt genoemd.
Daarmee wordt het volgende bedoeld. Via een groot aantal forensische tv-programma's hebben de massamedia het publiek kennis laten maken met forensische wetenschap en forensisch onderzoek, wat drie verschillende effecten heeft gehad. Tot voor kort was het

binnen het Amerikaanse rechtssysteem vaak problematisch om wetenschappelijke verklaringen begrijpelijk te maken voor de leken in een jury, maar dit soort tv-programma's heeft potentiële juryleden meer inzicht gegeven in wetenschappelijke methoden en wetenschappelijk bewijsmateriaal. Daardoor verwachten ze vaak dat er bij rechtszaken ook daadwerkelijk gebruik wordt gemaakt van die methoden en verwachten ze betere resultaten dan er mogelijk zijn, of het gebruik van technieken die soms niet eens bestaan. Het gevolg is dat ze sneller vraagtekens zetten bij verklaringen op basis van imperfecte of technisch eenvoudige onderzoeken en daardoor geen straf opleggen.

In feite kan het *CSI*-effect als volgt worden samengevat: dankzij de *CSI*-programma's denken mensen in jury's vaak dat ze alles weten over forensische wetenschap en forensisch onderzoek. Dat is in werkelijkheid niet zo, maar dat beseffen ze niet, en dit misverstand kan invloed hebben op de uitkomst van een rechtszaak.

Hoewel sommige rechters beweren dat er geen bewijzen bestaan voor het *CSI*-effect en er tot nu toe ook nog geen officieel onderzoek naar is gedaan, maken veel advocaten zich toch zorgen en maken zij er ook melding van in hun openingsverklaringen en slotbetogen. Bij slechts weinig zaken passen uiteindelijk alle stukjes van de puzzel in elkaar, maar door *CSI*, zo zeggen zij, lijkt het verzamelen van die stukjes een fluitje van een cent. Bovendien levert het *CSI*-effect nog een ander, ernstiger probleem op: het publiek ziet programma's waarin waargebeurde zaken hypothetisch worden opgelost voordat die zaken daadwerkelijk door de rechtbank zijn behandeld, waardoor sommige juryleden denken bepaalde 'inzichten' te hebben verworven dankzij het amateur-speurwerk in de media. Met andere woorden: iemands schuld of onschuld ligt soms al vast voordat het bewijsmateriaal zelfs maar ter sprake is gekomen. Het hoeft niet specifiek *CSI* te zijn dat hiervan de oorzaak is; het hele spectrum van tv-series dat aandacht besteedt aan forensische technieken is hier in feite debet aan.

Volgens het Amerikaanse tijdschrift *U.S. News and World Report* was de invloed van *CSI* toe te schrijven aan het feit dat het zestig miljoen Amerikanen geïnteresseerd wist te krijgen in een wetenschap die wordt gepresenteerd als 'sexy, snel en opmerkelijk (tref)-zeker'. Met andere woorden: moorden worden snel opgelost, de laboratoriumwetenschappers hebben altijd gelijk en de technisch rechercheurs bezitten een haast feilloze intuïtie (en daarnaast zijn ze ook nog eens in uitstekende conditie, stijlvol en aantrekkelijk). Maar zelfs als het programma niet 'sexy' is, brengt het vaak een stapsgewijs proces in beeld dat kijkers het gevoel geeft dat ze alles weten over het intellectuele proces dat zich achter de schermen afspeelt – vooral als de 'goeden' uiteindelijk overwinnen.

Eerlijk is eerlijk, het *CSI*-effect heeft ook een positieve kant. Jury's weten nu beter hoe een misdaadonderzoek verloopt, waardoor rechercheurs en mensen die bewijsmateriaal onderzoeken zich bewuster zijn van wat ze moeten doen om een jury voor zich te winnen. Maar soms wordt de lat zo hoog gelegd – doorgaans op basis van foutieve ideeën – dat professionals in de juridische sector er wanhopig van worden. Er zijn maar weinig rechercheafdelingen die beschikken over hightech-hulpmiddelen en dure deskundigen, zodat aanklagers hun uiterste best moeten doen om jury's weer met beide benen op de grond te krijgen en hun misvattingen recht te zetten. De resultaten die de forensische wetenschap boekt zijn doorgaans niet zo trefzeker als op televisie wordt voorgesteld, en de verwerking van bewijsmateriaal is zeker niet zo snel. Soms komt dat ook in de afleveringen van *CSI* naar voren. Fouten en verkeerde berekeningen zijn dan onderdeel van de plot maar worden meestal alweer rechtgezet voordat er iemand schade van ondervindt, naar de gevangenis moet of ten onrechte op vrije voeten wordt gesteld. Slechts heel af en toe is er sprake van menselijk falen, en onopgeloste zaken komen nóg minder vaak voor.

Hoewel juridische professionals zich terecht zorgen maken over het *CSI*-effect (vooral als procedures verkeerd worden weergegeven of zelfs compleet zijn verzonnen), is het fijn om te weten dat mensen in jury's wel degelijk gebruik proberen te maken van de beschikbare hulpmiddelen. Net als wetenschappelijke expertise kan grotere oplettendheid bij alle partijen het rechtssysteem uiteindelijk geleidelijk verbeteren. Intussen is het belangrijk dat tv-kijkers zich realiseren dat televisie anders is dan de werkelijkheid,

hoe 'echt' de wetenschap ook lijkt of hoe dicht de plots daadwerkelijke zaken ook benaderen. Het blijft fictie.
Aan de andere kant hebben de in *CSI* beschreven technieken en moordzaken het vakgebied forensisch onderzoek veel aandacht opgeleverd. Forensische cursussen en opleidingen zijn enorm in trek, en er zijn nieuwe opleidingsprogramma's in ontwikkeling om aan de grote belangstelling tegemoet te komen. Zelfs leerkrachten op basisscholen zetten provisorische misdaadlaboratoria op voor hun leerlingen. Via universiteiten en hogescholen en via internet worden meer forensische opleidingsmogelijkheden aangeboden dan ooit tevoren, van eendaagse tot wekenlange seminars. Sinds het verschijnen van *De forensische wetenschap van CSI* krijg ik van veel mensen de vraag hoe ze forensisch onderzoeker kunnen worden. Hieronder zal ik daar kort iets over zeggen.
Ten eerste zijn de CSI's niet echt rechercheurs, hoewel ze in de tv-serie wel als zodanig worden gepresenteerd. Hun belangrijkste taak is het identificeren, verzamelen en documenteren van potentieel fysiek bewijsmateriaal op een plaats delict. Het daarvoor vereiste opleidings- en expertiseniveau verschilt per rechtssysteem, en mensen die geïnteresseerd zijn in dit beroep moeten zich eerst verdiepen in de in hun land geldende richtlijnen voordat ze zich voor een bepaalde opleiding of cursus inschrijven. Soms is het niet nodig om eerst bij de politie te werken, en je hoeft er ook niet altijd vier jaar voor te studeren. Verder is het nuttig om te informeren hoe de taken van een forensisch onderzoeker zijn geformuleerd bij de instanties waarvoor je zou willen werken.
Over het algemeen moet een forensisch onderzoeker enige ervaring hebben met fotografie, het interpreteren van vingersporen en voetafdrukken, het maken van diagrammen, het veiligstellen en conserveren van sporenmateriaal, het omgaan met biologische vloeistoffen en misschien ook met het verzamelen van bewijsmateriaal tijdens een autopsie. Hij of zij moet zorgvuldig aantekeningen kunnen maken en duidelijke en uitgebreide verslagen kunnen schrijven. Daarnaast moet een forensisch onderzoeker op de hoogte zijn van de procedures in de rechtszaal en van toelaatbaarheidsnormen voor bewijsmateriaal. Soms moet hij of zij zware objecten

kunnen tillen of verplaatsen, en goed communiceren met andere leden van het onderzoeksteam is onontbeerlijk. Tot slot moet een forensisch onderzoeker gedegen praktische kennis bezitten van de verschillende werkzaamheden binnen een misdaadlaboratorium en van de manier waarop bewijsmateriaal daar wordt onderzocht. Sommige professionals adviseren potentiële studenten zelfs om eerst een vooropleiding biologie of scheikunde te volgen; die kennis zal zeer goed van pas komen in hun carrière als forensisch onderzoeker. Ook moeten zij op de hoogte blijven van de ontwikkelingen in het vakgebied en van een aantal van de geavanceerdere en complexere forensische technieken. Als je bij *CSI* iets ziet dat baanbrekend lijkt, zou je je erin moeten verdiepen en contact moeten zoeken met vakmensen die zich ermee bezighouden.

Over dit boek

Dit tweede deel over de forensische wetenschap die wordt toegepast in de *CSI*-programma's, gaat dieper in op de basisbeginselen die in het eerste deel aan bod zijn gekomen. Nu er drie series in de lucht zijn, met de standplaatsen Las Vegas, New York en Miami, moeten de schrijvers steeds met innovaties komen om de afleveringen actueel en aantrekkelijk te houden. Gedeeltelijk zorgen de uiteenlopende omgevingen daarvoor. Las Vegas is een wervelende woestijnstad vol met casino's, seks en grote financiële belangen; Miami heeft oceanen, alligators en CSI's die ook politieagent zijn, en New York, de enige van de drie steden met een echte winter, ademt de sfeer van een imposante, gevestigde metropool aan de oostkust van Amerika, waar hoogbouw en oud geld de boventoon voeren. De misdrijven verschillen enigszins per locatie, en ook de benadering ervan is anders, vooral doordat elk unithoofd een unieke stijl van leidinggeven heeft.
In Vegas stelt Gil Grissom, een literair wetenschapper/goeroe die dol is op insecten, zich vrij bescheiden op; hij concentreert zich op fysiek bewijsmateriaal. Horatio Caine uit Miami leeft vaak erg mee met de slachtoffers van een misdrijf en stelt zich uiterst fel

op tegenover daders. In New York City gelooft Mac Taylor door zijn affiniteit met kwantumfysica dat alles met elkaar te maken heeft, wat een verklaring vormt voor de hightech-methoden van de etnisch gemêleerde groep CSI's uit Manhattan. De keuze voor de bijna zwart-witte, filmische uitstraling onderstreept de bruuske, no-nonsense houding van de doorsnee New Yorker. Bovendien was deze stad het doelwit van de terroristische aanvallen van 11 september 2001, die diepe sporen hebben nagelaten bij alle politiemensen in de stad. Veel van hen hebben tijdens die zwarte dag vrienden verloren, en ze houden in hun achterhoofd altijd rekening met nieuwe dreigingen.

In de hiernavolgende hoofdstukken worden veel van de procedures beschreven die in de drie series aan de orde komen, en de beschrijvingen worden geïllustreerd met waargebeurde zaken en gelardeerd met interviews met belangrijke forensisch wetenschappers of technici die uitleggen wat hun rol is bij een onderzoek. Omdat de ontwikkelingen op dit gebied elkaar echter zo snel opvolgen, is het onmogelijk om ze in dit boek allemaal te bespreken, of zelfs maar bij te houden. Ik hoop dat ik de belangrijkste gebieden heb bestreken en lezers voldoende details heb verschaft om ze te laten begrijpen hoe een aantal van deze technieken werkt. Voor het gemak spreek ik van *CSI-LV* als ik het heb over een *CSI*-aflevering die zich in Las Vegas afspeelt, van *CSI-M* voor Miami en van *CSI-NY* voor New York.

Aangezien computers steeds vaker in de series verschijnen en een steeds diverser rol spelen, heb ik besloten daarmee te beginnen.

1 Whodunit.com

In alle drie de CSI-series speelt de zich razendsnel ontwikkelende discipline forensische informatica een belangrijke rol; zo worden in de aflevering 'Ashes to Ashes' gebeurtenissen gesimuleerd met behulp van computers, wordt in 'Officer Blue' gebruikgemaakt van geografische oriëntatie in 3D en in 'The Closer' van digitale beeldbewerking. Digitaal bewijsmateriaal houdt de gemoederen in de rechtszaal behoorlijk bezig, en hetzelfde geldt voor misdrijven via internet, identiteitsdiefstal en cybervictimologie. Hoewel niet alle op tv gebruikte technieken geschikt zijn voor misdaadonderzoek, bespreken we hier een aantal van de basisbeginselen.
Forensische informatica is de toepassing van juridische activiteiten op de computer met het doel om bewijsmateriaal te verzamelen voor strafbare feiten. Onderzoekers moeten hierbij op dezelfde manier informatie vergaren als ze bij andere potentiële misdrijven doen, maar ze hebben er vaak specialistische kennis voor nodig. Het vakgebied forensische informatica, dat ook wel computercriminalistiek wordt genoemd, heeft zich in allerlei verschillende richtingen ontwikkeld. Talloze computerprogramma's hebben ervoor gezorgd dat misdaadonderzoeken nauwkeuriger zijn geworden, zelfs als de onderzoekers niet precies weten hoe de programma's werken. In 'Crime and Misdemeanor' was het New Yorkse team bijvoorbeeld via zo'n programma in staat om lichaamsdelen te meten van een mens dat voor een standbeeld moest doorgaan, waardoor ze aan de hand van subtiele verschillen konden bewijzen dat het 'standbeeld' in twee verschillende video's niet dezelfde persoon was.
Sommige professionals vinden dat 'computerwetenschap' niet echt een wetenschap mag worden genoemd. Informatica is echter

een uiterst systematische discipline die bestaat uit het verzamelen, opslaan, classificeren, manipuleren en oproepen van informatie. In feite worden er statistische technieken toegepast op informatiebeheer, waarbij methoden worden gebruikt om databanken snel en effectief te doorzoeken zonder dat er informatie vervormd raakt. Tot op zekere hoogte is het een kwestie van interpretatie, maar het blijft een objectieve bezigheid die gericht is op meetbare en repliceerbare gegevensanalyse.

Overzicht

Zowel misdadigers als politie en justitie hebben voordeel van het gebruik van computers. De komst van internet heeft ervoor gezorgd dat sommige misdrijven gemakkelijker te plegen zijn, maar het heeft de politie ook nieuwe manieren opgeleverd om een misdrijf op te sporen en bewijsmateriaal te verzamelen. Een van de eerste zaken waarbij de computer een rol speelde, was het onderzoek naar de zogenaamde Boston Strangler in 1964. Het 'Strangler Bureau' moest meer dan 37.000 documenten van de verschillende betrokken politieregio's ordenen, vergelijken en analyseren. Daarbij ging het naar verluidt om meer dan 800.000 vellen papier. Een bedrijf stelde een computer ter beschikking om het werk te vergemakkelijken.

Al in 1958 besefte rechercheur Pierce Brooks uit Los Angeles dat computers konden worden ingezet om het ene misdrijf in verband te brengen met het andere en zo verschillende misdrijven naar één dader terug te voeren. Een jaar eerder hadden politieagenten langs de weg bij Los Angeles een vrouw met een man zien vechten. Ze stopten, en ze smeekte om hulp. Ze verklaarde dat de man, Harvey Glatman, haar had verteld dat hij fotograaf was. De politie arresteerde hem en trof in zijn appartement foto's aan van drie vrouwen die verdwenen waren. Allemaal waren ze vastgebonden en gekneveld. Glatman bekende dat hij hen had vermoord en werd in 1958 veroordeeld en ter dood gebracht.

Glatmans misdrijven brachten Brooks ertoe om zich te verdiepen in de mogelijkheid om een landelijke computerdatabank voor geweldsmisdrijven op te zetten. Bij het bestuderen van een van de moorden had hij namelijk de indruk gekregen dat de dader al eerder had toegeslagen. Later werd hij op een andere zaak gezet waarbij hij hetzelfde gevoel kreeg. Brooks zocht in de bibliotheek urenlang naar soortgelijke incidenten, zodat hij zou kunnen aantonen dat er een seriemoordenaar aan het werk was geweest. Het geestdodende werk leek in eerste instantie nergens toe te leiden, maar op een gegeven moment stuitte hij op een soortgelijke moord. Hij vergeleek de vingerafdrukken van de twee zaken en vond een goede verdachte. Het proces had echter een heleboel tijd gekost, dus ging hij naar zijn chef om te vragen of hij een computer mocht aanschaffen.
In die tijd leek dat een absurd verzoek: een mainframecomputer was peperduur en had bovendien gigantische afmetingen. Toch bleek later dat Brooks een vooruitziende blik had gehad, en toen computers decennia later eenmaal hun intrede deden, zagen politie en justitie de waarde en de noodzaak ervan al snel in.

Bij forensisch onderzoek kunnen computers worden ingezet bij:

- Het raadplegen van databanken
- Het ontwikkelen van simulaties/animaties van een plaats delict
- Het bewerken van beelden of het filteren van geluiden
- De communicatie met andere instanties
- Het opsporen van digitaal bewijsmateriaal
- Het ontmaskeren van cybercriminelen
- Het aantonen van computerfraude

De eerste forensische databank werd ontwikkeld voor vingersporen. Als vingersporen, die voorheen op kaarten werden opgeslagen, van een plaats delict werden gelift, kostte het vroeger dagen of zelfs weken om ze te vergelijken met opgeslagen afdrukken van verdachten. Later werd in elke Amerikaanse staat en bij de FBI het Automated Fingerprint Identification System (AFIS) in het leven geroepen, waardoor men, mede dankzij de verbeterde digitale technologie, hetzelfde soort vergelijkingen binnen een paar uur of soms zelfs binnen een paar minuten (bij *CSI* binnen een paar seconden) kon maken. De computer velt echter nooit het eindoordeel: dat doet degene die hem bedient. Eerst worden er afbeeldingen gemaakt van de vingerafdrukken die bij een persoon of op een oppervlak worden aangetroffen, die vervolgens in het programma worden gescand. De kenmerken van de afdrukken worden onttrokken aan het unieke patroon en opgeslagen als specifieke formules of algoritmen. Op die manier zijn ze in de toekomst beschikbaar als digitale gegevens die kunnen worden vergeleken met andere afdrukken. Niet lang daarna volgden databanken voor andere typen bewijsmateriaal, die door de onderzoekers in alle drie de *CSI*-series worden gebruikt om vergelijkingen te maken en de herkomst van bewijsmateriaal te achterhalen.

In 1985 nam het National Center for the Analysis of Violent Crime van de FBI (na hardnekkig aandringen van Pierce Brooks) het Violent Crime Apprehension Program (VICAP) in gebruik. Dit systeem voorzag in een landelijke databank die verschillende plaatsen delict met elkaar in verband kon brengen, vermiste personen kon identificeren aan de hand van ontdekte moordslachtoffers en slachtoffers aan daders kon koppelen.

Later werd er ook voor DNA een computerdatabank ontwikkeld, het Combined DNA Index System (CODIS), maar het verzamelen van monsters daarvoor is een controversiële bezigheid. De databank zelf bevat alleen de DNA-code van mensen van wie dat volgens de wet in een bepaald land of een bepaalde staat is toegestaan, zoals plegers van zedendelicten.

Er bestaan ook databanken voor een aantal andere belangrijke soorten bewijsmateriaal, soms specifiek voor forensisch gebruik en soms ook met bredere toepassingen:

- Handschriftanalyse – Het handschrift van een persoon wordt met een scanner gedigitaliseerd en vervolgens worden de strepen, lussen, letterhoogten en afstanden tussen regels en woorden geanalyseerd met behulp van gestandaardiseerde systemen.

- Verfschilfers – Elke autofabrikant gebruikt een andere formule voor zijn autolak, waardoor de elementaire samenstelling van een op een plaats delict aangetroffen verfschilfer kan worden achterhaald en kan worden vergeleken met deze databanken.
- Werktuigsporen – Deze databank bevat werktuigen of instrumenten die de politie op een plaats delict aantreft. Er kunnen driedimensionale beelden van worden gemaakt, die vervolgens kunnen worden vergeleken met een eerder misdrijf waarbij een vergelijkbaar instrument is gebruikt. Daardoor kan het misdrijf worden toegeschreven aan dezelfde persoon of hetzelfde team.
- Patroonhulzen – De onderdelen van een vuurwapen die contact maken met een patroon wanneer het wordt afgevuurd, laten duidelijke sporen op die patroon achter. Ook onregelmatigheden in de loop kunnen een afdruk achterlaten, net als de velden en groeven. Van deze sporen worden beelden in de computer ingevoerd, waarna ze kunnen worden vergeleken met op een testbaan afgevuurde kogels of kogels in de databank. DRUGFIRE en IBIS (het Integrated Ballistic Information System) zijn de bekendste databanken voor het maken van zulke vergelijkingen. IBIS wordt tegenwoordig standaard gebruikt in de Verenigde Staten.
- Schoenen – Als er een duidelijke schoenafdruk op een plaats delict is achtergelaten, kan een grote databank met allerlei schoeisel dat op de markt is nuttig zijn om vast te stellen welk merk en welk model schoen de persoon droeg.

Al deze databanken worden doorzocht via een 'query by example' (QBE), een speciaal protocol dat wordt gebruikt om in databanken naar overeenkomsten te zoeken. Allereerst zorgen de onderzoekers voor een afbeelding die ze in het systeem kunnen invoeren. Het programma haalt er de relevante kenmerken uit, laat er een koppelingsalgoritme op los en velt een oordeel over de authentisatie. Vervolgens presenteert het verschillende beelden die er heel dicht bij in de buurt komen (zogenaamde *close matches*). Op basis daarvan neemt de analist de eindbeslissing.

Online-onderzoeken

Weten hoe je internet moet gebruiken is vaak een belangrijk voordeel voor politie en justitie, en als internet er niet was geweest, waren sommige misdrijven waarschijnlijk nooit opgelost. Hoewel in *CSI* zelden naar internet wordt verwezen, wordt het wel degelijk gebruikt voor onderzoek, het raadplegen van adressenbestanden, vragen aan landelijke of regionale databanken en informatie over plaatselijke bedrijven. In het echte leven moeten onderzoekers deze vaardigheden soms gebruiken om het bewijsmateriaal dat ze nodig hebben om iemand te kunnen aanhouden compleet te krijgen. De afgelopen jaren werden er dan ook steeds meer onderzoekers getraind in het gebruik van online-technologie. Hieronder volgt een voorbeeld van een zaak waarin internet het efficiëntste hulpmiddel was.

Op 27 januari 2001 werden de 62-jarige Half Zantop en zijn 55-jarige vrouw Susanne dood aangetroffen in Etna (New Hampshire). Ze waren op brute wijze vermoord. Beiden gaven les op Dartmouth University, stonden hoog in aanzien en leken geen vijanden te hebben.

Uit het bewijsmateriaal op de plaats delict leidde de politie af dat er waarschijnlijk sprake was geweest van twee moordenaars, omdat er twee grote messchedes waren achtergelaten. Het belangrijkste bewijsmateriaal waren een laarsafdruk en verschillende vingersporen op de messchedes, maar de politie kon hier niets mee zolang er geen verdachten waren. Ze moesten meer te weten komen over de gebruikte messen.

Agent Charles West en rechercheur Frank Moran wisten na veel speurwerk het bedrijf te achterhalen dat de gebruikte SEAL2000-gevechtswapens produceerde. Ze waren gemaakt bij SOG Specialty Knives and Tools in Washington State. Het mes was tussen nu en vijf jaar geleden verkocht, maar het bedrijf had klanten over de hele wereld die door een groot aantal dealers werden bediend. De fabrikant vermoedde dat er in die tijdspanne ongeveer vijfduizend van deze wapens waren verkocht, zonder serienummers of andere manieren om ze op te sporen. Ze konden zelfs weer zijn

doorverkocht, en de moordenaars zouden ze tweede- of derdehands op de kop kunnen hebben getikt.
De fabrikant kwam met een lijst met catalogi waarin de messen waren opgenomen en met een lijst met dealers in New England. West en Moran namen contact op met alle dealers, maar dat leverde niets op, dus bogen ze zich over transacties die via het web tot stand waren gekomen. Geen van beiden was deskundig op dit gebied, maar ze wisten dat de messen online konden zijn gekocht, dus moesten ze leren hoe ze met internet moesten omgaan. West vond talloze sites waarop messen werden verkocht en nam contact op met de eigenaren ervan. Hij identificeerde de transacties van messen die niet lang voor de moorden hadden plaatsgevonden in de buurt van de plaats delict.
Daarbij stuitte hij op een dealer in Massachusetts die een groot aantal messen had besteld, en volgens diens gecomputeriseerde klantenlijst had hij er via internet twee verkocht aan ene Jim Parker, die ongeveer vijftig kilometer van de plaats delict woonde. De bestelling was een maand voor de moorden geplaatst.
Op 15 februari vroeg de politie de zestienjarige James Parker naar het politiebureau te komen voor het afnemen van vingerafdrukken en het beantwoorden van een aantal vragen. Diezelfde dag werden ook bij James Tulloch, een zeventienjarige vriend van Parker, vingerafdrukken afgenomen. Ze realiseerden zich dat ze de schedes in het huis van de Zantops hadden laten liggen, dus sloegen ze op de vlucht. Na een paar dagen werden ze gepakt en teruggebracht naar New Hampshire. Tulloch probeerde zich ontoerekeningsvatbaar te laten verklaren, maar Parker sloot een deal met de politie: hij zou alles vertellen en tegen Tulloch getuigen in ruil voor een veroordeling voor doodslag. Hij zei dat Tulloch het plan had bedacht om mensen te vermoorden om geld te stelen voor een reis. Tulloch werd schuldig bevonden aan twee gevallen van moord en één geval van samenspanning tot moord en werd veroordeeld tot levenslang, zonder voorwaardelijke vrijlating.
Deze zaak werd opgelost omdat de rechercheurs zich de technologie eigen hadden gemaakt. Een grootschaliger voorbeeld is een onderzoek dat drie decennia in beslag nam en waarbij zowel de

hulp van de FBI als die van een taskforce werd ingeschakeld. Deze zaak werd uiteindelijk opgelost dankzij het feit dat de 'digitale voetsporen' van de moordenaars met behulp van computertechnologie konden worden achterhaald.
Vaak denken mensen dat een bestand van een diskette, cd of harde schijf is verdwenen als ze het verwijderd hebben. In werkelijkheid hebben ze alleen de link ernaartoe verwijderd. De gegevens zelf blijven bewaard totdat de computer de ruimte voor iets anders nodig heeft. Als ze weten hoe, zouden ze een 'logicabom' of een vertraagde viruscode kunnen gebruiken die in gespecificeerde omstandigheden geactiveerd wordt, zoals wanneer een gebruiker niet reageert op een commando van een programma. Ook zouden ze een hulpmiddel kunnen gebruiken waarmee detectieprocedures kunnen worden omzeild, maar daar is flink wat kennis voor nodig. In de volgende zaak maakte een moordenaar die niet veel verstand had van computers een fout die de politie alles verschafte wat zij nodig had om hem op te sporen en een waterdichte aanklacht tegen hem te formuleren.

In Wichita (Kansas) had iemand begin 1974 een gezin van vier personen vermoord. De dochter van het gezin had een speciale behandeling gekregen: zij was gemarteld en vervolgens opgehangen. Zes maanden later werd een jonge vrouw in haar huis vermoord. De plaatselijke krant kreeg een brief met details over de plaats delict van het gezinsdrama, en hoewel er mensen werden gearresteerd, kon er niemand als de moordenaar worden aangewezen. Vervolgens werden er in 1977 in hetzelfde gebied opnieuw twee vrouwen vermoord. Na deze moorden stuurde iemand een gedicht naar de pers waarin wederom naar het gezinsdrama werd verwezen. Ook had de moordenaar vanaf een van de plaatsen delict een telefoontje gepleegd om de politie naar het slachtoffer te leiden. Profielschetsers van de FBI hadden geadviseerd om de moorden niet te veel aandacht te geven en de roddelpers op afstand te houden, wat de dader blijkbaar boos maakte.
Hij stuurde een brief naar een plaatselijk televisiestation waarin hij de verantwoordelijkheid voor de moorden opeiste en zichzelf 'BTK' – 'Bind,

Torture, Kill' – noemde. Hij gaf aan dat hij niet de media-aandacht had gekregen die hij verdiende en dat hij inmiddels al een achtste slachtoffer op het oog had. Hoeveel mensen moesten er sterven, zo vroeg hij zich af, voordat zijn werk zou worden erkend? De inwoners van Wichita waren doodsbang en vroegen zich af wie er dit keer aan de beurt was. Maar van BTK kwam geen teken van leven meer.

De jaren verstreken en computers werden een standaard communicatiemiddel. In 2004 dook BTK weer op, met bewijs dat hij een tot dan toe onopgeloste moord had gepleegd die in eerste instantie niet met hem in verband was gebracht. Van allerlei kanten werden profielen gemaakt, maar één ervan was gegenereerd door een computerprogramma. Een bedrijf uit Virginia, EagleForce Associates, verzamelde het bewijsmateriaal en beoordeelde de verschillende bewijsstukken op relevantie. Vervolgens correleerden ze alle gegevens kruiselings met elkaar. Op basis daarvan kwamen ze tot de conclusie dat BTK waarschijnlijk een blanke man van een jaar of zestig was, met een militaire achtergrond en banden met de plaatselijke universiteit. Dat betekende dat er nog steeds duizenden potentiële verdachten waren, maar op een gegeven moment registreerde een beveiligingscamera een man die een pakketje voor de politie achterliet. EagleForce zag op de video dat hij in een zwarte Jeep Cherokee reed. De groep verdachten werd verder teruggebracht, en toen gebeurde er iets anders dat de zaak uiteindelijk tot een oplossing zou brengen.

Het pakketje van BTK bevatte een diskette. Daarop trof de politie de naam 'Dennis' aan, en door gegevens terug te halen die overschreven ('uitgewist' en hergebruikt) waren konden ze de herkomst van de diskette vaststellen. Hij bleek gemaakt op een computer van de Christ Lutheran Church. (Volgens sommige bronnen stond er ook een verborgen elektronische code op de diskette, die gelinkt was aan de computer van de kerk.) De voorzitter van deze kerkelijke gemeente, zo werd bevestigd door een online-zoektocht via Google, was Dennis Rader, en tijdens een verhoor vertelde de dominee van de gemeente dat hij Rader had laten zien hoe deze de computer moest gebruiken om aantekeningen uit te printen voor een bijeenkomst. Op de harde schijf werden 'digitale voetafdrukken' aangetroffen waaruit bleek dat de computer was gebruikt voor het opstellen van een van de boodschappen van BTK aan een plaatselijk mediastation. Een speurtocht door Raders kantoor leverde een stapel BTK-berichten op in een gesloten archiefkast: daartussen zaten de originelen van de brieven die hij door de jaren heen naar de politie en de media had gestuurd. In juli 2005 bekende hij tien moorden en zei hij dat hij al een volgend slachtoffer op het oog had gehad. Hij kreeg tien keer levenslang.

Niet alleen rechercheurs, maar ook advocaten kunnen hun voordeel doen met internettechnologie; doen ze dat niet, dan kan dat hun zaak ernstig schaden. Bij een Canadees incident ondermijnde een getuige een lopende rechtszaak doordat ze zich niet had gerealiseerd dat de overpeinzingen die ze online had gezet bewijsmateriaal konden vormen. Uiteindelijk werd ze beschuldigd van meineed, wat ook een ander licht wierp op de informatie die de jury al eerder had ontvangen. Volgens de kranten was het de eerste keer dat er tijdens een proces elektronisch bewijsmateriaal werd ontdekt, en omdat het de getuige in een ander daglicht plaatste, moest het in het oordeel worden meegenomen.

Op 25 november 2003 werd in Toronto een twaalfjarige jongen gevonden in de kruipruimte van de kelder van zijn huis. Hij was vermoord, en bijna al zijn bloed was uit zijn lichaam gevloeid. Hij was afgetuigd en 71 keer met een mes gestoken, en zijn zestienjarige broer en twee vrienden werden gearresteerd en van de moord beschuldigd. Het slachtoffer werd in de media 'Jonathan' genoemd; de drie vermeende daders, die nog minderjarig waren, werden niet bij naam genoemd. Het proces was al drie maanden bezig – het vriendinnetje van een van de beschuldigden had een getuigenverklaring afgelegd en de jury was al aan het overleggen – toen er opeens nieuw bewijsmateriaal opdook.
Het meisje had verteld dat de jongens banden hadden met een vampiersubcultuur en had verklaard dat de gruwelijke moord een gepland onderdeel was geweest van hun macabere rollenspel. Volgens een opgenomen telefoongesprek tussen haar en een van de verdachten waren ze van plan geweest om het hele gezin te vermoorden. Een uur nadat ze

Jonathan hadden aangevallen, hadden twee van hen zich ook daadwerkelijk met een honkbalknuppel op de stiefvader gestort. Op basis daarvan werden de broer en een van de andere jongens ook beschuldigd van poging tot moord.

De advocaten van de twee medeplichtigen bleven echter beweren dat de telefoongesprekken niet serieus waren geweest en dat het feit dat de moord kort daarna was gepleegd puur toeval was. Volgens hen had de broer van Jonathan alleen gehandeld in een vlaag van woede. De ene medeplichtige, wiens ex-vriendinnetje tegen de jongens had getuigd, zei dat zijn telefoontje naar haar om de moord te bespreken een poging was geweest om indruk op haar te maken, omdat ze op het punt stond het uit te maken. Hij beweerde dat hij soortgelijke dingen had gezegd om andere meisjes te imponeren, en dat hij maar een grapje had gemaakt toen hij zichzelf een vampier had genoemd.

Later in het proces plaatste het meisje informatie op haar weblog en op de website vampirefreaks.com, die door een journalist werd verwerkt in een artikel voor de *National Post*. Geen van de advocaten was op de hoogte geweest van het commentaar dat de tiener op internet had gegeven. Ze had voor de rechtbank verklaard dat ze met de vampierfixatie was meegegaan omwille van haar vriendje terwijl ze het eigenlijk kinderachtig had gevonden, maar in haar weblog kwam een ander beeld naar voren: ze was geobsedeerd door bloed, pijn en begraafplaatsen en haatte mensen.

Toen de advocaten van de verdachten de inhoud van de website ter sprake brachten, zei de rechter dat de getuigenverklaring van het meisje daardoor in een ander daglicht kwam te staan, en hij seponeerde de zaak. Later zeiden rechtbankjournalisten dat weblogs op internet (ook wel bekend als *blogs*) een nieuwe dimensie aan rechtszaken zouden kunnen toevoegen. Informatie die invloed kan hebben op bewijsmateriaal of op de beraadslagingen van de jury wordt op deze manier immers breed toegankelijk voor het publiek. Voordat ze een nieuw proces aanspannen, zullen de aanklagers in deze zaak moeten uitzoeken of de teksten die het meisje op het web heeft gezet gemeend zijn en haar getuigenverklaring daadwerkelijk ondermijnen.

De populariteit van blogs is de afgelopen jaren exponentieel toegenomen. Omdat blogs gebruiksvriendelijk zijn, snel via onlinediensten kunnen worden aangemaakt en mensen de mogelijkheid geven om hun ideeën over elk willekeurig onderwerp publiekelijk te ventileren, heeft bloggen zowat het hele internet veroverd. Een blog is een online-dagboek dat eenvoudig te creëren en te actualiseren is. Het biedt mensen de gelegenheid om tekst, foto's en links naar andere sites op internet te plaatsen. Meer dan twaalf miljoen mensen communiceren dagelijks via deze formule over specifieke onderwerpen die variëren van politiek tot huisdieren en pedofilie. Er zijn zelfs websites die het aantal blogs bijhouden: ze registreren hoeveel er elke dag aan de 'blogosfeer' worden toegevoegd en hoeveel erin wordt geschreven. Bloggers kunnen hele gemeenschappen rond hun blogs opbouwen van mensen die ze nog nooit hebben ontmoet, maar kunnen er ook voor kiezen om hun creaties alleen toegankelijk te maken voor vrienden en familieleden. Via blogs kunnen schrijvers nieuwe lezers vinden, kunnen filmfans elkaar vinden en kunnen ondernemers nieuwe klanten vinden.

Over het algemeen vinden mensen het bevredigend als anderen hun zielenroerselen lezen. Sommige mensen gebruiken blogs om stoom af te blazen, wat hun agressie op een constructieve manier kanaliseert, maar voor de zekerheid worden zowel blogs als online-chatrooms gecontroleerd door de autoriteiten om te voorkomen dat getroebleerde mensen bedreigingen uiten die zouden kunnen uitmonden in geweld – dat geldt vooral voor bekende of potentiële terroristen, mensen die gefascineerd zijn door bommen of moordzuchtige individuen.

Joseph Edward Duncan III, een pleger van zedendelicten, hield een webdagboek bij dat 'Blogging the Fifth Nail' heette. Via internet legde hij een aantal maanden lang zijn worstelingen met 'demonen' vast. Vier dagen voordat er in Idaho twee kinderen verdwenen, Dylan en Shasta Groene, schreef hij in zijn weblog: 'De demonen hebben de macht overgenomen.' In het huis van Dylan en Shasta werden hun moeder, hun broer en een vriend van de familie doodgeslagen aangetroffen, en een paar dagen later dook Shasta op in Duncans gezelschap, terwijl Dylans stoffelijk overschot werd gevonden in Montana. In zijn blog besprak Duncan de concepten goed en kwaad, en het feit dat hij zich ervan bewust was dat hij het verschil ertussen niet kende. 'God heeft me naar de juiste keuze geleid,' schreef hij in april 2005, 'maar de demonen hebben me aan het spit geregen en het vuur is al aangestoken.' De titel van zijn blog was een verwijzing naar de spijkers die werden gebruikt bij de kruisiging van Jezus Christus. Tijdens het onderzoek identificeerde de politie het blog, dat alleen was ondertekend met 'Joe', als dat van Duncan doordat zij het internetadres had weten te koppelen aan de computer die was gebruikt om het blog te creëren en de bijdragen ervoor te schrijven. Veel van Duncans klaagzangen erop gaven blijk van woede om zijn sociale isolement, dat het gevolg was geweest van zijn veroordeling voor een zedendelict. Hij werd beschuldigd van verschillende gevallen van moord en ontvoering, en zijn proces loopt nog.

Digitale gegevens

Digitale gegevens spelen tegenwoordig een cruciale rol bij het oplossen van veel misdrijven. We zien regelmatig hoe de personages in de CSI-series commando's intypen en informatie manipuleren om resultaten te boeken. In de aflevering 'The Closer' deed Stella dat bijvoorbeeld omdat zij de resolutie wilde verbeteren van een foto van een gevlekt inktstempel op de hand van een slachtoffer. Onderzoekers gebruiken allerlei verschillende typen programma's om de kwaliteit van beelden, geluiden en perspectieven te verbeteren, maar ze zijn allemaal kwetsbaar. Informatie is een digitaal hulpmiddel geworden, dat is opgeslagen in machines en netwerken en bewaakt wordt door softwaresystemen, wachtwoorden en beveiligde toegang tot databanken. De cyberwereld staat in verbinding met de echte wereld via een gigantisch, gecompliceerd netwerk van simulaties. Dankzij de niet-aflatende ontwikkelingen op het gebied van computertechnologie worden de mogelijkheden van de forensische wetenschap en het forensisch

onderzoek steeds groter. Het onderzoek op een plaats delict levert tegenwoordig een schat aan informatie op, en dat heeft de vraag naar snelle ordening van die informatie vergroot.
Forensisch computerdeskundigen weten hoe ze toegang kunnen krijgen tot een computer om te kunnen nagaan wat een gebruiker er allemaal op heeft gedaan. Ze kunnen verwijderde gegevens terughalen, versleutelde bestanden decoderen, geïnfecteerde bestanden herstellen en vaststellen welke websites iemand heeft bezocht om informatie te zoeken of contacten te leggen. Maar ze kunnen ook informatie manipuleren of in een computer plaatsen zonder dat iemand er erg in heeft.
Om een forensisch computerdeskundige te worden moet je zowel verstand hebben van computerbesturingssystemen als van de wet. Als het gaat om bewijsgaring, kleven er aan de rol van de computer als opslagplaats van informatie zowel voor- als nadelen. De belangrijkste gevaren zijn informatieverlies tijdens een onderzoek of mogelijke verandering van informatie. Men moet zorgvuldig omgaan met computergegevens, willen ze als bewijsmateriaal in de rechtszaal kunnen dienen, en de methode van informatievergaring mag niet omstreden zijn.
Computerbesturingssystemen gebruiken virtueel geheugen voor hun snelheid en voor het ophalen van gegevens, wat betekent dat de informatie zeer kwetsbaar is. Zij kan gewist of overschreven worden als een computer wordt aangezet. Computerspecialisten bij politie en justitie maken gebruik van apparatuur die alles wat op de harde schijf van een computer staat kan dupliceren zonder dat de computer daarvoor hoeft te worden aangezet. Als ze dus het juiste protocol volgen en een machine volledig onder controle hebben, kunnen ze aan versleutelde gegevens werken zonder dat ze het risico lopen dat die verloren gaan.
Rechtbanken hebben een duidelijk protocol opgesteld: de gebruikte hulpmiddelen mogen de te verzamelen gegevens niet beïnvloeden, al het noodzakelijke moet ermee kunnen worden verzameld en ze moeten repliceerbare resultaten kunnen produceren. Als er vragen rijzen over de authenticiteit van bewijsstukken, zal de onderzoeker moeten bewijzen dat het bewijsmateriaal een

accurate weergave is van wat er in de computer stond. Verderop in dit hoofdstuk zullen we zien dat dit niet altijd even eenvoudig is. Criminelen bedachten al snel manieren om computertechnologie in te zetten bij misdrijven. Aan het begin van de jaren zeventig van de twintigste eeuw begonnen mensen zich ongeoorloofd toegang tot computers te verschaffen. Aanvankelijk stalen ze vooral online-tijd waarvoor anderen hadden betaald, wat wetgevers overtuigde van de noodzaak van wetgeving die een compleet nieuw gebied bestreek. In die begintijd waren ongeoorloofde toegang en fraude de meest voorkomende typen computercriminaliteit, en in 1978 voerde Florida de Florida Computer Crimes Act in om deze activiteiten aan banden te leggen. Andere staten en landen volgden dit voorbeeld.

Maar de criminelen bleken niet voor één gat te vangen. Hun uiteenlopende praktijken noodzaken politie en justitie ertoe om hen te volgen in de digitale doolhof, niet alleen om te controleren waar ze mee bezig zijn maar ook om te anticiperen op hun volgende stappen. Dat betekent dat politiefunctionarissen in ieder geval enige technische basiskennis van computers en het World Wide Web moeten hebben. De laatste jaren hebben veel van hen zich op dit gebied gespecialiseerd. Er worden speciale cursussen aangeboden waarin politiemensen leren hoe criminelen bestanden bewaren en wissen, hoe ze met hun netwerken of cellen communiceren en hoe ze zich inlaten met strafbare activiteiten als kinderporno. Internet is een laagdrempelige arena geworden voor de handel in illegale objecten en om de bestanden van ondernemingen en overheden te kraken, soms om gegevens te saboteren en soms om belangrijke informatie te stelen.

In de jaren negentig, toen miljoenen mensen over de hele wereld inmiddels toegang hadden tot internet, doken er nieuwe soorten computercriminaliteit op: schending van copyrights, de verspreiding van illegale kinderporno, identiteitsdiefstal en schending van de privacy. Politie en justitie leerden met vallen en opstaan hoe ze deze misdrijven moesten opsporen en hoe ze de plegers ervan moesten straffen, en een tijdlang hadden de criminelen een ruime voorsprong. Tegenwoordig bestaan er regionale centra voor de verwerking van digitaal bewijsmateriaal. Gebieden waar sprake is van een grotere vraag, zoals grote steden, beschikken zelfs over plaatselijke centra. Rechercheurs worden steeds behendiger met computers: sommige hebben zich gespecialiseerd in het vergaren van digitaal bewijsmateriaal, andere in de verwerking ervan, en weer andere analyseren de relevantie van bewijsmateriaal voor een zaak. Maar er komt veel meer bij kijken dan op het eerste gezicht lijkt. Voor het werken met digitale gegevens zijn specifieke protocollen nodig die vaak niet zijn opgesteld omdat mensen het belang ervan niet inzien. Een deskundige kan ons meer vertellen over de problemen op dit gebied.

Steven W. Teppler is uitvinder, advocaat en voorzitter annex oprichter van het bedrijf TimeCertain LLC. Sinds 1980 werkt hij in de advocatuur en hij is toegelaten tot de rechtbanken van New York en het District of Columbia. Hij houdt zich bezig met civiele zaken en strafzaken, is lid van het Information Security Committee van de American Bar Association en medeoprichter van het Information Assurance Consortium. Hij adviseert cliënten uit de private en de publieke sector over risico-, aansprakelijkheids- en compliantievraagstukken die specifiek betrekking hebben op het genereren, wijzigen, overdragen en opslaan van elektronische gegevens.

'Waar ik me vooral mee bezighoud,' zegt Teppler, 'is de vraag of digitale gegevens wel of niet authentiek zijn. De meeste informatie die tegenwoordig wordt gegenereerd is digitaal, niet zwart-op-wit. De mogelijkheden om vervalsingen op te sporen zijn in de tastbare, niet-elektronische wereld veel verder ontwikkeld dan in de elektronische wereld. Mensen denken vaak dat het wel goed zit met informatie die uit een computer komt, omdat die door een computer is gemaakt – het moet wel echt zijn, omdat het elektronisch is. Maar het tegenovergestelde is juist het geval. Wetenschappers houden juist zo van computergegevens omdat ze vluchtig en eenvoudig te manipuleren zijn, waardoor ze er goed mee kunnen werken. Ze zijn oneindig veel gemakkelijker te wijzigen dan gegevens die zwart-op-wit staan, of dan tastbare materialen waaraan je kunt zien dat ze een of ander verouderingsproces hebben ondergaan.'

Het probleem is dus vooral dat het zo eenvoudig is om computergegevens te wijzigen. Ze zijn niet te vergelijken met informatie op papier, die met verschillende hulpmiddelen of expertise kan worden onderzocht. Bij digitale gegevens heb je niets fysieks in handen.

'Wat we afdrukken, op een monitor zien, in onze bestandsmappen hebben staan of zelfs als bewijsmateriaal in bewaring houden,' benadrukt Teppler, 'is geen "bronmateriaal" of originele informatie. Je kunt deze gegevens niet onder een microscoop bekijken. Echt bronmateriaal in een computer bestaat uit niet voor mensen leesbare binaire cijfers – al die vermaledijde eentjes en nulletjes. En ze zijn leeftijdsloos. Ze zien er nu precies hetzelfde uit als gisteren en zien er over twintig jaar nog zo uit. Een forensisch onderzoeker zal zeggen: "dit zijn de gegevens die op de harde schijf stonden". Wat je echter niet weet, is of die gegevens gecreëerd zijn op het tijdstip dat erbij staat. Als je de herkomst van digitale gegevens niet kunt achterhalen, kun je jezelf flink in de nesten werken.

Aan die nulletjes en eentjes valt niet te zien wat de gegevens zeggen, wanneer ze zijn gecreëerd en of ze sindsdien zijn veranderd. Wat we in feite zien, is wat we "een beeld van een beeld" noemen – minstens twee, mogelijk drie vertalingen van die nulletjes en eentjes door andere processen of systemen, totdat de binaire gegevens voor mensen leesbaar zijn.'

Met andere woorden: digitale gegevens zijn verschillende malen bewerkt, zonder dat de herkomst of de oorsprong ervan kan worden geïdentificeerd. 'Zolang we niet zeker weten of de nulletjes en eentjes zijn wat ze pretenderen te zijn,' legt Teppler uit, 'en of ze zijn veranderd nadat ze werden gecreëerd, weten we ook niet of we te maken hebben met een juridisch memo of met een recept voor hondenkoekjes. Het probleem is dat systemen voor datageneratie gemakkelijk kunnen worden gemanipuleerd door de insiders die ze beheren. Kijk bijvoorbeeld maar naar Enron, RiteAid, NextCard, WorldCom, Parmalat, AIG, Frank Quattrone en Martha Stewart. Wat niet iedereen weet, is dat die zich allemaal hebben beziggehouden met het antidateren en manipuleren van gege-

vens. Datamanipulatie in het digitale tijdperk is inmiddels een miljardenbusiness geworden.
Digitale gegevens zijn zo vluchtig dat je met één klik van een muis een systeemklok kunt antidateren en de binaire informatie kunt wijzigen waaruit de oorspronkelijke gegevens bestonden. Deze eenvoudige mogelijkheid om de tijd te manipuleren is aanwezig in elke moderne datagenererende omgeving, van een kleine pc tot een mainframecluster in een serverbedrijf. Mijn kantoor (en andere kantoren met ons) is sterk voorstander van het fenomeen "timestamping": het zodanig beveiligen van de eentjes en nulletjes dat hun tijdstip van creatie niet kan worden gewijzigd. In gewone-mensentaal: we voorzien digitale gegevens van een soort vingerafdruk om ervoor te zorgen dat ze integer blijven, en we bouwen de mogelijkheid in om wijzigingen of manipulatie op te sporen.'
Teppler besloot in feite om deze techniek in zijn bedrijf te introduceren omdat gegevens die als bewijsmateriaal kunnen dienen zo gemakkelijk kunnen worden gemanipuleerd. Zij is nog niet in de rechtszaal gebruikt, hoewel Teppler uit persoonlijke ervaring weet dat het hoog tijd is dat de rechtbanken zich bewust worden van het belang ervan.
'De zaak die me op dit idee bracht, was een smerige zaak waarin we als advocaten tot een schikking waren gekomen. Hij duurde ongeveer zeven jaar, en ik was aangewezen om voor drie advocaten de urenregistratie bij te houden. Volgens de voorwaarden van de schikking hadden we het recht om de honoraria van de advocaten bij de rechtbank te declareren, en dan zou de beklaagde de honoraria betalen als de rechtbank een beslissing had genomen. Ik had nog nooit een urenregistratie op papier bijgehouden, zoals het al honderden jaren werd gedaan. In plaats daarvan deed ik het op mijn computer; we werkten met het nieuwste van het nieuwste op het gebied van computertechnologie, en ik wilde niet een hele papierwinkel hoeven bijhouden. Dus leverde ik op de afgesproken dag 150 pagina's in met meer dan 1300 posten erop. De andere partij mocht daar bezwaar tegen indienen en deed dat ook heftig; zij beweerde dat de datum op de uitdraai van de avond daarvoor

was en dat ik dus alles uit mijn duim had gezogen. We declareerden ongeveer 800.000 dollar aan werkzaamheden die drie advocaten van ons gedurende zes jaar hadden verricht, en ze sleepten ons voor de rechter. Het kostte ons een kwart miljoen dollar om ons geld te krijgen.'

Tot Tepplers ergernis richtte de tegenpartij zich op het argument dat hij de posten allemaal in één keer had ingevoerd, en niet op de tijdstippen waarop de transacties hadden plaatsgevonden, en hij kon het tegendeel niet met harde bewijzen staven. 'Aan de uitdraai had ik niets; ik kon alleen maar zweren dat ik de posten op verschillende tijdstippen had ingevoerd. Toen bedacht ik bij mezelf dat het heel prettig was geweest als ik een manier had om te bewijzen dat de posten in de computer waren ingevoerd op het tijdstip dat ik beweerde.'

Als hij deze problemen aan anderen probeert uit te leggen, gebruikt hij altijd een eenvoudige anekdote. In zijn familiebedrijf werkte een middelbare scholiere die hem op een dag naar deze technologie vroeg. Om het haar duidelijk te maken, vroeg hij haar of ze met een computer werkte. Dat deed ze. Ze vertelde ook dat ze sommige opdrachten op diskette moest inleveren. Hij vroeg haar of ze ook deadlines meekreeg, en ze zei ja. Vervolgens vroeg hij: 'Heb je de klok in je computer wel eens teruggezet zodat het leek alsof je je opdracht op tijd af had, terwijl dat in werkelijkheid niet zo was?' Ze zette grote ogen op toen ze besefte welke gevolgen de nieuwe technologie zou hebben. 'Ga je *daar* een stokje voor steken?' vroeg ze.

'In de computerwereld,' zegt Teppler, 'weet je nooit wat je bronmateriaal is, dus heb je twee problemen. Ten eerste: hoe weet je of datgene wat je van de schijf hebt gehaald ook is wat het pretendeert te zijn? Ten tweede: hoe kun je er zeker van zijn dat er niets is veranderd aan het bewijsmateriaal dat je in bewaring hebt? Het zijn immers allemaal nulletjes en eentjes. Zonder drastische maatregelen om de integriteit van gegevens te garanderen, zoals timestamping, kun je deze vragen nooit met zekerheid beantwoorden. Alles krijgt weliswaar een tijdsaanduiding mee, maar die kun je veranderen. Alles is aan te passen.'

Met andere woorden: als je achteraf zou beseffen dat je een plaats delict niet uitgebreid genoeg hebt gefotografeerd, zou je de klok van je digitale camera terug kunnen zetten, naar de plaats delict kunnen terugkeren en net doen alsof je het wél goed had gedaan. Niemand die erachter komt, omdat de foto's met *die* tijdsaanduiding de enige zijn die beschikbaar zijn.
'Ik heb eens een ongeloofwaardig verhaal gehoord, dat ik nooit heb kunnen verifiëren, maar dat het probleem wel duidelijk illustreert,' zegt Teppler. 'Een man werd gearresteerd voor het dealen van drugs, en een undercoveragent had hem tijdens het dealen weten te fotograferen. Tijdens het proces presenteerde de advocaat van de verdachte echter een foto van dezelfde man die stond te dansen op een Rave-party aan de andere kant van de stad, met een klok op de achtergrond die precies dezelfde tijd aanwees, en een tijdsaanduiding op de foto. De rechter verwierp beide foto's als bewijsmateriaal omdat hij zei dat de man niet op twee plaatsen tegelijk kon zijn en hij beide foto's onbetrouwbaar achtte.'
Digitale gegevens kunnen dienen als ontkrachtend of belastend bewijsmateriaal, om aansprakelijkheid vast te stellen of te ontlopen of om echte gegevens met behulp van vervalste gegevens in twijfel te trekken, en niemand zal het verschil kunnen zien. 'Een journalist van de *LA Times* maakte eens een montage van foto's die hij in Irak had genomen,' vertelt Teppler. 'Daarbij combineerde hij twee digitale foto's zodanig dat het leek of een soldaat een klein kind dat door zijn vader werd gedragen met een geweer bedreigde. Het probleem is dat je niet weet wat echt is. Gartner, een internationaal bedrijf dat zich bezighoudt met IT-onderzoek en informatieanalyse, noemt dit "vervalste realiteit". Bij een rechtszaak mag je zulk bewijsmateriaal inbrengen als je erop hebt gezworen en kunt aantonen dat het op een betrouwbare en authentiseerbare manier is gecreëerd. Maar door erop te zweren en te laten zien hoe het werkt heb je het nog niet geauthentiseerd. Het is zo eenvoudig om met onderliggende gegevens te knoeien – werkelijk iedereen kan het – dat het de bewijskracht van je materiaal verzwakt. Als je de tijd naar je hand kunt zetten, kun je immers ook de geschiedenis naar je hand zetten.'

Sommige IT-sectoren hebben al begrepen dat digitale fraude een exponentieel groeiende business gaat worden, en rechercheurs zullen zich moeten gaan bekwamen in de identificatie, analyse en ontmaskering ervan. De in- en verkoop van vervalste realiteit zal een grote vlucht nemen. Tot nu toe is er nog geen historische rechtszaak geweest die ervoor heeft gezorgd dat mensen alerter zijn geworden op deze dreiging, maar die zit er wel aan te komen. Een zaak waarover in 2001 uitspraak is gedaan en die op technische gronden naar een hoger gerechtshof is verwezen, wekt de indruk dat de rechtbanken in ieder geval de noodzaak van strengere authentisatienormen beginnen in te zien.

In 1991 werd in een zak op een verlaten weg ten noorden van Hartford (Connecticut) het lichaam gevonden van Carla Terry. Ze was gewurgd, en de kneuzingen rond haar beide borsten werden geïdentificeerd als menselijke bijtsporen. Terry's lichaam vertoonde geen verdedigingswonden, waaruit de politie opmaakte dat ze haar belager had gekend. Twee dagen later meldde een vrouw dat ze Carla Terry in een bar had gezien, waar ze had zitten flirten met een zwarte man van een jaar of veertig die Al heette.
De politie spoorde Al Swinton op en doorzocht zijn huis en auto. Ze vonden een bruine plastic zak van dezelfde kleur en grootte en van dezelfde makelij als de zak waarin de dode vrouw was gevonden, en een zwarte beha die volgens Terry's familie van haar was. Bovendien kreeg de politie toestemming om een afdruk van Swintons gebit te laten maken, en toen een forensisch odontoloog die vergeleek met de bijtsporen die op Terry waren aangetroffen, concludeerde hij dat de gebitsafdrukken identiek waren. Een rechter oordeelde echter dat de staat moest bewijzen dat de bijtsporen waren aangebracht rond het tijdstip van Terry's dood. Hij gelastte dat Swinton werd vrijgelaten, en het onderzoek belandde op een dood spoor.
Nieuwe ontwikkelingen in de forensische wetenschap brachten de zaak in 1998 opnieuw onder de aandacht. De oorspronkelijke foto's van de plaats delict waren niet veranderd, maar de rechercheurs bekeken ze nu met andere ogen. Met behulp van Lucis, een beeldverwerkingspro-

gramma dat subtiele variaties in contrast kan aantonen, konden ze nu details onderscheiden die voorheen niet of nauwelijks te zien waren geweest. Met Lucis worden 255 contrastniveaus zichtbaar, veel meer dan de 32 niveaus die het menselijk oog kan onderscheiden.

Forensisch odontoloog Gus Karazulas ging aan de slag met de bijtsporen op het lichaam van Carla Terry. Hij scande de foto in de computer met behulp van Adobe Photoshop software en paste de contrastniveaus aan. Vervolgens maakte hij een transparante kopie van de in 1991 gemaakte gipsafdrukken van Swintons gebit en legde die op de verbeterde foto. Ze kwamen volledig overeen. Maar dat was al eerder vastgesteld. Nu moest nog worden achterhaald wanneer de bijtsporen precies waren aangebracht.

Karazulas wist dat het genezingsproces van het lichaam stopt zodra iemands hart ophoudt met kloppen, en aan de hand van Terry's kleur kon hij vaststellen dat er geen veranderingen aan haar lichaam waren opgetreden tussen het tijdstip dat ze was vermoord en het tijdstip dat ze was gevonden. De kleur van de kneuzingen vertegenwoordigde een vast punt in de tijd – het geschatte tijdstip van Terry's overlijden. Met dat in zijn achterhoofd probeerde Karazulas de kleur van haar kneuzingen te repliceren door de gipsen afgietsels van Swintons onder- en bovengebit te nemen en die om zijn eigen arm te klemmen. Hij nam een groot aantal foto's om zijn werk te verifiëren en hield bij hoe lang het duurde voor de kleur van zijn arm weer normaal was geworden – totdat de arm zichzelf in feite weer had genezen. Hij ontdekte dat het bijtspoor vijftien tot twintig minuten nadat het was aangebracht weer verdwenen was. Uit de kleur van de wurgsporen op het slachtoffer, de kleur van de bijtsporen op haar borsten en de kleur van het bijtspoor op zijn arm maakte de odontoloog op dat Terry ongeveer vijftien minuten nadat ze was gewurgd was gebeten. Hij herhaalde deze test meer dan vijftig keer, met dezelfde resultaten. Op deze manier wist hij te bewijzen dat Swinton bij Terry was geweest rond het tijdstip dat ze was gewurgd.

Swinton werd opnieuw gearresteerd, en in maart 2001 werd hij veroordeeld tot een gevangenisstraf van zestig jaar. Zijn advocaat zette echter vraagtekens bij de gebruikte technologie en ging in hoger beroep. Hij zei dat de staat had verzuimd met fundamentele bewijzen te komen voor de adequaatheid van de computerprogramma's en dat de deskundigen die ze hadden gebruikt er slechts elementaire kennis van hadden gehad. In reactie daarop riep de rechtbank een toelaatbaarheidstest in het leven die bestaat uit de volgende zes onderdelen:

1. De computerapparatuur moet in het veld geaccepteerd zijn als standaard en competent.
2. Zij moet door gekwalificeerde mensen worden bediend.
3. De juiste procedures moeten zijn gevolgd met betrekking tot de in- en output van gegevens.
4. Er moet een betrouwbaar softwareprogramma zijn gebruikt.
5. De apparatuur moet op de juiste manier geprogrammeerd en bediend zijn.
6. Het bewijsstuk moet correct geïdentificeerd zijn als de output in kwestie.

De rechtbank oordeelde uiteindelijk dat de met behulp van de computer verbeterde foto's van de eerste deskundige aan de bovenstaande eisen voor bewijsstukken voldeden, maar de door de computer gegenereerde gebitsafdrukken van de tweede deskundige niet, omdat deze deskundige de werkzaamheden niet persoonlijk had uitgevoerd maar er slechts toeschouwer van was geweest. Het bewijsmateriaal werd afgekeurd, maar de veroordeling bleef overeind.

'Ze begrijpen het echter nog steeds niet helemaal,' zegt Teppler, doelend op de rechtbanken. 'Ze denken dat het gaat om het verschil tussen iets wat door de computer is gegenereerd en iets wat door de computer is verbeterd. Maar ook als iets door de computer is verbeterd, is het door de computer gegenereerd. Daar hebben ze nog niets op gevonden. Uit deze eerste zaken blijkt echter dat de rechtbanken onderkennen dat digitale gegevens een aantal inherente problemen met zich meebrengen. Je kunt verdachten erin luizen of juist van verdenking zuiveren als je maar genoeg onecht digitaal bewijsmateriaal inbrengt dat gerede twijfel zaait, of als iemand van de kant van de aanklager dat doet. Het is niet voldoende om te beweren dat je de gegevens op de harde schijven die in je bezit zijn niet hebt gemanipuleerd. Het vormt een gevaar

voor beide partijen en voor de correcte rechtsbedeling. We bevinden ons op glad ijs.'
Ter illustratie haalt Teppler een zaak aan in Riverside (Californië) waarin twee hackers de strafbladen van vijf mensen wijzigden, die daardoor zouden zijn vrijgelaten. Ze veranderden gegevens om het te laten lijken alsof de beschuldigingen, waaronder aanklachten voor wapen- en drugsbezit, niet ontvankelijk waren verklaard. Ze werden betrapt toen rechtbankmedewerkers merkten dat er in verschillende lopende zaken veranderingen waren aangebracht en nadat een borgtochtkantoor inlichtingen had ingewonnen over een gesloten zaak alsof die nog liep. Bij nader onderzoek ontdekte men dat er geknoeid was met computerbestanden. Het Computer and Technology Crime High-Tech Response Team (CATCH) lichtte het systeem door en identificeerde de schuldigen via de vroegere banden van een van hen met justitie. Hij had een wachtwoord gestolen en had zich meer dan zeventig keer toegang verschaft tot de databanken van de rechtbank. De hackers werden schuldig bevonden en kregen negen jaar gevangenisstraf.
'Ze hebben die computerbestanden alleen maar kunnen veranderen door ze te antidateren,' legt Teppler uit. 'Als je de geschiedenis herschrijft, moet je antidateren. En als de verandering lijkt te zijn aangebracht op de datum waarop zij had moeten zijn aangebracht, wordt zij geaccepteerd. Als je controle hebt over het datageneratiesysteem waarmee zo'n verandering wordt gecreëerd, zijn er geen forensische methoden om de herkomst van de gegevens aan te tonen. Maar als je gebruikmaakt van timestamping en zogenaamde vingerafdrukken, heb je de mogelijkheid om de gegevens vanaf dat moment te verifiëren.'

Simulatie en verbetering

Computersimulatieprogramma's bieden manieren om mogelijke scenario's voor een incident te construeren, gebaseerd op de invoer van onbewerkte gegevens en de mogelijkheid om die te manipuleren. Een reconstructiedeskundige kan bijvoorbeeld de af-

stand meten tussen de grond en het raam waaruit iemand is gevallen en vervolgens informatie invoeren zoals het gewicht van het slachtoffer, de heersende windomstandigheden, de kleding die de persoon droeg en hoe hij uit het raam is komen zetten (vallend of rennend). Vervolgens kan de computer bepalen of de berekeningen overeenkomen met de manier waarop de persoon uiteindelijk is neergekomen. Ook kunnen onderzoekers de baan van een kogel vaststellen om de positie van een schutter te achterhalen, zoals in de aflevering 'Officer Blue' van *CSI-NY* gebeurde. Hierin werd met behulp van een Scanosphere laser 3-D programma allereerst een 360°-overzicht gemaakt van het park waarin het incident plaatshad, en vervolgens werden de coördinaten ingevoerd van de kogelbanen en de plek waar de agent en zijn paard waren geraakt.
Het programma interpreteert gegevens, dus verschillende gegevens zullen verschillende resultaten opleveren, maar het gaat er vooral om dat de gegevens correct worden ingevoerd. Een brandstichtingsprogramma kan op basis van een brandhaard en andere gegevens over de brand (bijvoorbeeld of er een brandversnellend middel werd gebruikt) aangeven hoe een brand in een specifiek type gebouw woedt. Als dat niet overeenkomt met de werkelijkheid, kan er een andere mogelijke brandhaard worden ingevoerd. In 'Bad Words' moest Nick Stokes gegevens verschillende malen opnieuw invoeren om een brandhaard te vinden die het dichtst bij de waarheid leek te liggen.
Een ander interessant type software geeft onderzoekers de mogelijkheid om met behulp van virtuele werkelijkheid vanuit verschillende invalshoeken naar een gereconstrueerde plaats delict te kijken, of om in en uit te zoomen om verschillende perspectieven of details te kunnen bestuderen. Allereerst moeten de onderzoekers met een digitale camera en een visooglens foto's maken van de plaats delict. Met behulp van een panoramakop op een statief kunnen zij de camera gestaag en continu laten roteren. De foto's worden via instructies in de virtuele situatie geïmporteerd, waarna een driedimensionale scan van 360° zichtbaar wordt. Dit geeft onderzoekers de mogelijkheid om opnieuw op de plaats delict 'rond

te lopen' en zich te concentreren op invalshoeken die ze wellicht niet hadden opgemerkt toen ze daadwerkelijk ter plekke waren. Ze kunnen inzoomen om iets beter te bekijken, interacties laten plaatsvinden, een detail eruit lichten en dat verbeteren of vergroten, of verschillende aspecten van een locatie naast elkaar leggen. Ook kunnen ze diagrammen maken, objecten verplaatsen of het misdrijf stap voor stap reconstrueren.

Simulaties kunnen echter ook eenvoudiger resultaten opleveren. In 'Ashes to Ashes', waarin de CSI's uit Miami de hoeveelheid bloed onderzochten die een vermoorde priester had verloren, kon aan de hand van het type kogel waarmee de man was geraakt en het lichaamsdeel waarin de kogel was binnengedrongen worden berekend hoe lang hij daar had gelegen voordat hij was weggehaald. Op die manier kon bij benadering worden vastgesteld wanneer hij was doodgeschoten.

Bij misdaadonderzoek wordt ook vaak gebruikgemaakt van computeranimaties. Een computeranimatie is eenvoudigweg een manier om informatie uit een deskundigenrapport te visualiseren voor een jury, vergelijkbaar met een grafiek of een diagram. Het is een eenvoudige reconstructie, waarbij de gegevens niet worden gemanipuleerd of geïnterpreteerd. Net als een grafiek of een diagram verschaft het de jury een visueel beeld van het misdrijf of de plaats delict.

In Scranton (Pennsylvania) stond Michael Serge, een gepensioneerd politierechercheur, terecht voor de moord op zijn vrouw Jennifer. De aanklager liet aan de hand van een 72 seconden durende computeranimatie van het misdrijf zien hoe Serge Jennifer in de woonkamer van hun huis had doodgeschoten. Hij en zijn vrouw waren daarin digitale personages. In de simulatie verscheen Serge gewapend met een pistool en vuurde drie schoten af op Jennifer. Vanuit het pistool liepen gekleurde strepen in de richting van het slachtoffer en de andere plekken waar de kogels terecht waren gekomen. De juryleden konden precies zien hoe de kogels het lichaam waren binnengedrongen, zoals ook beschreven was door de patholoog die de autopsie had uitgevoerd en de politieman die een schets van de kamer had gemaakt. De aanklager hoefde er weinig commentaar bij te geven: de beelden spraken voor zich.

De eerste keer dat er een computeranimatie in een rechtszaal werd gebruikt was in de Bronx in 1984. Daarbij ging het om de reconstructie van een auto-ongeluk voor een civiele rechtszaak. In 1992 werden er voor het eerst computeranimaties gebruikt in een strafzaak. Met deze techniek is een sterke visuele reconstructie mogelijk die er niet alleen voor zorgt dat de jury beter inzicht krijgt in het gebeurde, maar die bovendien de rechtsgang versnelt. Bij animaties wordt gebruikgemaakt van gegevens van de plaats delict en van verslagen, foto's en specifieke informatie op relevante gebieden als ballistiek of pathologie. Met behulp van al die gegevens wordt een cartoonachtig scenario gecreëerd. Maar ondanks al die gelikte beelden is computeranimatie geen vorm van wetenschap maar van kunst, en jury's moeten altijd in hun achterhoofd houden dat het niet meer is dan een interpretatie.
Bovendien zijn niet alle animaties toelaatbaar. Bij een zaak in Idaho werd het de verdediging bijvoorbeeld niet toegestaan om de hunne te laten zien omdat de rechter bepaalde dat de simulatie te weinig overeenkomsten vertoonde met de werkelijke gebeurtenis.

De advocaten van Sarah Johnson, die terechtstond omdat ze haar ouders had doodgeschoten toen ze zestien was, hadden een simulatie laten maken van een mannequin die een .264-kaliber geweer op een kokosnoot leegschoot om te demonstreren hoe het bloed door de impact van de kogel in het rond zou hebben gespat. De kokosnoot moest het hoofd van Johnsons moeder voorstellen, dat op korte afstand van achteren was geraakt. (Haar vader was naast het bed gevonden met een schot in zijn borst.) Op de video was een frame te zien dat bedekt was met een blauw laken. De kokosnoot, die op een kussen lag, was gevuld met een mengsel van half melk en half room en getooid met een pruik. Een mannequin stond ernaast met een Winchester Magnum. De advoca-

ten wilden aantonen wat er zou gebeuren met een object dat met vloeistof was gevuld als er een zwaar vuurwapen op werd afgevuurd. Ze hadden de gebeurtenis zodanig in scène willen zetten dat ze ermee konden bewijzen dat er geen deken om het hoofd van het slachtoffer was gewikkeld, zoals de politiegetuigen die het lichaam hadden gevonden hadden beweerd.
De rechter oordeelde echter dat de verschillen tussen de objecten in de video en die op de daadwerkelijke plaats delict een probleem vormden, en had ook bezwaren tegen hun aanpak. Ze probeerden een resultaat te bewijzen en werkten van daaraf terug om vervolgens een scenario te creëren. Bovendien voerde de aanklager aan dat een kokosnoot niet hetzelfde is als een mensenhoofd. Dat maakte de video misleidend en de conclusies die erop werden gebaseerd onbetrouwbaar. Uiteindelijk werd Sarah Johnson toch veroordeeld voor moord met voorbedachten rade op haar beide ouders.

Hinderlagen en arrestaties

Soms doen pedofielen zich in chatrooms voor als tienerjongens of -meisjes om kinderen tot een ontmoeting over te halen. Op deze manier worden er kinderen misbruikt en zelfs ontvoerd. In eerste instantie leek het onbegonnen werk om chatrooms binnen te gaan op zoek naar deze daders, maar later kwamen rechercheurs op het idee om zich te bedienen van dezelfde modus operandi als de daders. Ook zij deden zich voor als tieners en probeerden de pedofielen zover te krijgen dat ze op een specifieke plek met hen afspraken, waar ze hen konden opwachten met een arrestatiebevel. (Soms stellen ze ook de media op de hoogte, zodat deze mensen met een camera worden overvallen en worden vernederd.) Sommige politiebureaus hebben mensen in dienst die zich fulltime met dit werk bezighouden. Het grootste internationale pedofielennetwerk, ook wel bekend als de Wonderland Club, werd ontmanteld door een samenwerkingsverband van politiekorpsen uit twaalf verschillende landen, waarbij meer dan honderd mensen werden gearresteerd. Toch is de aanwezigheid van pedofielen op internet een steeds groter punt van zorg, en verstokte verslaafden blijven manieren vinden om slachtoffers te maken.

Identiteitsdiefstal

In de aflevering 'Identity' van CSI-M konden de onderzoekers er niet achterkomen welke van twee vrouwen de identiteit van de ander had gestolen. Beiden leken over een geldig legitimatiebewijs te beschikken en beiden bezaten alle documenten die aantoonden dat zij het slachtoffer waren van fraude. Beiden kwamen bovendien oprecht over, dus waren er specifiekere identificatiemethoden nodig. Een botscan en bestudering van medische dossiers toonden uiteindelijk aan wie het slachtoffer was en wie de dief.
Identiteitsdiefstal is een snelgroeiende vorm van criminaliteit die gedijt dankzij de alomtegenwoordige beschikbaarheid van persoonlijke informatie in dit computertijdperk, van bankrekeningen tot sofi-nummers en huisadressen die via gecomputeriseerde databanken kunnen worden achterhaald. Soms wordt er ook een ouderwetse methode gebruikt om iemands identiteit te stelen: men doorzoekt gewoonweg het vuilnis van mensen in de hoop creditcardafschriften te vinden of steelt rekeningen uit brievenbussen. Soms kopen of verkopen dieven ook informatie over anderen. De laatste tijd verschijnen er steeds meer zorgwekkende berichten dat methamfetamineverslaafden, die dagen achtereen wakker kunnen blijven, zich in steeds grotere aantallen op het internet begeven om hun verslaving te financieren met behulp van computermisdrijven. Ze bieden gestolen goederen aan op veilingsites, gebruiken nep-e-mails om gegevens aan slachtoffers te ontfutselen en breken bij bedrijfscomputers in om creditcard-informatie te stelen. Omdat ze uren achtereen routinewerkzaamheden kunnen verrichten als het testen van de geldigheid van creditcards, worden ze vaak betaald door niet-gebruikers om deze werkzaamheden uit te voeren.
In 1992 registreerde het kredietbureau Trans Union Corporation

minder dan drieduizend vragen per maand over identiteitsdiefstal. Vijf jaar later was dat aantal met 1200 procent gestegen. Een hotline voor identiteitsdiefstal die was ingesteld door de Federal Trade Commission (FTC) meldde een verviervoudiging van het aantal klachten tussen het eind van 1999 en de lente van 2001, en Image Data, een bedrijf dat zich bezighoudt met de bescherming van gegevens, bracht een rapport uit waarin stond dat een op de vijf Amerikanen het slachtoffer was geworden van of verwant was aan iemand die het slachtoffer was geworden van identiteitsdiefstal. En de percentages blijven stijgen, hoewel de media mensen bewust proberen te maken van hun kwetsbaarheid en hen stimuleren maatregelen te nemen om dit type misdrijf te voorkomen.

Zodra dieven ook maar een heel klein stukje informatie in handen krijgen, kunnen zij dat gebruiken om meer te verwerven. Ze kunnen een creditcardbedrijf bellen met het nummer van een nietsvermoedende persoon, diens adres wijzigen en vervolgens schulden maken en zich weer uit de voeten maken voordat iemand ze kan betrappen. Of ze openen een nieuwe rekening met de gegevens van iemand anders. Ze sluiten hypotheken af die ze vervolgens niet betalen of kopen auto's, porno, dure cadeaus of wapens. Ze openen bankrekeningen en schrijven valse cheques uit. Ze plegen hun misdrijven anoniem, met desastreuze gevolgen voor het slachtoffer, dat soms jaren bezig is om de situatie recht te zetten en uit de schulden te komen.

Misdrijven als deze blijven vaak onopgelost, deels omdat de plegers ervan lastig te pakken zijn en deels omdat instellingen die er het slachtoffer van worden dat niet snel zullen melden. Ook terroristische groeperingen die hun pijlen gericht hebben op de Verenigde Staten weten de benodigde training, rijbewijzen, bankrekeningen en toegang tot gevoelige informatie te krijgen via identiteitsdiefstal.

Iedereen kan het slachtoffer worden van identiteitsdiefstal, zelfs een dode. Het kost veel meer moeite om een identiteitsdiefstal op te lossen dan om er een te plegen, omdat de pleger dankzij de mogelijkheden van het internet op zo veel plaatsen tegelijk kan zijn en het slachtoffer soms zo veel kwijtraakt dat hij of zij er nooit meer overheen komt.

Het Amerikaanse ministerie van Onderwijs gebruikt een dvd waarop een interview staat met een man die onder ruim vijftig schuilnamen opereerde om via internet meer dan 300.000 dollar aan studentenbeurzen en -leningen naar zijn eigen rekeningen door te sluizen. Hij werd gepakt en stemde in met een gesprek over zijn werkwijze, om mensen te leren hoe ze zich moesten beschermen tegen deze manier van bedrog. Hij had de identiteiten gestolen van gevangenen uit gevangenissen in Arizona door in contact met hen te treden onder het voorwendsel dat hij hen met hun zaak zou helpen. Vervolgens gebruikte hij hun identiteiten om toegang te krijgen tot online-leningen. Het ministerie van Onderwijs verspreidde de video op hogescholen en universiteiten om deze vorm van fraude te bestrijden.

Hoewel de komst van internet cybercriminaliteit mogelijk en cyberonderzoek noodzakelijk heeft gemaakt, hebben computers ook de mogelijkheden verruimd om vermiste personen op te sporen en overleden onbekenden te identificeren. Dit is het domein van de computerkunst.

2 Vis-à-vis

Forensische kunst, gezichtsreconstructie en computerkunst gaan een steeds prominentere rol spelen in CSI. In de begintijd van het programma werden hier vaak deskundigen voor ingeschakeld, maar tegenwoordig komt het steeds vaker voor dat een van de teamleden het werk zelf doet. Zo maakte Aiden in 'American Dreamers' (CSI-NY) zelf een gezichtsreconstructie op basis van een schedel. En in 'Nesting Dolls' schilderde Sara uit CSI-LV een gezicht op een mal van het hoofd van een slachtoffer. De onderzoekers maken ook gebruik van verouderingstechnieken, computerbewerking van surveillancefoto's, identificatie van kunstvervalsingen en andere procedures die gebaseerd zijn op interpretatieve kunst. Meestal gebruiken ze daarvoor computerprogramma's die forensisch kunstenaars ondersteunen bij het maken van oppervlaktemetingen waarbij het oppervlak niet hoeft te worden aangeraakt, zoals laserscanprogramma's en topografische systemen, en soms gebruiken ze eenvoudiger instrumenten die ook te bedienen zijn door niet-deskundigen. Catherine Willows uit CSI-LV gebruikte bijvoorbeeld een tekenprogramma als Photoshop om aan een compositietekening van een verdachte te werken.
Net als bij computers zijn de meningen verdeeld over de vraag of dit aspect van forensische methodologie een wetenschap kan worden genoemd, vooral omdat het aantal onbekende personen dat via forensische kunst wordt geïdentificeerd over het algemeen klein is. Dat aantal groeit echter wel, en steeds meer kunstenaars nemen hun toevlucht tot wetenschappelijke en medische technologieën om hun werkwijzen te verbeteren. Al met al is het dus de moeite waard om de gebruikte procedures door te nemen en een aantal verbeteringen te bespreken die dankzij het computertijdperk mogelijk zijn geworden.

De computer en de beeldhouwer

De identificatie van een onbekend slachtoffer is van het allergrootste belang voor het oplossen van een misdrijf waarbij die persoon was betrokken. Zelfs zonder een misdrijf is het belangrijk om de identiteit van een overleden persoon te achterhalen; op die manier kunnen onduidelijke zaken worden opgehelderd. Forensisch gezien biedt de identiteit van een slachtoffer de mogelijkheid om te achterhalen hoe dat slachtoffer in contact is gekomen met de mensen die betrokken zijn geweest bij zijn of haar dood. Vaak worden er bij een ontdekt lichaam geen identificatiepapieren aangetroffen, en soms is het in zo'n verregaande staat van ontbinding dat er voor de identificatie complexe kunsttechnieken nodig zijn. Als alle andere identificatiemethoden – vingerafdrukken, DNA, odontologie en zelfs radiologie – niets hebben opgeleverd, komt forensische kunst soms om de hoek kijken.
Tot de verschillende typen forensische kunst behoren compositiebeelden, getekende of door de computer gegenereerde portretten, beeldmodificatie zoals verouderingstechnieken en postmortale reconstructie van stoffelijke resten. Vaak is er in dat laatste geval niet meer voorhanden dan een skelet. Dan kan men kiezen voor een kleisculptuur, 3-D computer-beeldbewerking of een andere kunsttechniek waarbij de schedel als basis wordt gebruikt voor gezichtsreplicatie.
Kunstenaars die een replica van een gezicht willen maken, bestuderen verschillende delen van de schedel, zoals bijvoorbeeld de tanden en de kaakstructuur, om vast te stellen hoe iemand eruitzag voor hij of zij stierf. Op die manier proberen zij tot een accurate weergave te komen van de gelaatskenmerken en hun relatie tot elkaar. Over sommige delen van een gezicht zijn moeilijker uitspraken te doen dan over andere. Daarom zijn metingen van de (verschillende onderdelen van) de schedel een belangrijke eerste stap. Als de schedel is beschadigd of al in verregaande staat van ontbinding is, moeten er soms ook reparaties worden uitgevoerd. In die gevallen kan een computer goed van pas komen.
Wanneer er sprake is van botfragmenten, zoals in de aflevering

'Nesting Dolls', waarin een schedel was vermorzeld, bestaat de reconstructie uit verschillende stappen: de fragmenten worden gedigitaliseerd met behulp van een speciaal programma dat 3-D metingen uitvoert aan oppervlakten en afbeeldingen op ware grootte produceert. Vervolgens worden de digitale beelden 'geassembleerd', dat wil zeggen samengevoegd aan de hand van de breuk(vlakk)en en de relevante anatomische kenmerken. Daarna wordt de afstand tussen de breukvlakken van de twee fragmenten gemeten en worden de stukken samengevoegd op het scherm totdat er digitaal een schedel verschijnt. Nu kan een kunstenaar iets construeren of tekenen.

Er bestaat ook een techniek waarbij een tweedimensionale blauwdruk als uitgangspunt wordt genomen. Ofwel de schedel, ofwel een afgietsel daarvan vormt de basis, en er worden houten staafjes op specifieke plaatsen bevestigd die de dikte van de huid en de spieren aangeven. Vervolgens worden de spieren en gelaatstrekken zorgvuldig opgebouwd met boetseerklei en gaat er een dun laagje plastic of klei over de schedel. De beeldhouwer moet bepaalde dingen interpreteren, zoals haarkleur en -stijl, huidweefsel en de breedte van de mond. Vervolgens worden een pruik en kunstogen toegevoegd, worden de oogleden gevormd en wordt er eventueel make-up aangebracht. Wanneer de sculptuur klaar is, worden er foto's en/of tekeningen van gemaakt voor krantenartikelen, televisieprogramma's of posters. Uit onderzoek blijkt dat de weergave niet perfect hoeft te zijn om tot herkenning te leiden; deze hoeft maar een bepaald aspect van het karakteristieke uiterlijk van het individu te bevatten om het geheugen van een betrokkene te prikkelen.

Volgens veel kunstenaars gaat het er vooral om dat de uitstraling van de persoon in kwestie in stand blijft, met name die van de ogen. Bovendien houden de meeste mensen hun leven lang een bepaalde gezichtsuitdrukking. De half dichtgeknepen ogen van voormalig president John F. Kennedy zijn daar een goed voorbeeld van. Een voordeel van door de computer gegenereerde aanpassingen aan foto's is dat de basisuitdrukking tijdens het veranderingsproces hetzelfde blijft.

Voor de komst van de computer waren gezichtsreconstructies een tijdrovend karwei. Op een gegeven moment deden gecomputeriseerde beeldbewerkingssystemen hun intrede, waarmee gezichtscomponenten kunnen worden samengesteld of bewerkt. Wanneer een reconstructie eenmaal met behulp van een bepaald medium is gemaakt, kan die via scannen of fotografie in een computer worden ingevoerd en verder worden bewerkt. Met beeldbewerkingssoftware zoals Adobe Photoshop kunnen gelaatskenmerken worden verscherpt of aangebracht. Met andere programma's, zoals Illustrator, is het mogelijk om rechtstreeks op het beeld te tekenen en om dingen te veranderen als iemand een gezicht wil creëren waarop een aantal extra kenmerken toegevoegd, verwijderd of veranderd zijn.

Er bestaat ook een computerdatabank met gezichtscomponenten, zoals verschillende typen ogen, neuzen, lippen en wangcontouren. Wanneer de schedel eenmaal compleet is, wordt er een digitale weergave van getoond en worden er uit de databank gezichtscomponenten geselecteerd die erop aan lijken te sluiten. Er worden verschillende componenten op het beeld 'geplakt', waarbij de anatomische criteria als leidraad gelden. Zo ontstaat een voorlopige reconstructie, waarbij de kunstenaar een haarstijl selecteert en de juiste huidtinten aanbrengt met behulp van een elektronisch tekenprogramma. Dit gaat een stuk sneller dan de traditionele tekening of kleisculptuur, hoewel sommige kunstenaars vinden dat bepaalde aspecten er minder nauwkeurig door worden.

Bij een andere techniek, die gebaseerd is op computeralgoritmen, wordt een schedel op een draaitafel geplaatst en wordt gebruikgemaakt van computertomografie; terwijl de schedel ronddraait, wordt er via laserstralen en spiegels informatie in een computer ingevoerd. Zo ontstaat er een digitale weergave van de schedel. Daarbij wordt ook gebruikgemaakt van informatie over andere gezichten met vergelijkbare afmetingen en etnische kenmerken. Een programma berekent alles wat nodig is om een gezicht te maken en genereert een digitaal beeld van de schedel. Daarna wordt de schedel 'bedekt' met CT-scans van weefsel en huid van levende mensen, zodat er een gezicht ontstaat dat past bij de topografie van de schedel. Ogen, teint en haar worden digitaal toegevoegd op basis van interpretatieve schattingen. Het resulterende beeld is driedimensionaal en kan worden geroteerd zodat ook een zijaanzicht kan worden bekeken – iets wat met een tekening niet mogelijk is. Hoe nauwkeurig deze beelden zijn, is afhankelijk van in hoeverre de trekken van de persoon overeenkomen met de trekken die kenmerkend zijn voor zijn of haar geïdentificeerde afkomst. Ook bepalend is of hij/zij wel of niet te dik was, een bril droeg, gezichtsbeharing had of zijn/haar haar heel anders droeg dan rond het geschatte tijdstip van overlijden gangbaar was. Het is niet altijd eenvoudig om daar uitspraken over te doen, dus hoe meer informatie er over de persoon kan worden verzameld, hoe beter.

De stoffelijke resten van een vermoorde vrouw die in 1999 in Wisconsin was gevonden, waren nogal moeilijk te identificeren omdat haar ledematen waren afgehakt en haar huid zorgvuldig van haar gezicht was gestroopt. De politie wilde haar schedel van vlees ontdoen, zodat een antropoloog er een sculptuur van kon maken, maar ze waren bang dat ze daarmee bewijsmateriaal zouden vernietigen. Een jaar later hoorden ze van het bestaan van een gecomputeriseerde techniek die hen misschien dichter bij een oplossing kon brengen.

Het Rapid Prototyping Center van de Milwaukee School of Engineering had een manier ontwikkeld om een beeltenis van een gezicht te creëren zonder de stoffelijke resten te hoeven beschadigen. De technici van dit centrum wisten precies te produceren wat de politie nodig had. Allereerst maakten zij een CT-scan van het hoofd, waarbij ze duizenden dunne laagjes papier gebruikten om een 3-D prototype van de schedel te maken zoals die eruit zou zien als er geen vlees op zou zitten. Daarna lijmde de forensisch kunstenaar staafjes op het prototype en bouwde op de gebruikelijke manier een gezicht op. Dit gezicht gebruikte de politie om posters mee te maken en te distribueren in de hoop dat iemand haar zou herkennen. Al snel werd ze geïdentificeerd als de vermiste Mwevano Kupaza, en haar echtgenoot werd in staat van beschuldiging gesteld en veroordeeld voor de moord.

Er bestaan ook andere computerprogramma's voor gezichtsreconstructie, zoals FaceGen Modeller, en deze worden steeds sneller en nauwkeuriger. Een goed programma is heel flexibel en weet de weefselstructuur van een gezicht op de juiste manier op te bouwen. Al deze programma's digitaliseren schedelmodellen, en sommige converteren ze in een raster dat direct kan worden bewerkt. Dat levert coördinaten op waarin markeringen kunnen worden 'geplaatst' en waarden voor huid- en spierdikte kunnen worden berekend. Omdat het minder tijdrovend is dan gummetjes of staafjes met de hand aanbrengen, kunnen er veel meer markeringen worden aangebracht. (De eerste opzet en berekeningen kosten weliswaar tijd, maar bij latere weergaven wordt veel tijdwinst behaald.) Als de juiste instrumenten worden gebruikt, zijn door de computer gegenereerde reconstructies beter dan sculpturen.
Er bestaat ook een methode waarbij gefotografeerde gezichtssjablonen worden gebruikt om 'donorgezichten' te laten samensmelten met een door de computer gegenereerde schedel. Vervolgens worden de kenmerken gemanipuleerd totdat het gezicht op de schedel 'past'. Maar deze techniek kent weer haar eigen problemen: het gevaar bestaat dat het gezicht van de persoon in kwestie te veel gaat lijken op het donorgezicht.

Verouderingsprogramma's

Als er sprake is van een vermist kind dat al een aantal jaren verdwenen is, kunnen er handmatig of via de computer verouderingsverschijnselen aan een bestaande foto van het kind in kwestie worden toegevoegd. Dit soort programma's kan ook van pas komen bij de identificatie van mensen die al lang genoeg voortvluchtig zijn om fysiek te zijn veranderd, of van wie bekend is dat ze regelmatig hun uiterlijk veranderen door een baard of snor te laten groeien of juist af te scheren, aan te komen of af te vallen, zich te vermommen of hun haar te verven. De kunstenaar die zo'n opdracht krijgt, houdt allereerst rekening met de standaardwijze waarop de meeste mensen ouder worden en neemt daarnaast specifieke familietrekken in ogenschouw, zoals de ontwikkeling van gewicht en rimpels. Als er geen foto beschikbaar is, kan ook een tekening als basis dienen.

Als men via de computer een verouderingsproces op een foto of tekening loslaat, kunnen de verouderingskenmerken rechtstreeks aan het computerbeeld worden toegevoegd. Voor volwassenen worden iets andere technieken gebruikt dan voor kinderen. Van een kind heeft de kunstenaar een foto nodig waarop het twee jaar of ouder is, en het is handig om ook foto's van broers en zussen of ouders te hebben op verschillende leeftijden, met name de leeftijd die het kind op dat moment zou hebben. Als er sprake is van medische factoren waardoor misvormingen of vroegtijdige verouderingsverschijnselen kunnen zijn opgetreden, is ook dat belangrijk om te weten. Al deze informatie wordt gecombineerd met standaard kwantificeerbare ontwikkelingsgegevens van kinderen van specifieke culturen en rassen.

Daarna worden de foto's gescand in een computer met verouderingssoftware. De software helpt voorspellen welke structurele veranderingen het gezicht heeft ondergaan naarmate het ouder werd, en terwijl de kunstenaar de foto bewerkt, genereert het programma afbeeldingen van die veranderingen. Het gezicht van een kind wordt in de loop der jaren langer en breder, omdat gezichten altijd naar beneden en naar voren groeien. Tanden van volwassenen zijn groter dan melktanden, en de brug van de neus komt meestal wat hoger te zitten. De schedel zet uit en de ogen worden minder rond. De mond wordt breder, zodat er meer tanden in kunnen, en de neus langer. Lichtgekleurd haar wordt doorgaans donkerder, en de haarstijl is vaak afhankelijk van de modetrends in de cultuur waaruit de vermiste persoon afkomstig is. Zo rond het twaalfde jaar ziet het gezicht er volgroeid uit en wordt de kin prominenter. Uiteindelijk gaan de jukbeenderen verder uitsteken en worden de wenkbrauwen zwaarder. Veranderingen kunnen het zorgvuldigst worden aangebracht als het digitale beeld wordt vergeleken met foto's van de ouder of grootouder waarop het kind het meest lijkt. De kunstenaar kan dan net zo lang met het beeld experimenteren tot er een gelijkend uiterlijk ontstaat.

Voor voortvluchtige of vermiste volwassenen wordt een iets andere verouderingstechniek gebruikt; verouderingspatronen bij volwassenen zijn minder dramatisch dan die bij kinderen. Wel kan er sprake zijn van gewichtstoename, kaalheid, kleurveranderingen, rimpels, een onderkin en andere verschuivingen in de gelaatstrekken. Ook is het mogelijk dat de persoon in kwestie zich heeft geschoren of juist een baard of snor heeft laten staan, of cosmetische chirurgie heeft ondergaan. Het helpt om foto's te hebben van familieleden van ongeveer dezelfde leeftijd, en informatie over de gewoonten van het individu in kwestie, zoals zijn rook- en eetpatroon, of hij aan sport doet en hoe ijdel hij is. Verder heeft ook iemands persoonlijkheid invloed op het type en de diepte van gezichtslijnen, en ook medische aandoeningen kunnen een uiterlijk beïnvloeden.
De kunstenaar houdt meestal rekening met verschillende mogelijkheden en ontwikkelt daarom een aantal varianten van het uiterlijk, vooral met verschillende kapsels, en met of zonder bril. Algemene anatomische richtlijnen voor het verouderingsproces van gezichten, zoals een verslappende kaaklijn, haarverlies en dunner wordende lippen, vormen de belangrijkste richtlijnen.

Robert Nauss, een voormalig leider van de Warlocks-motorbende, was veroordeeld voor de moord op zijn 21-jarige vriendin, die hij in 1977 zou hebben gepleegd. Ze was destijds verdwenen, maar een getuige had beweerd dat Nauss haar lichaam in zijn garage had uitgestald. In 1989 ontsnapte Nauss samen met drugsdealer Hans Vorhauer uit Graterford Prison in Philadelphia door zich te verstoppen in een kledingkast die hij in de werkplaats van de gevangenis had gemaakt.
Toen duidelijk werd dat de voortvluchtigen waarschijnlijk hun uiterlijk hadden veranderd, vroeg de taskforce die zich met de zaak bezighield forensisch kunstenaar Frank Bender om hulp. Van de politie kreeg Bender Nauss' gevangenisfoto en een aantal foto's uit zijn Warlock-tijd die genomen waren voordat hij gevangen was gezet, maar al deze foto's waren al een aantal jaren oud. Bender stond voor een aantal lastige keuzes. Omdat Nauss in de hogere middenklasse was opgegroeid, vermoedde

Bender dat hij zijn toevlucht zou nemen tot wat hij in zijn jeugd had gekend: een gladgeschoren, kortgeknipt hoofd en een huis in een voorstad. De taskforce was sceptisch: deze man was immers een ruige motorrijder geweest. Maar ze wisten ook dat Nauss zich realiseerde dat er landelijk jacht op hem werd gemaakt. Ze besloten naar de kunstenaar te luisteren. Bender bleek gelijk te hebben. Nauss was blijkbaar rechtstreeks naar Michigan gegaan, waar hij was opgegroeid, en toen hij werd gepakt was hij gladgeschoren en kortgeknipt. Hij zag eruit zoals Bender hem had getekend.
Vorhauer was een ander verhaal. Hij scheen nogal slim te zijn en was moeilijker te pakken. Bender vermoedde dat hij zijn haar blond had geverfd, omdat dat dat het best zou staan bij zijn bleke gevangenishuid. De politie had verschillende onscherpe surveillancefoto's van het huis waarin zijn vriendin woonde, maar ze dachten dat de mensen die erop stonden verschillende individuen waren. Bender toonde aan dat het dezelfde persoon was met steeds een ander uiterlijk. Ook Vorhauer werd gepakt, ondanks zijn hoge IQ.

Analyse

Bij het toepassen van verouderingstechnieken is het belangrijk dat iemand zijn of haar basisuitdrukking behoudt, zodat de uitstraling van de persoon in kwestie dankzij bepaalde unieke gezichtskenmerken herkenbaar blijft. Hoewel verouderingseffecten vaak in een voorspelbare volgorde optreden, manifesteren zij zich niet bij elke persoon op hetzelfde tijdstip. Een forensisch kunstenaar die aan de beeltenissen werkt, moet dus veel verstand hebben van de vergelijking en manipulatie van foto's.
De forensisch kunstenaar is inmiddels een specialist geworden op het gebied van gezichtsidentificatie, en veel forensisch kunstenaars zijn gecertificeerd door de International Association for Identification. Manipulatie van foto's voor identificatiedoeleinden kan op verschillende manieren gebeuren, en de kunstenaar moet allerlei verschillende factoren tegen elkaar afwegen voor hij besluit welke de beste is.

Een persoon identificeren door twee foto's met elkaar te vergelijken, wat tegenwoordig ook wel gebeurt, kan alleen gedaan worden door iemand met een geoefend oog. Hoewel dit vergelijkingsproces zijn beperkingen heeft, kunnen positieve vergelijkingen goed van pas komen bij de identificatie van een langdurig vermiste persoon. Dat lukt het best met behulp van een computer.
Als men bijvoorbeeld een vergelijking wil maken met foto's van slechte kwaliteit, zoals beelden die zijn opgenomen door een videocamera, moeten de foto's eerst digitaal worden verbeterd, wat vaak wordt gedaan door een specialist op het gebied van digitale beeldbewerking. Dat kan een fotograaf zijn of een kunstenaar. Vervolgens kan er een tekening van het verbeterde beeld worden gemaakt die als basis voor de vergelijking kan worden gebruikt. Als het verbeterde beeld op zichzelf goed genoeg is, kan het ook rechtstreeks, punt voor punt, worden vergeleken met een foto van de verdachte.
In haar boek *Forensic Art and Illustration* geeft Karen T. Taylor, een deskundige die door de makers van *CSI* regelmatig over deze technieken wordt geraadpleegd (en wier handen werden gebruikt in *CSI-NY*), richtlijnen voor vergelijkingen van foto's. Allereerst, zo stelt zij, is het belangrijk om zo veel mogelijk foto's te verzamelen die bij de vergelijking van pas kunnen komen, en ten tweede moet de beeldbewerkingsspecialist die foto's selecteren die kwalitatief het best zijn. Als er sprake is van een zijaanzicht, weet de specialist dat de vorm van het gezicht of een aantal gelaatstrekken vervormd kunnen zijn. Om perceptiefouten te ondervangen moet bij het identificatieproces volgens Taylor altijd gekeken worden naar 'de neuswortel in relatie tot de oren'. Ook helpt het soms om foto's ondersteboven te leggen, zodat men op een objectievere manier naar de gelaatstrekken kan kijken. Ze wijst erop dat veroudering altijd onomkeerbaar is, dus als iemand op een foto jonger lijkt dan op de foto waarmee die wordt vergeleken, dan is er ofwel sprake geweest van cosmetische chirurgie, of is de eerste foto op een eerder tijdstip genomen.

Van een videoband uit 2003 van de terrorist Osama Bin Laden, waarop hij door de bergen liep, vroeg men zich af of het een oudere band was die voor recent moest doorgaan om zijn volgelingen een hart onder de riem te steken. Volgens sommige bronnen leek hij op de video ouder dan op een foto die twee jaar eerder van hem was genomen, terwijl andere beweerden dat hij er jonger op leek. De beelden werden uitgezonden door het televisiestation Al-Jazeera, dat beweerde dat ze vier maanden geleden waren opgenomen. Dit leidde tot speculaties dat Bin Laden zich schuilhield in Pakistan. Op een geluidsband die bij de video had gezeten eerde een spreker die klonk als Bin Laden de terroristen die op 11 september 2001 het World Trade Center in New York City verwoestten en het Pentagon ernstig beschadigden, en prees hij de schade die was toegebracht aan 'de vijand'. Ook riep hij Iraakse strijders op om de Amerikaanse troepen te 'begraven'. Het bandje leek dus te zijn gemaakt nadat Amerika Irak was binnengevallen in de hoop Bin Laden te pakken te krijgen en hem te doden.
In een angstaanjagende toespraak waarschuwde Bin Ladens belangrijkste plaatsvervanger Ayman al-Zawahiri (of iemand die klonk zoals hij) dat 'de echte heroïsche veldslag nog niet begonnen was'. Ook maakte hij melding van de tweede gedenkdag van de 'bestormingen' van New York en Washington. Die opmerking duidde erop dat de videoband inderdaad kort voor de uitzending was gemaakt.
Het was voor de Verenigde Staten van groot belang om te achterhalen of de video inderdaad recent was gemaakt, omdat er alle reden was om aan te nemen dat er voor die tweede gedenkdag, die al over een paar dagen zou zijn, een nieuwe aanval werd voorbereid. Deskundigen moesten dus de nieuwste computertechnieken gebruiken voor analyses waarop politieke beslissingen werden gebaseerd die de veiligheid van Amerika moesten garanderen. Daarbij werden ook verouderingstechnieken ingezet. Uiteindelijk bleef alles echter rustig.

Een belangrijke factor bij de keuze voor een computerprogramma voor gezichtsverduidelijking of -verandering is de kwaliteit van de instrumenten die beschikbaar zijn voor beeldmodificatie. Een

programma moet vloeiende overgangen kunnen maken en gelaatstrekken in alle richtingen kunnen aanpassen, en men moet er veranderingen in kleurstelling en schaal mee kunnen aanbrengen. De kunstenaar moet een systeem gebruiken waarin een schilder- of tekenfunctie is geïntegreerd en waarbij hij met een stift op een onderlegger heel geleidelijk subtiele nuances kan aanbrengen. Mensen, ook de schrijvers van de CSI-series, onderschatten vaak hoe moeilijk deze processen zijn. Er heerst een algemeen misverstand dat computers een gezicht op een foto op miraculeuze wijze een andere leeftijd of een ander uiterlijk kunnen geven – in werkelijkheid vergt dit soort veranderingen de deskundigheid van een ervaren en goed geïnformeerde gebruiker. Dan zijn er ook nog bepaalde visuele factoren waarmee men rekening moet houden, zoals kleur en hoek. Als de enige beschikbare foto een zwart-witfoto is, is het niet verstandig om te gaan speculeren over kleuren, tenzij er informatie op dat gebied beschikbaar is uit verbale beschrijvingen en als iets als de haarkleur een heel kenmerkende eigenschap is. Als het gezicht van de camera is weggedraaid, zijn er slechts bepaalde typen manipulaties mogelijk.
Terug naar Bin Laden. Als hij lange tijd onvindbaar blijft, kan een kunstenaar verouderingsprogramma's inzetten om zijn identificatie te vergemakkelijken. Als het vermoeden bestaat dat hij zijn uiterlijk heeft veranderd om zijn pakkans te verkleinen, kan de kunstenaar zijn uiterlijk op een aantal verschillende manieren veranderen. De veranderingen blijven echter altijd interpretaties. Ze zullen misschien een hulpmiddel zijn bij de identificatie, maar kunnen geen definitief antwoord geven op belangrijke vragen over terrorisme.

Een nieuwe kunstsoort: de DNA-afdruk

Voor een oude, onopgeloste zaak in Los Angeles werd in 2005 een nieuwe technologie ingezet om het uiterlijk van een dader te achterhalen. Op 9 maart 1994 werd de 85-jarige Mildred Weiss aangevallen in een lift, naar een wasruimte gesleept en daar voor dood achtergelaten. Ambulancepersoneel wist haar niet meer te redden. Er waren geen aanwijzingen, behalve een getuigenverklaring dat er een zwarte man met een witte korte broek in de buurt had rondgehangen. De onderzoekers wisten echter DNA-materiaal te onttrekken aan een bloedspetter en een minuscuul stukje van een vinger dat in een krant was gerold – mogelijk was de moordenaar dat verloren tijdens de worsteling. Bovendien zat er bloed op de portefeuille van het slachtoffer. Op basis van getuigenverklaringen maakten ze een compositietekening, maar de moord bleef onopgelost.

Elf jaar later kwam een bedrijf uit Sarasota (Florida), DNAPrint Genomics, met een nieuwe techniek. Ze hadden een dure maar ingenieuze test ontwikkeld waarmee aan de hand van een DNA-monster een genetische schets van iemand kon worden ontwikkeld. Via deze test was vast te stellen welk percentage van iemands genetische opbouw afkomstig is van de belangrijkste continentale groepen: Oost-Aziatisch, sub-Sahara Afrikaans, indiaans of Indo-Europees. Als de politie een lijst van verdachten heeft, kan die worden vergeleken met een databank met foto's van mensen die vrijwillig DNA hebben afgestaan.

Deze test droeg in 2003 bij tot de aanhouding van de Baton Rouge-seriemoordenaar in Louisiana. Hoewel de meeste getuigen die zich meldden de politie een beschrijving hadden gegeven van een blanke man, en de politie ervan overtuigd was dat het misdrijf te slordig was om het werk te zijn van een zwarte man, wees de test uit dat ze moesten zoeken naar een zwarte man met een niet al te donkere huid die voor 80 tot 85 procent sub-Sahara Afrikaans was en voor 15 procent indiaans. Kort daarna bleek uit een reguliere DNA-test die in verband met een ongerelateerd misdrijf werd afgenomen bij Derrick Todd Lee dat de DNA-monsters van de Baton Rouge-moorden overeenkwamen met zijn DNA, wat bewees dat hij de moordenaar was. De raciale componenten klopten inderdaad. Na zijn arrestatie werd hij veroordeeld voor vijf moorden.

Het DNA-monster van de moord op Weiss duidde erop dat de persoon die ze zochten een zwarte man was, wat bevestigd werd door de getuigenverklaringen. Hoewel het DNA-profiel geen overeenkomsten opleverde met profielen uit databanken van veroordeelde misdadigers, wist de politie de groep mogelijke daders terug te brengen tot een dakloze man die zich in het gebied ophield. Tijdens het schrijven van dit boek was de zaak nog steeds niet opgelost.

Volgens de website van het bedrijf vormde een moord in Mammoth Lakes (Californië) de ultieme testcase voor het gebruik van genoomanalyse. In mei 2003 werd daar op een camping een aantal menselijke resten ontdekt in een ondiep graf, dat maandenlang onder de sneeuw had gelegen. Een arts uit San Francisco stelde vast dat de overblijfselen afkomstig waren van een Aziatische vrouw van dertig tot veertig jaar oud. Een medewerker van het bezoekerscentrum herinnerde zich een vrouw die aan die specificaties voldeed en die het gebied had bezocht met een grote man van wie ze beweerde dat hij haar mishandelde. De politie onderzocht die beschrijving, maar dat leverde niets op.

Vervolgens ontdekte een hulpsheriff het bestaan van de nieuwe technologie uit Florida, en de overblijfselen werden naar DNAPrint Genomics gestuurd, waar ze vaststelden dat het slachtoffer indiaans was. Met hulp van andere wetenschappers werd zelfs ontdekt dat ze een Zapotec-indiaan was geweest uit zuidelijk Mexico, waarschijnlijk uit Oaxaca. Andere laboratoria analyseerden haar eetpatroon via haar haar en haar tanden, waaruit bleek dat ze een tijd in Oaxaca had gewoond en een kortere periode in Californië. Daarmee kreeg het onderzoek een totaal andere wending. Met behulp van een nieuwe techniek werd er een gezichtsreconstructie gemaakt op basis van de schedel, wat een tekening opleverde van hoe de vrouw er wellicht had uitgezien. De tekening werd herkend door de medewerker van het bezoekerscentrum, die had gedacht dat de bezoekster in kwestie Aziatisch was geweest. Waarschijnlijk was zij het slachtoffer geworden van een echtgenoot die haar mishandelde en die haar in het park had achtergelaten. Hoewel de moordenaar daarmee nog niet is opgespoord, was het wel

een belangrijk stukje van de puzzel, dat wellicht ooit nog zal helpen om deze zaak op te lossen.
Met het programma DNAWitness 2.0 is het mogelijk om DNA-monsters die op plaatsen delict worden aangetroffen, zoals het bloed en het stukje vinger in het geval van de moord op Weiss, te herleiden naar vier aparte bevolkingsgroepen. Dit programma gaat verder dan eerdere DNA-analyses, waarmee puur een bron kon worden geïdentificeerd op basis van gelijke specimens. Om een match te kunnen maken, was altijd iets van de verdachte nodig. Bij DNAPrint-technologie wordt gebruikgemaakt van zogenaamde Ancestry Information Markers (AIM) of Single Nucleotide Polymorphisms (SNP) van het menselijk genoom. Zij worden in kaart gebracht via Admixture Linkage Disequilibrium (ALD), een techniek die gebaseerd is op bekende statistische gegevens over bevolkingsgroepen. Met een update van dit programma, DNAWitness 2.5, kan, dankzij tests met duizenden proefpersonen, nu ook de waarschijnlijke kleur van de ogen van een slachtoffer worden bepaald. Volgens ABC News noemt Tony Frudakis, het hoofd van het lab, de methode SNIPS, omdat zij gebaseerd is op de SNP-technologie. Frudakis zei in juni 2005 dat er na meer dan drieduizend blinde tests nog geen enkele fout is gemaakt.
In Groot-Brittannië heeft de Forensic Science Service ook geprobeerd om dergelijke tests voor de 'Celtic look' te ontwikkelen via een programma dat Photofit heet, maar het bleek te gecompliceerd om een rechtstreeks verband te leggen tussen genen en Keltische gelaatstrekken.
Een probleem dat met deze ontwikkelingen wellicht kan worden ondervangen, heeft te maken met raciale profilering en burgerrechten. Bij politiewerkzaamheden worden minderheden als gevolg van stereotypering soms automatisch als verdachten aangemerkt. Dat kan bij rechercheurs tot tunnelvisie leiden, waardoor ze andere aanwijzingen over het hoofd zien. Als deze verfijning van DNA-analysetechnieken voldoende informatie oplevert om compositietekeningen te kunnen maken, kunnen rechercheurs die gebruiken bij hun zoektocht naar verdachten. En als de technologie zo nauwkeurig is als men beweert en in de nabije toekomst

nog verder wordt verbeterd, is dat scenario niet ver weg meer. De huidige, door de National DNA Advisory Board vastgestelde norm van vijftien DNA-markers om van een match te kunnen spreken, heeft geen betrekking op markers die opheldering geven over het ras en de etnische afkomst van een verdachte. Men kiest ervoor om dat te omzeilen, maar sommige laboratoria boeken vooruitgang op dit gebied, en politie en justitie zien daar zeker mogelijkheden in.

Hoewel het niet mogelijk is om een tekening zo nauwkeurig te maken dat deze helemaal overeenkomt met het uiterlijk van de daadwerkelijke dader – factoren als misvormingen of cosmetische chirurgie zijn bijvoorbeeld niet te voorspellen – is het wel mogelijk om de dominante kenmerken van een bepaalde etnische groep te betrekken in de zoektocht naar een verdachte. De wetenschap dat een verdachte blank is en niet zwart zou een nuttige aanwijzing vormen. Sommige mensen zijn echter – begrijpelijkerwijs – bang dat de ontwikkelingen op het gebied van DNA ertoe zullen leiden dat mensen via genen toekomstig gedrag gaan proberen te voorspellen, zoals bij zedendelinquenten. Wat zouden we met die informatie moeten doen als we aan de hand van genen kunnen voorspellen in welke problemen iemand zal kunnen belanden? Wetenschappers moeten daarom niet alleen stilstaan bij de technische mogelijkheden van hun werk, maar ook bij de ethische kanten ervan.

Intussen worden er, of we het nu leuk vinden of niet, 'genetische getuigen' ontwikkeld die op een dag wellicht onmisbaar zullen zijn bij het oplossen van misdrijven. Dat kan misschien tot gevolg hebben dat sommige potentiële daders van een misdrijf afzien.

Verbetering van foto's, geluiden en videobeelden

In 'Stalkerazzi' (*CSI-M*) onthult een foto uit de camera van een dode paparazzo niet alleen het boulevardschandaal dat hij had gehoopt te verkopen, maar ook een moord. De foto is echter vaag, dus de mensen van het lab moet een manier vinden om de achtergrond

scherper in beeld te brengen. Ze kiezen ervoor om de ontwikkelde analoge film om te zetten in een digitale weergave met grijstinten, omdat op die manier het verschil tussen donker en licht beter tot uiting komt. Dat levert helderder uitvergrotingen op.
Tegenwoordig worden er meer misdrijven dan ooit op videobewakingssystemen vastgelegd, maar de kwaliteit van veel van die opnames is slecht. Dat kan komen doordat de camera of de film niet in orde was, door slechte transmissiesignalen van de camera of door omgevingsfactoren. Slechte belichting is daarvan een van de meest voorkomende, en bij buitencamera's zijn slechte weersomstandigheden zoals regen of mist vaak het probleem.
Met behulp van software waarmee deze problemen opgespoord en verholpen kunnen worden, kan een visueel beeld worden verbeterd. Ook kunnen achtergrondgeluiden worden verwijderd om beter te kunnen horen wat er precies is opgenomen. Op deze manier kunnen onderzoekers een kwalitatief slechte film zodanig filteren en stabiliseren dat ze er details uit kunnen isoleren die van cruciaal belang kunnen zijn bij het oplossen van een misdrijf of bij de identificatie van een persoon – slachtoffer of dader. De meeste van deze programma's zijn tegenwoordig te gebruiken op gewone computersystemen, voor het bewerken, verbeteren en verhelderen van inhoud.
Aangezien het aantal pixels in een beeld eindig is, worden bij een vergroting alleen de pixels vergroot; ze zullen niet duidelijker worden. Het is dus het beste om een camera gebruiken met een hoge beeldresolutie. Bovendien is het zaak om de schijfjes op tijd te verwisselen en de apparatuur schoon te houden.

Kunstvervalsingen

Een ander deelgebied van de gespecialiseerde wereld van de forensische kunst is de detectie van vervalsingen. In een van de afleveringen van *CSI-NY*, 'Tri-borough', moest er, om de moord op een kunsthandelaar op te lossen, worden vastgesteld of een schilderij een vervalsing was.

Vervalsing van kunstwerken vindt al plaats sinds mensen bereid zijn om voor kunst te betalen. Vooral dure werken zijn vaak het doelwit van vervalsing. Sommige deskundigen schatten dat maar liefst 15 procent van de kunst die tegenwoordig als echt wordt verkocht (en de bijbehorende prijzen opbrengt) in werkelijkheid vals is. Sommige vervalsingen zijn gewoon niet van echt te onderscheiden.

In reactie op de vervalsingspraktijken werden er methoden ontwikkeld om die vervalsingen op te sporen. Meestal zijn het kunsthistorici, deskundigen op het gebied van een bepaalde kunstenaar of museumcurators die vaststellen of een kunstwerk echt is. Zij kijken naar de penseelstreken, het pigment, de signatuur en de eigenschappen van het doek en de verf. De laatste jaren wordt ook wel gebruikgemaakt van röntgenanalyse, maar sinds kort is er een ander instrument waarmee zelfs mensen die de kunstenaar in kwestie niet kennen uit de voeten kunnen: digitale analyse.

Net als het soort forensische analyse dat vaak wordt gebruikt om iemands schrijfstijl te onderzoeken, kan een digitaal programma voor het opsporen van vervalsingen het werk van een artiest classificeren aan de hand van zijn of haar unieke stijl. Daarmee kan worden bepaald of er meer dan één persoon aan het schilderij heeft gewerkt en of er sprake is van kenmerken die uniek zijn voor de kunstenaar en die een vervalser gewoonweg niet kan imiteren.

Het gaat als volgt: schilderijen van de hand van iemand als de Noorse schilder Edvard Munch, bekend van *De schreeuw* en van andere werken die menselijke emoties uitdrukken, worden gescand en gecomprimeerd om overbodige informatie te verwijderen. Deze scans vormen vervolgens een statistische basis waarmee alle werken van Munch worden vergeleken, zoals ook bij vergelijkingen tussen documenten gebruik wordt gemaakt van voorbeelden. Zodra er vraagtekens zijn bij de echtheid van een kunstwerk kan het ingescand en gecomprimeerd worden en vergeleken worden met het statistische model. Hoe meer consistentie het betwijfelde werk vertoont met het model, hoe groter de kans dat het authentiek is. Te veel inconsistenties maken het juist verdacht.

Meestal weten vervalsers de grote lijnen weliswaar goed te imiteren, maar niet de vloeiende manier waarop de oorspronkelijke artiest zijn penseel hanteerde, waardoor hun werk de statistische test niet doorstaat.
Voor een experiment met dit softwareprogramma werden dertien tekeningen gebruikt: acht van de Vlaamse kunstenaar Pieter Bruegel de Oude en vijf imitaties. Het programma wist ze nauwkeurig van elkaar te onderscheiden.
Echtheidsdeskundigen zijn er echter nog niet geheel van overtuigd dat deze technologie waterdicht is. Voordat zij haar definitief accepteren als aanvulling op hun tijdrovender werk, zullen er meer tests en meer onderzoek moeten volgen. De verwachting is echter dat deze technologie een waardevolle bijdrage kan leveren aan het aanbrengen van onderscheid tussen het werk van imitators en dat van echte kunstenaars. Bovendien kunnen er talloze schilderijen mee worden geïdentificeerd die door meer dan één persoon zijn gemaakt – een veelvoorkomende werkwijze van grote kunstenaars die leerlingen hadden. De onderdelen die statistisch gezien met elkaar overeenkomen kunnen op deze manier worden geïdentificeerd en gedifferentieerd van de onderdelen waarbij dat niet het geval is.

Virtuele autopsie

Niet iedereen die sterft komt in aanmerking voor een autopsie. Als dat wel het geval is, is er soms een procedure mogelijk die het gebruik van een scalpel overbodig maakt. Dit is goed nieuws voor mensen die uit religieuze overtuigingen niet willen dat er een autopsie wordt uitgevoerd op henzelf of hun familieleden, en voor ouders van baby's of jonge kinderen. Horatio Caine kreeg hiermee te maken in de aflevering 'Money Plane' (*CSI-M*). Toen ouders zich verzetten tegen de autopsie op hun dochter, zorgde hij dat er geld kwam voor een virtuele autopsie (Virtopsy).
Met behulp van een techniek die virtual imaging heet is het mogelijk om een driedimensionaal beeld te produceren zonder dat men

daarvoor het lichaam hoeft open te snijden. Via een combinatie van CT-scans en Magnetic Resonance Imaging (MRI) kunnen tal van aandoeningen in de organen en de spieren aan het licht worden gebracht. Met behulp van MRI's zijn bijvoorbeeld hartkwalen op te sporen, en dankzij virtual imaging kunnen pathologen zich vervolgens rechtstreeks op het probleem concentreren zonder dat ze in de rest van het lichaam hoeven te snijden. Zweedse radiologen hebben al virtuele autopsies uitgevoerd op talloze slachtoffers van misdrijven, waarmee ze de doodsoorzaak beter konden vaststellen. Deze procedure kan niet alleen van nut zijn bij rechtszaken, maar levert ook een heleboel nieuwe medische kennis op.

Voor de interpretatie van een Virtopsy is een radioloog nodig die bekend is met forensische procedures. Op sommige plaatsen wordt deze techniek al toegepast, en zij zal waarschijnlijk vaker worden gebruikt op het moment dat de voordelen ervan algemener bekend worden en er minder tijd en geld mee gemoeid is. Voor jury's is het gemakkelijker om naar computerbeelden te kijken dan naar echte autopsiefoto's. Bovendien bestaat bij een Virtopsy niet het risico van het vernietigen van forensisch bewijsmateriaal, zoals een kogelbaan, wat bij een echte autopsie wel het geval is. Verder kunnen de gedigitaliseerde beelden eenvoudig worden opgeslagen of naar andere pathologen worden gestuurd. Om de kwaliteit van de Virtopsy te controleren heeft een aantal pathologen beide vormen van autopsie op hetzelfde lichaam uitgevoerd. Daaruit bleek dat de virtuele variant net zo nauwkeurig is als de echte.

Er bestaat nog een andere autopsiemethode die in de toekomst misschien bruikbaar wordt: het zogenaamde phase-contrast X-ray imaging (fasecontrastvorming via röntgenstralen). Deze techniek lijkt veelbelovend, omdat zij duidelijke beelden kan produceren van zachte organen. In het verleden was hier een synchrotron voor nodig, een deeltjesversneller die nogal groot en duur is. Een team uit Zwitserland heeft een nieuwe manier ontwikkeld om dezelfde resultaten te bereiken met een normaal röntgenapparaat, wat een enorme verbetering is. De methode werkt als volgt: de baan van fasecontrast-röntgenstralen wordt omgebogen door verschillende botten en organen en vervolgens precies opgemeten en in beelden omgezet. Het Zwitserse team heeft een analyseapparaat voor zulke röntgenstralen ontwikkeld dat met behulp van rasters een interferentiepatroon genereert. Uit dit patroon ontstaat een beeld. Deze techniek, waarbij de straling zwakker is dan die van veel andere röntgenapparaten die momenteel in gebruik zijn, kan in een klinische omgeving worden gebruikt en kan artsen helpen tumoren en zwakke aderen op te sporen. Zij zou ook kunnen worden gebruikt bij non-invasieve autopsies, wat een flinke stap voorwaarts zou betekenen voor het forensisch onderzoek. Maar zo ver is het nog lang niet.

In het volgende hoofdstuk maken we een sprong van de meest recente innovatie in het forensisch onderzoek – computers – naar de oudste der forensische wetenschappen, de toxicologie. Tegenwoordig worden voor toxicologische screenings computeranalyses gebruikt, maar dat is niet altijd zo geweest. Vroeger hadden innovatieve wetenschappers andere manieren om giftige stoffen in het lichaam te detecteren en te meten en om hun bevindingen in de rechtszaal te presenteren.

3 Vergif: een veelzijdig moordwapen

In de aflevering 'Identity' (CSI-M) wordt een vrouw aangevallen en doodgedrukt door een boa constrictor die uit een hotelkamer komt kruipen. De slang wordt opgespoord en blijkt te zijn overleden, waarna de patholoog een autopsie uitvoert om de doodsoorzaak vast te stellen. Tijdens het dooddrukken van de vrouw bleek er een flesje in de maag van de slang te zijn gebroken dat een verdovend middel bevatte. Het reptiel was als 'koerier' gebruikt door drugsdealers, en om te achterhalen om welk middel het ging werd er een toxicologietest gedaan. Elk misdaadlab heeft een toxicologie-afdeling, omdat heel veel slachtoffers medicijnen, drugs of giftige stoffen in hun systeem hebben of blootgesteld zijn aan schadelijke stoffen in de omgeving. In veel CSI-afleveringen wordt dan ook naar zulke stoffen gezocht. Soms gebeurt dat bij het slachtoffer van een ongeluk, zoals in 'Ashes to Ashes', waarin het team uit Miami zocht naar sporen van alcohol- of druggebruik om een verklaring te vinden voor een auto-ongeluk waarbij maar één voertuig was betrokken, en soms bij het slachtoffer van een moord, zoals in de aflevering 'Burked' (CSI-LV).

De sluipmoordenaar

Toxicologie, of de detectie van stoffen in menselijk weefsel die een schadelijk effect kunnen hebben, was de eerste wetenschap die in de rechtszaal werd gebruikt. Omdat de populariteit van vergif als moordwapen door de eeuwen heen steeds verder is toegenomen, kent de forensische toxicologie een fascinerende geschiedenis.

Voorbeelden van giftige stoffen die vaak worden gebruikt om mensen te doden zijn aconitine, atropine, strychnine, thallium, antimonium, arsenicum en cyanide.

Jane Toppan leek een gevoelige vrouw, die in de jaren negentig van de negentiende eeuw onmisbaar was voor een aantal gegoede families in Boston (Massachusetts). Ze presenteerde zich aan hen als een soort engel der barmhartigheid, zorgde dat ze werd ingehuurd als particulier verpleegster en kon zich vervolgens uitleven in haar geheime passie – mensen zien sterven. In 1901, toen vier leden van de familie Alden Davis kort na elkaar waren gestorven, werd ze gesnapt en ontmaskerd. Uit een autopsie bleek dat een van de slachtoffers dodelijke doses morfine en atropine in zijn lichaam had. Toen onderzoekers zich in het verleden van Toppan verdiepten, stuitten ze op een geschiedenis van mentale instabiliteit in haar familie en een lange lijst patiënten die waren gestorven. Ze bekende tegenover haar advocaat dat ze 31 mensen had vermoord, maar sommige mensen, die zich baseren op een artikel over haar duistere daden dat in 1938 in de *New York Times* verscheen, houden het op een aantal van maar liefst honderd slachtoffers. Ze drogeerde haar slachtoffers met dodelijke doses vergif, kroop vervolgens bij ze in bed en hield ze vast terwijl ze de geest gaven. Dit scheen haar een erotische kick te geven.

Toxicologen houden zich niet alleen bezig met vergif, maar ook met andere lichaamsvreemde stoffen die in een slachtoffer kunnen worden aangetroffen, zoals alcohol, industriële chemicaliën, giftige gassen, illegale drugs of overdoses medicijnen. Soms wordt daar een bloed-, haar- of urinemonster voor geanalyseerd, in andere gevallen is een volledige autopsie nodig waarbij weefselmonsters van verschillende organen worden genomen. Een levende persoon kan op een eenvoudiger manier op een verdachte stof worden getest, zoals bijvoorbeeld met een ademanalyseapparaat voor het vaststellen van de aanwezigheid van alcohol. Als het apparaat positief uitslaat of als de symptomen op iets anders wijzen, is er soms een meer verfijnde analyse nodig. Wordt die niet uitgevoerd, dan kan dat later problemen opleveren. Een voorbeeld daarvan is de volgende zaak.

De 61-jarige Richard Alfredo stierf in 1990 nadat hij een gelatinepuddinkje had gegeten. In eerste instantie werd gedacht dat hij aan een hartaanval was gestorven, totdat de verdachte activiteiten van zijn huisgenote Christina Martin en haar dochter de verdenkingen op deze twee vrouwen richtten. Alfredo's lichaam werd opgegraven en getest met behulp van radioimmunoassay (RIA). Hierbij werden de monsters vloeibaar gemaakt en met radiogolven bestookt om de aanwezigheid van hoeveelheden proteïnen aan te tonen. Deze test was puur bedoeld als screening: als er iets uitkwam, werden er normaal gesproken complexere tests uitgevoerd. Maar in dit geval werd alleen de RIA gebruikt. De analisten verklaarden gigantische hoeveelheden LSD in Alfredo's systeem te hebben gevonden, en Martin werd veroordeeld voor de moord op Alfredo. Ze zou een overdosis LSD in zijn gelatinepudding hebben geïnjecteerd. In hoger beroep uitte een forensisch toxicoloog echter kritiek op de aanvankelijke analyse; hij hield vol dat er nog nooit iemand met LSD was vermoord. Bovendien kon balsemvloeistof volgens hem dezelfde postmortale uitslag opleveren, en bij een betere test werd geen LSD aangetroffen. Ook was Alfredo hartpatiënt geweest. De veroordeling voor moord werd tenietgedaan. Martin erkende echter wel schuldig te zijn aan doodslag, waarmee ze een nieuw proces vermeed en veroordeeld werd tot een gevangenisstraf die ze inmiddels al had uitgezeten. Dus hoewel de doodsoorzaak onduidelijk blijft, werd bewezen dat in een moordzaak het gebruik van een basale screeningtest om een toxische substantie aan te tonen onvoldoende was.

Bijna elke natuurlijke stof kan in de juiste dosis giftig worden. Bovendien lijken veel giftige stoffen op veelvoorkomende ziekten, waardoor sommige artsen al snel de conclusie trekken dat een slachtoffer een natuurlijke dood is gestorven. Toxicologie is niet alleen belangrijk bij onderzoeken waarin een misdrijf wordt ver-

moed. Het is net zo essentieel bij het vaststellen van de doodsoorzaak bij sterfgevallen door ongelukken en zelfmoorden – en zelfs bij alcohol- of drugmisbruik tijdens het werk.
Momenteel zijn er volgens de American Chemistry Society ongeveer 21 miljoen chemische verbindingen geregistreerd, terwijl er maar voor een paar duizend daarvan screeningtests bestaan. Sommige moordenaars zijn zich daarvan bewust en proberen giftige stoffen te gebruiken die doorgaans niet zullen worden herkend. Maar dat betekent nog niet dat ze niet worden gepakt.
In 1993 wees Maurice Glenn Turner, een politieman uit Cobb County (Georgia) Julia Lynn Womack aan als begunstigde voor zijn levensverzekering en zijn pensioen. Drie maanden later werd zij mevrouw Glenn Turner, maar binnen een jaar begon ze een verhouding met Randy Thompson, die ze wijsmaakte dat ze gescheiden was.
Op 2 maart 1995 meldde Glenn Turner zich bij de Eerste Hulp met extreme griepsymptomen. Hij werd behandeld en ging weer naar huis. De volgende dag was hij dood. Niemand begreep hoe een ogenschijnlijk gezonde jongeman zo maar ineens had kunnen bezwijken. De dienstdoende arts, dr. Brian Frist, stelde vast dat hij was gestorven aan een complicatie die het gevolg was van een vergroot hart. Lynn hield 153.000 dollar over aan het overlijden van Glenn Turner.
Al na een paar dagen huurde zij een appartement voor zichzelf en Randy Thompson, een hulpsheriff in Forsyth County. Aan het eind van 1995 trof Thompson voorbereidingen om Turner als begunstigde van zijn verzekering te laten registreren. Een jaar later kregen ze een dochter, en in 1998 een zoon. Thompson verdubbelde zijn verzekerde bedrag tot 200.000 dollar.
De relatie liep op de klippen en Thompson vertrok, maar bleef nog steeds contact houden met Turner, die diep in de schulden zat omdat ze zo veel uitgaf. Op een avond aan het begin van 2001 meldde Thompson zich na een etentje met Turner bij de Eerste Hulp met maagpijn en voortdurend overgeven. Hij werd behandeld en naar huis gestuurd. Lynn maakte wat gelatinepudding voor hem. De volgende dag was hij dood. De doodsoorzaak: een onre-

gelmatige hartslag als gevolg van verstopte aderen. Lynn kreeg 36.000 dollar van de verzekering.
Maar de familie van Glenn Turner wist dat er een luchtje aan de zaak zat. Glenns moeder las in de krant dat Randy Thompson was overleden en stuurde een brief naar de moeder van Randy om de overeenkomsten tussen de sterfgevallen te bespreken. Ze namen contact op met dr. Mark Koponen, het waarnemend hoofd van de medische sectie van het Georgia Bureau of Investigation. Hij nam de verslagen door. Toen hij ontdekte dat zich tijdens de autopsie calciumoxalaatkristallen in de nieren bevonden, stuurde Koponen, die dit symptoom eerder had gezien, bloed- en urinemonsters naar het misdaadlab. Toxicoloog Chris Tilson constateerde echter niets vreemds. Vervolgens stuurde Koponen monsters naar National Medical Services (NMS), een onafhankelijk testlaboratorium in Pennsylvania.
Uit hun analyse bleek dat Randy Thompson hoge concentraties ethyleenglycol, de hoofdcomponent van antivriesmiddel, in zijn weefsels en bloed had. Als deze stof wordt ingenomen, belemmert hij in eerste instantie het spraakvermogen en geeft een aangeschoten gevoel. Daarna veroorzaakt hij ernstige hoofdpijn, misselijkheid, waanvoorstellingen, duizeligheid en een gevoel van ademtekort. De dood treedt in als gevolg van nierfalen of een hartaanval. De stof wordt normaal gesproken niet aangetroffen in het menselijk lichaam, wat betekende dat Thompson aan een grote hoeveelheid ervan was blootgesteld. Zijn doodsoorzaak werd veranderd in vergiftiging door antivriesmiddel. Zijn lichaam werd opgegraven en opnieuw onderzocht, en de nieuwe conclusies werden bevestigd. Een door de NMS uitgevoerde tweede autopsie op Turner had hetzelfde resultaat.
Deze sterfgevallen waren de enige twee in Georgia die ooit werden toegeschreven aan inname van antivriesmiddel. Julia Lynn Turner werd beschuldigd van de moord op Glenn Turner. Alles wees in de richting van de verdachte: een heleboel indirect bewijsmateriaal, de autopsieresultaten en details van Thompsons dood die de twee sterfgevallen met elkaar in verband brachten.
Turners advocaat bleef volhouden dat de uitkomsten van de toxico-

logische analyses het resultaat waren van het feit dat het lichaam gebalsemd was, maar chemici van de bedrijven die balsemvloeistoffen aan de begrafenisonderneming van Turner hadden geleverd zeiden dat zij niet met stoffen werkten die ethyleenglycol bevatten. Brian Frist, de arts uit Cobb County die het bevel had gegeven om Turner op te graven, beschreef experimenten die hij had uitgevoerd door antivries in verschillende voedingsmiddelen te stoppen, zoals gelatinepudding en sportdrank. Volgens hem had het antivriesmiddel kunnen zijn toegevoegd zonder dat het de structuur, het gedrag of de kleur van het voedsel had beïnvloed. Het slachtoffer had het dus nietsvermoedend kunnen opeten.
Op de avond van 14 mei 2004, na vijf uur overleggen, bevond de jury de 35-jarige Turner schuldig aan moord met voorbedachten rade op haar echtgenoot, Glenn Turner. In oktober werd ze ook aangeklaagd voor de moord op Randy Thompson; ten tijde van het schrijven van dit boek was er in deze zaak nog geen uitspraak gedaan.

Gif in de rechtszaal

De gedocumenteerde geschiedenis van giftige stoffen is rond 2500 voor Christus begonnen bij de Soemeriërs, die een godin van het gif eerden. De Egyptenaren wisten hoe ze (slangen)gif moesten gebruiken, en de Hebreeërs voerden oorlog met giftige pijlen. Rond 500 voor Christus stelden Indiase artsen richtlijnen op waarmee gifmoordenaars zouden kunnen worden opgespoord aan de hand van hun karaktereigenschappen, terwijl de arts Nicander van Colophon de vroegst bekende lijst met remedies tegen giftige stoffen samenstelde.

Het woord toxisch is verwant aan het Griekse woord *toxicon*, dat betrekking had op giftige pijlen. Ook komt het onder andere terug in het Engelse woord 'intoxicated', wat bij de Grieken zoveel betekende als 'ziek als gevolg van giftige pijlen'.

In de achtste eeuw na Christus zette een Arabische scheikundige arsenicum om in een geurloos, smaakloos poeder dat eeuwenlang onmogelijk op te sporen was in het lichaam. Vanaf dat moment werd arsenicum vaak gebruikt als moordwapen, vooral door mensen die erfgenaam waren van oudere familieleden.
Tijdens de renaissance werd vergiftiging een kunstvorm. Het inspireerde mensen om zich op subtiele manieren te ontdoen van vijanden via objecten als giftige ringen, zwaarden, messen, brieven en zelfs lippenstift. Er ontstonden gifgenootschappen en familiebedrijven die gif verhuurden. De beruchtste gifmengers kwamen destijds uit Italië en Frankrijk.
De geschiedenis van de toxicologische analyse voor onderzoeksdoeleinden gaat ongeveer tweehonderd jaar terug. De eerste persoon die met een chemische methode voor de detectie van giftige stoffen kwam was dr. Herman Boerhaave. Hij plaatste stoffen waarvan hij vermoedde dat ze gif bevatten op gloeiend hete kolen en testte vervolgens de geuren die daarbij vrijkwamen. Hij concentreerde zich vooral op arsenicum, omdat dat in die tijd het meest gebruikte gif was.
In 1751 kwam er in Engeland een arsenicumzaak voor de rechter. Hierbij werd een aantal vreemde forensische onderzoeksmethoden gebruikt, en het was de eerste moordzaak waarbij toxicologische getuigenverklaringen van medisch deskundigen een rol speelden. Mary Blandy had toegestemd in een huwelijk met kapitein William Cranstoun, een ogenschijnlijk rijk en respectabel man. In werkelijkheid bleek Cranstoun al getrouwd te zijn. Bovendien bleek hij helemaal geen geld te hebben, dus vroeg Mary's vader hem te vertrekken. Cranstoun haalde Mary echter over om een wit poeder in haar vaders eten te strooien. Ze was verliefd, dus ze deed wat hij vroeg.
Arsenicum komt vanuit de ingewanden in de bloedbaan en de organen terecht. De lever, die toxische stoffen opneemt, krijgt het daarbij het zwaarst te verduren, maar als arsenicum in één grote dosis wordt toegediend, bereikt het al snel de hersenen en het ruggenmerg, waar het grote schade toebrengt. Als het gedurende langere tijd in kleinere doses aan iemand wordt toegediend, tast het

gif het perifere zenuwstelsel aan, waarbij het grote schade veroorzaakt aan het beschermende omhulsel van de zenuwen. De vergiftigde persoon zal een prikkende hitte voelen en zijn huid kan blaren gaan vertonen. Daarna volgen ernstige hoofdpijn, misselijkheid, verlammingsverschijnselen en algehele zwakte.
Mijnheer Blandy kreeg maagklachten, waarop een van zijn bedienden zijn voedsel onderzocht. Zij vond het witte poeder en liet het aan een apotheker zien. Hij wist niet zeker wat het was, maar de bediende stelde Blandy op de hoogte van haar vermoeden dat zijn dochter hem probeerde te vergiftigen. Mary probeerde het poeder te vernietigen door het in het vuur te gooien, maar de bediende viste het eruit. Ondanks de waarschuwing bleef Blandy het voedsel van zijn dochter eten, en hij stierf niet lang daarna.
Cranstoun vluchtte, maar Mary werd gearresteerd. Tijdens haar proces verklaarden vier artsen, die Blandy's organen hadden gezien tijdens de autopsie, dat de 'goed geconserveerde aard' van de stoffelijke resten duidden op een arsenicumvergiftiging. Een van de artsen had een heet stuk ijzer gehouden op het poeder dat de bediende had weten te redden en had het aan de hand van de reuk geanalyseerd. Hoogstwaarschijnlijk was het de getuigenverklaring van de bediende waardoor de jury zich uiteindelijk liet overtuigen en werd Mary op basis daarvan veroordeeld en opgehangen, maar de medische verklaringen schiepen wel een precedent.
Een van de belangrijkste gebeurtenissen in de geschiedenis van de forensische toxicologie was de ontdekking van de 'arseenspiegel' als methode om de aanwezigheid van het gif aan te tonen. In 1787 ontdekte Johann Daniel Metzger dat arseenoxide op een koude plaat een spiegelachtige metalen afzetting achterliet als het boven houtskool werd verhit. Die substantie was arsenicum. Vervolgens toonde Valentine Rose in 1806 aan hoe arsenicum in menselijke organen kon worden opgespoord. Hij gebruikte daarvoor een mengsel van salpeterzuur, kaliumcarbonaat en limoen, dat hij tot poeder verpulverde en verhitte om de arseenspiegel te krijgen.
Rond diezelfde tijd, in 1813, publiceerde de Fransman Mathieu

Joseph Bonaventure Orfila zijn verhandeling over algemene toxicologie, een classificatie van de bekende giftige stoffen en een verhandeling over de onbetrouwbaarheid van de bestaande tests. Omdat hij meende dat toxicologie een echte wetenschap zou kunnen worden, werkte hij de methode van Rose verder uit. Met dierproeven bewees hij ook dat arsenicum na inname door het hele lichaam wordt verspreid. Zijn werk leverde hem een aanstelling bij de universiteit van Parijs op, waar hem werd gevraagd om als adviseur op te treden in misdaadzaken. Orfila baseerde zich ook op het werk van een andere prominente wetenschapper, James Marsh.

In de jaren dertig van de negentiende eeuw analyseerde Marsh de koffie van een vermeend slachtoffer van vergiftiging. Hij was echter niet in staat om duidelijk aan de jury uit te leggen hoe hij arsenicum had gevonden, dus besloot hij zijn methoden te verbeteren. Hij deed vermeend vergiftigd materiaal met zwavelzuur en zink in een gesloten fles. Uit die fles stak een nauwe, U-vormige glazen buis met één taps toelopend uiteinde, waardoor het arsenicum omhoogkwam, in contact kwam met het zink en ontsnapte. Als het ontsnappende gas werd aangestoken, vormde het de verwachte zwarte arseenspiegel. Zijn methode, die bekendstaat als de Marshtest, was nauwkeurig genoeg om heel kleine hoeveelheden arsenicum op te sporen. Ook was zij eenvoudiger aan een jury te demonstreren dan eerdere methoden.

De test leverde bovendien nog een andere belangrijke bijdrage aan het forensisch onderzoek: Orfila gebruikte hem om grond op begraafplaatsen mee te analyseren, zodat er geen valse beschuldigingen konden worden geuit dat opgegraven lichamen arsenicum in hun graf hadden geabsorbeerd. Tot grote vreugde van de advocatuur bleek de grond op begraafplaatsen vrij vaak arsenicum te bevatten: ze hadden nu een middel in handen om potentiële veroordelingen aan te vechten.

De zaak die de 'wetenschap van giftige stoffen' definitief in de rechtszaal introduceerde, was de vervolging van de Française Marie Lafarge in 1840 voor de moord op haar echtgenoot Charles. Lafarge runde een door ratten geteisterde smidse, en Marie had een grote hoeveelheid arsenicum gekocht, zogenaamd om het ongedierte te verdelgen. Toen haar echtgenoot ernstig ziek werd, beweerden bedienden dat Marie wit poeder door zijn eten had geroerd. Een plaatselijke apotheker testte het eten en vond het vergif. Marie had duidelijk de schijn tegen.
De deskundigen konden met behulp van de Marshtest echter niet vaststellen dat de maaginhoud van Lafarge arsenicum bevatte, dus eisten zij dat het lichaam werd opgegraven om het orgaanweefsel te testen. Dat gebeurde, maar ook die tests waren negatief. De deskundigen stonden voor een raadsel, dus werd Mathieu Orfila erbij geroepen. Hij voerde dezelfde test uit en bewees dat het niet aan de methode maar aan de uitvoerders lag dat de resultaten negatief waren. Hij toonde aan dat er wel degelijk arsenicum in Lafarge' lichaam aanwezig was en bewees dat die niet afkomstig was uit de grond om zijn kist. Marie werd veroordeeld.

Artsen en pathologen waren dus in feite de eerste forensisch wetenschappers, en er werden formele procedures opgesteld voor wat er in de rechtszaal moest worden bewezen om iemand te kunnen veroordelen voor vergiftiging. Arsenicum wordt nog steeds gebruikt, maar vaak op subtielere manieren. Een voorbeeld daarvan is de chronische arsenicumvergiftiging in de aflevering 'Crow's Feet' (*CSI-LV*) van slachtoffers van een frauduleuze onderneming die verjongingskuren voor vrouwen verzorgde.

De gifverzamelaar

John H. Trestrail III, een gifdeskundige, weet alles over de geschiedenis van giftige stoffen. Hij schrijft gedichten over gif, verzamelt oude manuscripten over het onderwerp, neemt vakantiedagen op om het graf van Orfila te bezoeken en fungeert als adviseur voor menig misdaadprogramma, inclusief CSI. In zijn kantoor tref je spullen aan als vergiftigde dartpijltjes, ingemaakte slangen en exotische brouwsels die zijn bedoeld om iemand uit de weg te ruimen, maar in tegenstelling tot veel van de mensen naar wie hij onderzoek doet gebruikt hij zijn expertise op een positieve manier. Hij is directeur van het Regional Poison Center van het DeVos Children's Hospital en binnen de staat Michigan verantwoordelijk voor het beantwoorden van vragen over vergiftiging. Gif is zijn lust en zijn leven.

Hij verzamelt zo veel mogelijk verhalen over gifmoordenaars uit alle delen van de wereld, en zijn databank, die dagelijks wordt aangevuld, bevat inmiddels meer dan duizend gifmoorden. In 2000 kwam zijn boek *Criminal Poisoning* uit, een gids voor politie en justitie, advocaten en anderen die geïnteresseerd zijn in de manier waarop mensen door de eeuwen heen gif hebben gebruikt om er moorden mee te plegen. In zijn boek vertelt Trestrail ook hoe verschillende soorten gif de dood kunnen veroorzaken en beschrijft hij de eigenschappen van de giftige stoffen die door misdadigers als het ideale wapen worden gezien. Ook bevat zijn boek een lijst van misvattingen over gifmoordenaars en worden de klassieke symptomen van een vergiftiging erin beschreven. Dankzij zijn kennis op dit gebied geeft hij al jaren les op de National Academy van de FBI in Quantico.

Het begon allemaal toen hij nog klein was. Nadat hij in een museumwinkel een slangenkop had gekocht, begon hij onderzoek te doen naar giftige stoffen. Bij de meeste kinderen zijn dergelijke vroege interesses van voorbijgaande aard, maar zijn passie is nooit meer uitgedoofd. Toen hij ouder werd, wilde hij ook meer weten over culturele antropologie – eigenlijk wilde hij de Indiana Jones van de toxicologie worden. Hij wilde graag in contact komen met medicijnmannen om rechtstreeks van hen van alles te leren over giftige stoffen. Hij sloot zich aan bij het Peace Corps en leerde een heleboel in de Filippijnen; tijdens zijn huwelijksreis reisde hij zelfs naar een conferentie over het tegengaan van vergiftigingen (zijn vrouw is nog steeds bij hem). Waarschijnlijk is niemand zo geobsedeerd door dit onderwerp als hij.

Trestrail begrijpt dat hij misschien wat excentriek overkomt, maar er zijn maar weinig mensen die de kans krijgen om van hun passie hun levenswerk te maken – en ook nog expertise op te bouwen waarbij slachtoffers over de hele wereld baat hebben. Hij reist van hot naar her om op seminars en in ziekenhuizen te spreken over toxische stoffen, en verzamelt intussen een breed scala aan monsters: giftige paddenstoelen, voodookettingen, spinnen en vergiftigde pijlpunten. Maar het meest geïnteresseerd is hij in de psychologische eigenschappen van de moordenaars die vergif als hun moordwapen kiezen. Een voor de hand liggende vraag aan Trestrail is dan ook hoe het gebruik van gif in een moordzaak op te sporen is.

'Het begint allemaal met bewijzen dat de giftige stof in het slachtoffer aanwezig is,' zegt hij. 'Het slachtoffer vormt meestal de kern van het bewijsmateriaal. Een patholoog die tijdens een autopsie een toxicologische test uitvoert, kan zeggen: "We hebben stof X geïdentificeerd en die komt normaal gesproken in die hoeveelheden niet voor in een mens." Dan is dus de volgende vraag hoe stof X in die persoon terecht is gekomen. Dat kan per ongeluk zijn gebeurd, of er kan sprake zijn geweest van doelbewuste inname, zoals bij een zelfmoord. De stof kan ook uit de omgeving afkomstig zijn, of gerelateerd zijn aan de voedselketen. Al deze mogelijke oorzaken moet je uitsluiten, en als je dat hebt gedaan, als de stof dus niet per ongeluk of doelbewust door eigen toedoen in de persoon terecht is gekomen, kun je concluderen dat iemand anders hem heeft toegediend. Dan heb je dus een gifmoord.'

De volgende stap is een victimologie, wat betekent dat je alles probeert te achterhalen wat er over het slachtoffer bekend is, vooral gedurende de laatste dagen en uren voor zijn of haar dood. 'Je moet proberen uit te vinden wie er iets te winnen had bij de dood van deze persoon. Vervolgens richt je je op de giftige stof in kwestie en vraag je je af wie van die mensen daar toegang toe zouden kunnen hebben. Al die puzzelstukjes moet je in elkaar zien te passen. Dit soort dingen is moeilijk te onderzoeken, omdat ze allemaal onzichtbaar zijn. Als ik lesgeef aan rechercheurs, zeg ik altijd: "Wat betekent een negatieve screeningtest? Dat betekent niet dat er geen sprake is van vergif. Het betekent alleen dat je niet kunt vinden waarnaar je op zoek bent, maar misschien is er wel iets aanwezig waar je niét naar op zoek was." Als ik kwaad zou willen en een professioneel gifmoordenaar werd, zou ik voor iets gaan waar niemand naar zou zoeken.'

Een van de zaken die Trestrail het meest fascineren is die van een arts annex verkoper van patenten die aan het begin van de twintigste eeuw werd geëxecuteerd. In 1910 zou de Londenaar Hawley Harvey Crippen zijn vrouw Cora hebben vermoord, deels om te ontsnappen aan haar dominantie en haar alcoholverslaving en deels omdat hij verliefd was op zijn jonge secretaresse, Ethel Le Neve. Op een nacht, zo gaat het verhaal, vergiftigde hij Cora, hakte haar ledematen af en begroef een deel van haar lichaam in zijn kelder. Ethel trok bij hem in en ging zelfs Cora's juwelen dragen, terwijl Crippen tegen zijn vrienden zei dat Cora was overleden tijdens een bezoek aan vrienden in Amerika. Toen hij werd ondervraagd door een functionaris van Scotland Yard zei hij dat Cora er in werkelijkheid met een minnaar vandoor was gegaan, en dat hij zich daarvoor geneerde. Vervolgens stapte Crippen onder een valse naam aan boord van een schip naar Quebec, samen met Ethel, die als jongen was verkleed. Dat wekte de argwaan van Scotland Yard. De rechercheur keerde terug naar het huis van Crippen en doorzocht het grondig. Cora's ontbindende torso, ontdaan van een aantal organen, botten en haar genitaliën, bleek begraven in de kolenkelder. Er werd vastgesteld dat ze een dodelijke dosis hyoscine hydrobromide in haar systeem had. Dankzij de pas uitgevonden radiotechnologie kon er een telegram naar het schip worden gestuurd en werd Crippen gearresteerd toen hij in Canada aankwam. Hij werd teruggebracht naar Engeland, waar hij terecht moest staan. Een scheikundige getuigde dat hij de dodelijke stof vijf dagen voor Cora's verdwijning aan Crippen had verkocht. Het kostte de jury slechts 27 minuten om hem schuldig te bevinden, en hij werd opgehangen. (Ethel Le Neve werd vrijgesproken van betrokkenheid en verkocht haar verhaal aan de pers.)

Trestrail denkt dat er in deze zaak wellicht sprake is geweest van een gerechtelijke dwaling. 'Wat me steeds weer op deze zaak doet terugkomen,' zegt hij, 'zijn die afgehakte ledematen, omdat die tegen de intenties van een gifmoordenaar indruisen. Een gifmoordenaar wil normaal gesproken een slachtoffer alleen maar uit de weg ruimen om een bepaald doel te bereiken, zoals liefde of geld. Als het slachtoffer eenmaal uit de weg is, kan hij dat doel verwezenlijken. Dat is het motief. Als ik een gifmoordenaar was, zou ik proberen om de liquidatie er zo natuurlijk mogelijk uit te laten zien, omdat ik wil dat die als een natuurlijke dood wordt bestempeld. Dan kan ik tenminste mijn doel bereiken zonder dat iemand iets vermoedt. In het huis van Crippen werden de overblijfselen van een lichaam gevonden dat van armen en benen was ontdaan. De rechtbank bewees overtuigend tegenover de jury dat dit de overblijfselen van zijn vermiste echtgenote waren, en hij werd opgehangen. Toch zijn er tekenen die erop wijzen dat er iets mis is met deze zaak. Ten eerste denk ik, na jaren herkauwen, dat als het echt zijn vrouw was, hij nooit de intentie heeft gehad om haar te vermoorden. Ik denk dat het een ongeluk is geweest en dat hij in paniek is geraakt. Hij had het niet voorbereid. Als dat waar is, was het doodslag, en daarvoor werd je niet opgehangen. Het afhakken van ledematen past niet bij een moord met voorbedachten rade. Als je een moord goed hebt voorbereid, heb je ook bedacht hoe het moet eindigen. Ik denk dat hij ten onrechte is opgehangen.'

Trestrail wil proberen of hij de overblijfselen van het lichaam via een mitochondriale DNA-analyse kan identificeren en of hij de zaak kan heropenen. Hij is daarbij vooral geïnteresseerd in wat zich afspeelt in de geest van een moordenaar die besluit om gif als wapen te gebruiken.

'Om de zaken in mijn databank nader te onderzoeken, wil ik een versie van de Psychopathy Checklist gaan gebruiken die je op geschreven documenten kunt toepassen. Ik heb krantenartikelen, boeken en dat soort zaken, en ik hoop statistisch significant bewijsmateriaal te vinden voor een persoonlijkheidsstoornis bij gifmoordenaars. Ik geloof dat er overeenkomsten zijn in de karakters van mannelijke en vrouwelijke gifmoordenaars. Ik heb bepaalde theorieën, en die wil ik bewijzen of weerleggen. Ook wil ik moordonderzoekers en advocaten iets waardevols aanreiken. Als we de databank hebben geanalyseerd, gaan we veroordeelde gifmoordenaars interviewen.'

Heeft hij verschillen gevonden tussen mannelijke en vrouwelijke gifmoordenaars? 'Als je naar de mannelijke gifmoordenaars kijkt,' legt Trestrail uit, 'reageren die meestal op een typisch vrouwelijke manier op confrontaties. Bij vrouwen is dat een natuurlijke stijl. De vrouwelijke sekse gaat over het algemeen niet graag de confrontatie aan. Bovendien zijn zij vaker in de gelegenheid om gif te gebruiken, omdat zij voor het eten zorgen en de zieken verzorgen. Ze kunnen gemakkelijker gif in de voedselketen brengen. Mannelijke gifmengers zijn meestal geen fysieke kerels.'

Als wetenschappelijk kan worden aangetoond dat gifmoordenaars bepaalde karaktereigenschappen bezitten, is het dus wellicht mogelijk om, in combinatie met de symptomen van het slachtoffer en toxicologische screeningtests, aan te tonen dat het onderzoek zich in een bepaalde richting moet ontwikkelen en dat er waarschijnlijk sprake is van een gifmisdrijf.

Verfijningen

Het opsporen van op metaal gebaseerde giftige stoffen was slechts een van de uitdagingen in de geschiedenis van de toxicologie. Toen dat eenmaal mogelijk was, moesten toxicologen hun metingen preciezer zien te maken. Bovendien hadden ze ook met andere typen giftige stoffen te maken. Zodra moordenaars erachter kwamen dat arsenicum zo eenvoudig te detecteren was en als overtuigend bewijsmateriaal kon dienen voor een veroordeling, gingen ze andere stoffen gebruiken om hun doel te bereiken. Die waren niet moeilijk te vinden, wat betekende dat wetenschappers weer nieuwe tests moesten ontwikkelen. Allereerst buigen we ons over het meetprobleem.

Het feit dat arsenicum kon worden opgespoord bewees nog niet automatisch dat er ook sprake was van moord. Omdat een slachtoffer ook op een andere manier aan het gif kon zijn blootgesteld, drongen advocaten er bij toxicologen op aan om met mogelijkheden te komen om te bewijzen dat een bepaalde stof in voldoende mate in een lichaam aanwezig was om met zekerheid te kunnen zeggen dat iemand het slachtoffer moedwillig had vergiftigd. Tijdens een Britse moordzaak in 1911 ontwikkelde dr. William Wilcox de eerste methode om de hoeveelheid arsenicum in een lichaam te meten. Frederick Henry Seddon was gearresteerd wegens de moord op Elizabeth Barrow, en Wilcox voerde honderden gewichttests uit met arsenicum. Hij ontwikkelde een methode om aan de hand van het lichaamsgewicht in milligrammen vast te stellen hoeveel arsenicum zich in de afzonderlijke organen van de vergiftigde vrouw bevond. Door de jaren heen werd zijn methode steeds verder verfijnd, totdat men er de aanwezigheid van arsenicum tot op de microgram nauwkeurig mee kon bepalen. De methode was zowel bruikbaar voor lichamen als voor grond. Maar arsenicum was niet het enige gif dat in moordzaken opdook, dus kwam er ook vraag naar detectiemethoden voor andere stoffen.

Een andere belangrijke stap voorwaarts in de geschiedenis van de forensische toxicologie werd gezet in de negentiende eeuw. Toen werden er methoden ontwikkeld voor het aantonen van de aanwezigheid van plantaardige alkaloïden, zoals cafeïne, kinine, morfine, strychnine, atropine en opium. Deze stoffen tasten het centrale zenuwstelsel van het slachtoffer aan. Plantaardige alkaloïden laten geen aantoonbare sporen in het menselijk lichaam achter, zodat er in de beginperiode relatief gecompliceerde extractiemethoden nodig waren om een analyse te kunnen uitvoeren. Het *CSI*-team in Miami mag dankbaar zijn voor de ontwikkeling van deze detectiemethoden; in de aflevering 'Breathless' konden ze ermee bewijzen dat er iemand met nicotine was vergiftigd.

In een moordzaak in 1850 vertoonde het mannelijke slachtoffer duidelijke chemische brandplekken in zijn mond en keel en op zijn tong. De toxicoloog Jean Servois Stas zocht drie maanden lang naar de stof die de brandwonden had veroorzaakt, en wist uiteindelijk nicotine in de lichaamsweefsels te vinden. Daarbij gebruikte hij ether als oplosmiddel, dat hij verdampte om de stof te

isoleren. De moordenaar van de man had de nicotine uit tabak gewonnen en het slachtoffer gedwongen het op te eten.
Stas was de eerste die een methode ontwikkelde om materiaal dat plantaardige alkaloïden bevatte te onttrekken aan het organische materiaal van het menselijk lichaam.

Madame de Pauw werd ziek en stierf kort daarna. De vermoedelijke moordenaar was haar minnaar Couty de la Pommerais. De la Pommerais had financiële problemen, en De Pauw had een grote levensverzekeringspolis. Via een anoniem briefje was de politie geattendeerd op kwade opzet.
De forensisch patholoog, professor Ambroise Tardieu, vermoedde op basis van de symptomen van het slachtoffer – met name haar veel te snel kloppende hart – dat De la Pommerais het medicijn digitaline had gebruikt. Om de aanwezigheid ervan in het lichaam van De Pauw aan te tonen injecteerde Tardieu een groep kikkers met het extract dat hij met behulp van de Stas-methode had verkregen, terwijl hij een andere groep kikkers een standaardoplossing digitaline toediende. Beide groepen vertoonden precies dezelfde reactie, waarmee hij de aanwezigheid van het medicijn in het lichaam van De Pauw aantoonde. Op 9 juni 1864 werd De la Pommerais veroordeeld voor moord.

Toch werd het een aantal wetenschappers al snel duidelijk dat er een probleem kleefde aan deze tests: soms ontwikkelen zich na de dood alkaloïden in het lichaam die bij kwalitatieve kleurentests dezelfde resultaten geven als plantaardige alkaloïden. Deze stoffen worden ptomaïne alkaloïden genoemd. Om er zeker van te zijn dat ze een vergif correct identificeerden, hadden toxicologen dus een methode nodig die specifiek gericht was op een bepaalde soort plantaardige alkaloïde.
Dr. William Wilcox was de eerste die met het idee kwam om het smeltpunt en de kristallisatiepatronen van alkaloïden als identificator te gebruiken. Ook deze methode had echter nadelen; een aantal alkaloïden bleek bijna hetzelfde smeltpunt te hebben. Er

werden meer en betere tests ontwikkeld, en in 1955 waren er alleen al voor morfine dertig tests.
Een belangrijk punt van zorg voor moderne toxicologen was de productie van synthetische alkaloïden, die waren ontwikkeld naarmate de farmaceutische chemie groeide en waarvoor totaal nieuwe separatie- en identificatiemethoden nodig waren. Een wetenschapper pleitte voor het gebruik van papierchromatografie, een separatiemethode op basis van molecuulgrootte of -polariteit. Deze methode maakt kleurloze alkaloïden zichtbaar en zorgt ervoor dat ze eenvoudig kunnen worden gescheiden op filterpapier. Dit was een goede zaak, want met de komst van de industrialisering kregen miljoenen mensen toegang tot steeds meer soorten gif, zoals schoonmaakmiddelen, medicijnen en bestrijdingsmiddelen, die bruikbaar waren voor zowel moord als zelfmoord. Toxicologen moesten dus steeds met nieuwe tests komen om de aanwezigheid van al deze stoffen te kunnen aantonen.

Hedendaagse analyse

Voor het opsporen van alcohol en drugs wordt tegenwoordig meestal gebruikgemaakt van spectrometrie en een of andere vorm van chromatografie. Toxicologen lossen weefsels die zij willen analyseren op in een zure of basische oplossing en gebruiken vervolgens hogedruk vloeibare chromatografie of gaschromatografie met een massaspectrometer (LC/MS, GC/MS). De meeste stoffen die op een plaats delict worden aangetroffen zijn complexe samenstellingen, en via deze methode kunnen zij in hun zuiverste componenten worden gescheiden.
Bij gaschromatografie wordt een kleine hoeveelheid van de verdachte stof of het onbekende materiaal opgelost in een oplosmiddel en vervolgens met een injectienaald in een holle buis gespoten. Met een inert gas (helium of stikstof) wordt het mengsel door de spiraalvormige glazen buis geleid. Aan het uiteinde hiervan bevindt zich een zeer gevoelige, gecomputeriseerde detector die de afzonderlijke elementen analyseert. Elk element gaat met een spe-

cifieke snelheid door de buis, zodat het kan worden geïdentificeerd bij het bereiken van de 'finish'. Ook wordt de hoeveelheid zuivere stof in het mengsel gemeten, wat een schema oplevert dat een samengesteld profiel toont (aan de hand van de gemeten reistijd). Daarna worden referentie- of controlestoffen door de gaschromatograaf geleid. Op deze manier kunnen verdachte stoffen worden geïdentificeerd, zoals een brandversnellend middel op een stuk geblakerd hout. De GC kan worden gebruikt om een groot aantal verschillende stoffen te identificeren, van vergif tot geneesmiddelen en explosieven. Hij kan zelfs worden gebruikt om de hoeveelheid alcohol in bloed te bepalen.

De massaspectrometer bombardeert het monster met elektronen die door een verhitte kathode worden geleid. Daardoor valt het monster in elektrisch geladen deeltjes uiteen. Deze deeltjes worden vervolgens door de spectrometer geleid en door een elektrisch veld versneld. Een magnetisch veld buigt de stroom af, en de hoek waarin dit gebeurt is afhankelijk van de massa van de deeltjes. De kracht van het magnetische veld wordt vergroot, waarna de energiespectra worden vastgelegd door een detector die is aangesloten op een computer. Aan de hand van de positie van elk deeltje op het spectrum kan de massa ervan worden afgemeten, en de intensiteit geeft aan in welke verhouding het deeltje in het monster voorkomt. De gegevens worden uitgeprint. Met andere woorden: de spectrometer kan de kleinste spoortjes van individuele chemische stoffen identificeren, ongeacht hoe het moleculaire gewicht van de monsters is verdeeld. Er wordt ook wel gebruikgemaakt van dunnelaagchromatografie (DLC), waarbij het monster in een verticale gelfilm wordt geplaatst en vervolgens in een vloeibaar oplosmiddel wordt gehangen, waardoor de zuivere bestanddelen zich manifesteren.

Toxicologische analyse is nodig in de volgende vier situaties:

- als de doodsoorzaak bekend is, maar gegevens over de stof in kwestie wellicht meer informatie kunnen opleveren over de omstandigheden waaronder iemand is overleden;
- als medicijnen, drugs of vergif de vermoedelijke doodsoorzaak vormen;

- als een negatief resultaat de patholoog de mogelijkheid geeft om drugs, medicijnen of vergif uit te sluiten en zich te concentreren op een natuurlijke dood door ziekte;
- als er iemand is overleden die geen duidelijk letsel vertoont en die geen medische historie of problemen had.

Soms vormt een giftige stof een risico voor de onderzoekers, zoals in de volgende zaak het geval geweest lijkt te zijn. Op 19 februari 1994 werd de 31-jarige Gloria Ramirez naar de eerstehulppost van het Riverside Hospital in Californië gebracht, waar ze het bewustzijn verloor. Een verpleegster die een bloedmonster bij haar afnam, viel een paar seconden later flauw. Dr. Julie Gorchynski, die haar te hulp schoot, rook ammonia en bekeek de injectiespuit. Het bloed van Ramirez leek vreemde kristallen te bevatten. Vervolgens viel ook zij flauw en kreeg ze stuiptrekkingen. Ook een andere arts merkte de witte kristallen in het bloed op. Ander medisch personeel begon over te geven of verloor het bewustzijn, dus werd de eerstehulppost ontruimd. In totaal kregen zes mensen ernstige symptomen, vertoonden een paar anderen lichte reacties, terwijl twee medewerkers van de eerste hulp en het ambulancepersoneel nergens last van hadden.
Ramirez stierf, en er werd een zorgvuldige autopsie uitgevoerd door mensen in beschermende kleding. (De ammonialucht steeg ook op uit de lijkenzak waarin ze lag.) Ze voerden een aantal toxicologische tests uit, maar ontdekten niets vreemds. Ramirez' nieren waren uitgevallen en ze had een urineblokkade als gevolg van de baarmoederkanker die zes weken daarvoor bij haar was geconstateerd, maar dat vormde geen verklaring voor de effecten op het eerstehulppersoneel. De regionale GGD werd erbij gehaald, maar er leek niets mis in het gebouw of de lucht. Ook de tests die zij uitvoerden, leverden niets op. Dr. Gorchynski hield aan het incident echter hepatitis en andere medische aandoeningen over waarvoor ze twee weken in het ziekenhuis moest blijven, en die uiteindelijk resulteerden in een zeldzame botaandoening. Het ziekenhuis stond voor een raadsel.
Door de jaren heen zijn verschillende verklaringen aangedragen,

zoals organofosfaten die worden gebruikt in zenuwgas en pesticiden, massahysterie onder het personeel en de mogelijkheid dat er in het ziekenhuis een geheim methamfetaminelab was ondergebracht en dat iemand per ongeluk een infuuszak had gepakt die methamfetaminekristallen bevatte.

Een team wetenschappers van het Forensic Science Center van het Livermore National Laboratory meende dat een chemische stof die in het bloed van Ramirez werd aangetroffen, dimethylsulfon, de boosdoener was geweest. Deze stof had waarschijnlijk in een zelfzorgmiddel tegen kanker gezeten en had zich wellicht zodanig in Ramirez' lichaam kunnen opbouwen dat hij werd omgezet in dimethylsulfaat, een giftig gas dat in oorlogen wordt gebruikt en dat veel van de symptomen veroorzaakt die de mensen om haar heen vertoonden. Ze konden echter niet achterhalen waardoor het daadwerkelijke conversieproces was veroorzaakt. Bovendien verdampt dit gas, zodat dat later niet meer kan worden opgespoord. En de familie van het slachtoffer bleef volhouden dat Ramirez geen thuismedicatie had gebruikt.

Omdat er niets kon worden bewezen, accepteerde niet iedereen dat dimethylsulfon de schuldige zou zijn geweest. Daardoor is er nooit een bevredigende medische rapportage opgesteld van wat er daadwerkelijk is gebeurd. Later heeft zich een aantal soortgelijke zaken voorgedaan. Zo werden er personeelsleden van een ander ziekenhuis ziek nadat die een aantal van de mensen hadden behandeld die symptomen hadden ontwikkeld na het oorspronkelijke incident in het Riverside Hospital. En een week na het voorval, in een heel ander ziekenhuis in Bakersfield (Californië), stootte een vrouw met ademhalingsmoeilijkheden gasdampen uit nadat ze een beademingsslang ingebracht had gekregen. Een groot deel van het verplegend personeel om haar heen kreeg last van branderige ogen en misselijkheid.

Dankzij geavanceerde technieken wordt voor veel van dit soort zaken echter wel een verklaring gevonden. Met de juiste analytische methoden kunnen haarmonsters bijvoorbeeld informatie verschaffen over het verloop van een vergiftiging. In een aflevering van *CSI-LV* werd het geneesmiddelengebruik van een vrouw bijvoorbeeld in kaart gebracht aan de hand van een pluk haar, en deze analyse bracht ook andere stoffen in haar systeem aan het licht. De onderzoekers wisten binnen enkele dagen vast te stellen hoe lang voor haar dood ze een traumatische gebeurtenis had meegemaakt die er de oorzaak van was geweest dat ze sterkere antidepressiva was gaan slikken, wat duidde op de mogelijkheid dat ze zelfmoord had gepleegd. In een andere, waargebeurde, zaak waren onderzoekers op deze manier in staat om een moord in kaart te brengen en te documenteren.

De 32-jarige Robert Curley werd in 1991 ziek en stierf niet lang daarna in een ziekenhuis in Wilkes-Barre (Pennsylvania). Hij had last gehad van brandplekken op zijn huid, verlammingsverschijnselen, zwakte, herhaaldelijk braken en ernstige haaruitval. Hij werd getest op blootstelling aan zware metalen en bleek een flink verhoogde concentratie thallium in zijn systeem te hebben – vroeger een veelgebruikt ingrediënt voor rattengif. Op zijn werk was echter geen thallium te vinden, en de thermosfles die hij altijd naar zijn werk meenam bevatte slechts een spoortje ervan. Zijn weduwe, Joann, was een voor de hand liggende verdachte, maar er waren geen bewijzen tegen haar.

Dr. Frederic Rieders van National Medical Services werd ingeschakeld om monsters van Curleys opgegraven lichaam te onderzoeken. Hij maakte een segmentanalyse van de haarschachten en stelde aan de hand daarvan een tijdlijn op voor Curleys blootstelling aan thallium. Curleys hoofdharen waren lang genoeg om de laatste driehonderd dagen voor zijn dood in kaart te kunnen brengen. Met behulp van atomaire-absorptiespectrofotometrie werd het thalliumniveau in de haarschachten op verschillende tijdstippen vastgesteld; elk haarsegment werd met behulp van een chemische stof in individuele atomen opgebroken, waarna de specimens werden geëxciteerd tot ze energie absorbeerden. Op die manier kon de thalliumconcentratie worden gemeten.

Er werden negen maanden lang thalliumconcentraties gemeten, met pieken en dalen die duidden op systematische opname. Een paar dagen voor zijn dood was er een enorme piek zichtbaar, die wees op doelbewuste vergiftiging.

De tijdlijn werd vergeleken met gebeurtenissen in Curleys leven. Daaruit bleek dat zijn thalliumniveau daalde als hij van huis weg was of in het ziekenhuis lag, met uitzondering van de paar dagen voor zijn dood. Toen had zijn vrouw hem voedsel gebracht en was ze alleen met hem geweest.
Naar aanleiding van deze ontdekkingen bekende Joann Curley dat ze haar man met rattengif had vergiftigd om zijn levensverzekering te kunnen opstrijken. Ze werd veroordeeld tot tien tot twintig jaar gevangenisstraf.

Dit is een goed voorbeeld van een zaak waarin de blootstelling van een individu aan een bepaalde stof nauwkeurig kon worden gemeten. Het komt echter ook voor dat de giftige stof en de herkomst ervan bekend zijn, maar dat de moordenaar toch niet kan worden opgespoord.

Giftige willekeur

In de aflevering 'Last Laugh' (*CSI-LV*) bleken twee waterflessen besmet met een stof die tot iemands dood had geleid. Een van de lastigste situaties waarmee de toxicologie geconfronteerd kan worden is een anonieme persoon die grote hoeveelheden levensmiddelen, medicijnen of drinkwater probeert te vergiftigen – met andere woorden, een terrorist die dodelijke stoffen gebruikt om gemeenschappen in zijn macht te houden.
Een dergelijk voorbeeld van knoeien met producten had in 1982 plaats in Chicago. Daar begonnen plotseling mensen op mysterieuze wijze te sterven. In totaal vielen er zeven slachtoffers, en een van hen had twee dagen lang vreselijk geleden voor hij uiteindelijk de geest gaf. De politie ontdekte een beangstigende overeenkomst tussen de slachtoffers: ze hadden allen de pijnstiller Extra-Strength Tylenol gekocht en capsules geslikt waaraan cyanide was toegevoegd. Blijkbaar had een sociopaat de capsules opengemaakt en de stof ingebracht.

De producent van Tylenol, Johnson & Johnson, riep direct in het hele land alle potjes terug, wat een enorme verliespost opleverde. De inwoners van Amerika waren in de greep van een bijzondere vorm van terrorisme – iemand, ergens, kon bijna alles wat ze kochten en consumeerden besmetten, waardoor ze konden sterven. De mensen wilden dat er alles aan werd gedaan om de dader te vinden. Maar zelfs als dit incident werd opgelost, was er een nieuw idee geboren voor het plegen van misdrijven, dat anderen zouden kunnen kopiëren.

Het probleem was vooral de willekeur die er achter het knoeien met de producten school. Het doelwit was geen specifieke persoon of onderneming geweest, en er leek geen motief te zijn. Niemand gebruikte het om er een bedrijf mee te chanteren en zo een som geld los te krijgen. Het was een misdrijf waarbij sprake was van psychologische afstand, wat het moeilijk maakte om zelfs maar een aanknopingspunt te vinden.

Ondanks alle pogingen is de identiteit van de Tylenol-moordenaar nooit ontdekt. Tot op de dag van vandaag is hij (of zij) onbekend gebleven. Maar de cyanidevergiftigingen stopten net zo abrupt als ze waren begonnen (hoewel er nog meer gevallen van het knoeien met producten zijn geweest, op andere plaatsen en met andere producten). Deze zaak heeft de manier waarop vrij verkrijgbare medicijnen in de Verenigde Staten worden verkocht voor altijd veranderd. Tegenwoordig bevatten die steevast niet-vervalsbare sluitingen en allerlei soorten waarschuwingen om vooral geen medicijnen in te nemen waarvan de verpakking niet intact is.

Omdat toxicologie de eerste wetenschap was die in de rechtszaal werd gebruikt, gaan we in het volgende hoofdstuk dieper in op de manier waarop bewijsmateriaal geïdentificeerd, verzameld en behandeld dient te worden. Forensisch onderzoekers moeten deze richtlijnen en regels voortdurend in hun achterhoofd houden, omdat ze anders het risico lopen dat hun bewijsmateriaal wordt verworpen of een veroordeling wordt teruggedraaid.

4 Niets dan de waarheid

Een misdrijf is een daad die bij de wet verboden is, en strafwetten zijn bedoeld om invloed uit te oefenen op het gedrag van mensen die in de landen wonen waarin die wetten worden opgesteld. In de eerste plaats zijn wetten bedoeld om mensen te beschermen, maar ook daders hebben rechten en in veel westerse landen zijn zij pas schuldig als hun schuld is bewezen. Uit deze rechten vloeien wettelijke procedures voort die moeten worden gevolgd bij arrestaties en bij het omgaan met bewijsmateriaal. Mensen die met bewijsmateriaal werken moeten zich dus bewust zijn van welk gedrag ze moeten vermijden als ze onderzoek doen naar een misdrijf.

In verschillende *CSI*-afleveringen treden leden van de teams als getuigen op in de rechtszaal en worden ze geconfronteerd met problemen rondom de toelaatbaarheid van bewijsmateriaal. In 'Compulsion', een aflevering van *CSI-LV*, gebruikte een rechercheur bijvoorbeeld een psychologische-stressevaluator (Voice Stress Analyzer of VSA) om een bekentenis los te krijgen van een jongen die zijn broer zou hebben vermoord. Nick waarschuwde dat dat bewijs niet in de rechtszaal zou worden geaccepteerd, maar als het verhaal van de jongen werd ondersteund door bewijsmateriaal zou dat niet belangrijk meer zijn (tenzij hij zijn bekentenis zou intrekken). Zulke procedures werpen de vraag op of onderzoekers methoden als psychologische stressanalyse mogen gebruiken als het bewijsmateriaal dat ermee wordt vergaard verworpen of geweerd kan worden. Wat is het verschil tussen echte wetenschap en pseudowetenschap, en wanneer wordt iets door de rechtbank geaccepteerd? Dat zijn vragen waar forensisch wetenschappers en onderzoekers dagelijks mee worstelen. Als een procedure afwijkt, als er fouten worden gemaakt, als er bewijsmateriaal wordt vervalst of als professionals niet deskundig overkomen, kan dat een nadelig effect hebben in de rechtszaal.

Strafrechtelijke procedures

Op 12 juni 1994 maakte een blaffende hond in Brentwood (Californië) een buurman erop attent dat er iets niet in orde was. De buurman volgde de hond naar een appartement, waar hij een enorme hoeveelheid bloed op de grond zag liggen, en gaf zijn vrouw opdracht om het alarmnummer te bellen. Toen de politie arriveerde trof zij Nicole Brown Simpson, de ex-echtgenote van voormalig footballcoryfee O.J. Simpson, net binnen het hek van haar huis op haar zij aan in een plas bloed. Niet ver van haar vandaan lag het in bloed gedrenkte lichaam van de 25-jarige Ronald Goldman. De politie bezocht het huis van Simpson om met hem te praten en signaleerde een bloedvlek op het portier van zijn witte Ford Bronco, die op zijn oprit geparkeerd stond. Ook leidde er een bloedspoor naar het huis, maar Simpson was niet thuis. Hij was kort daarvoor naar Chicago vertrokken.
Toen de politie contact met hem opnam, keerde hij terug naar Los Angeles en toonde zich bereid een aantal vragen te beantwoorden. De rechercheurs merkten op dat hij een snee had in een van de vingers van zijn linkerhand, waarvoor hij verschillende tegenstrijdige verklaringen gaf. Bovendien was er nog meer bewijsmateriaal dat hem tot belangrijkste, en op dat moment enige, verdachte maakte. Er was een groot aantal bloeddruppels op de plaats delict die niet overeenkwamen met de bloedgroepen van de twee slachtoffers. Toen er bij Simpson bloed werd afgenomen, bleek vergelijking tussen zijn DNA en dat van het bloed op de plaats delict echter wel een match op te leveren. Tests wezen uit dat het DNA van slechts een op de 57 miljard mensen een equivalente match zou kunnen opleveren. Bovendien werd het bloed in de buurt van voetafdrukken aangetroffen die waren gemaakt door een zeldzaam en duur type schoenen – schoenen die O.J. droeg en die ook nog zijn maat bleken te zijn.

Naast de lichamen lag een met bloed besmeurde leren handschoen, die vezelsporen van Goldmans spijkerbroek bevatte. De andere handschoen van het paar, die besmeurd was met het bloed van Simpson, werd in Simpsons huis aangetroffen. Ook werden er bloedsporen van beide slachtoffers in Simpsons auto en huis aangetroffen, samen met bloed dat zijn DNA bevatte. Zijn bloed en dat van Goldman werden zelfs samen op het dashboard van de auto gevonden.
Later kwam daar nog ander bewijsmateriaal bij, zoals de getuigenverklaring van de limousinechauffeur die Simpson was komen ophalen voor de rit naar het vliegveld: hij had een zwarte man de oprit zien oversteken en het huis zien binnengaan. Simpson beweerde echter dat de chauffeur hem niet via de intercom had kunnen bereiken omdat hij zich zou hebben verslapen. Verder waren er foto's van Nicole en dagboekfragmenten die bewezen dat Simpson gewelddadig was en zijn ex-vrouw stalkte. Toen Simpson te horen kreeg dat hij zou worden gearresteerd voor moord, vluchtte hij bovendien met zijn vriend Al Cowlings en liet hij een briefje achter waarin hij suggereerde dat hij zelfmoord zou plegen. Hij had een paspoort, een valse baard en duizenden dollars contant geld bij zich. Desalniettemin hield hij vol dat hij onschuldig was en nam hij een team advocaten in de arm die gespecialiseerd waren in de verdediging van beroemdheden.
De analyses in deze zaak werden uitgevoerd door drie verschillende misdaadlabs. Alle drie kwamen zij tot de conclusie dat het bloed op de plaats delict een match vormde met dat van Simpson. Uit een analyse die Restricted Fragment Length Polymorphism (RFLP) wordt genoemd kwam een match van een op 170 miljoen naar voren, terwijl een Polymerase Chain Reaction (PCR) test uitkwam op een match van een op 240 miljoen.
De bekende criminalist dr. Henry Lee beweerde echter voor de rechtbank dat er iets mis leek met de manier waarop het bloed was verpakt, wat de verdediging ertoe bracht om te suggereren dat de verschillende monsters waren verwisseld. Ook beweerden zij dat de kwaliteit van het DNA ernstig achteruit was gegaan doordat het in een mobiel laboratorium opgeslagen was geweest, maar

de DNA-deskundige van de aanklager, Harlan Levy, zei dat het kwaliteitsverlies niet zodanig was dat het een zorgvuldige DNA-analyse in de weg stond. Ook wees hij erop dat er controlemonsters waren gebruikt die eventuele contaminatie van de monsters direct aan het licht zouden hebben gebracht, maar Barry Scheck opperde de mogelijkheid dat de controlemonsters door alle labs verkeerd waren behandeld. Vervolgens suggereerden de advocaten van de verdediging dat rechercheur Mark Fuhrman, die op de avond van de moord naar het huis van O.J. was gegaan, een racist was die met bewijsmateriaal had geknoeid.

Na minder dan vier uur beraadslagen stelde de jury Simpson op vrije voeten door hem onschuldig te verklaren.

Hoe komt men in de Verenigde Staten van een misdrijf tot een veroordeling?

Als er een misdrijf is gepleegd en een verdachte is geïdentificeerd, vindt er een aanhouding plaats. De verdachte wordt ingeschreven, er worden vingerafdrukken afgenomen, er wordt een portretfoto gemaakt, zijn strafblad wordt nagetrokken en in sommige gevallen worden er monsters afgenomen voor DNA- en bloedanalyse. De verdachte wordt op zijn recht gewezen om te zwijgen en een advocaat in de arm te nemen (waar hij wel of geen gebruik van kan maken). Vervolgens wordt hij in een detentiecel geplaatst en in de gelegenheid gesteld om iemand te bellen, meestal een advocaat. Als hij afziet van het recht om een advocaat in te schakelen, kan er een verhoor volgen en kan de verdachte worden gefouilleerd en/of gevisiteerd. Soms is er sprake van een aantal extra stappen, zoals wanneer een verdachte voor twee afzonderlijke aanklachten wordt voorgeleid. Op een gegeven moment dient de verdachte zijn verweer in. In dit geval verklaarde Simpson dat hij niet schuldig was aan het misdrijf dat hem ten laste werd gelegd.

In de meeste Amerikaanse staten en in sommige andere landen worden bepaalde typen moord beschouwd als een 'halsmisdaad', die kan worden bestraft met de doodstraf. De definitie van een halsmisdaad kan echter per rechtsgebied verschillen. In meer dan twintig Amerikaanse staten waar de doodstraf van kracht is

komt de verdachte in aanmerking voor executie als zijn daad bijzonder 'gruwelijk', 'laag', 'verdorven' of 'wreed' is. Michael Welner, een psychiater uit Manhattan, stelt echter dat er geen richtlijn bestaat aan de hand waarvan jury's kunnen bepalen wat deze termen in de praktijk precies betekenen. Als er bij een bepaald misdrijf sprake lijkt van 'verzwarende omstandigheden', is er geen duidelijke standaard volgens welke deze kunnen worden gedefinieerd. Dat zet jury's ertoe aan om hun beslissingen te nemen op basis van emoties, wat tot oneerlijke veroordelingen kan leiden.
Tijdens zijn werk voor zowel aanklagers als advocaten van verdachten maakt Welner regelmatig mee dat de termen die een halsmisdaad zouden moeten definiëren willekeurig worden gebruikt. Om deze situatie recht te zetten is hij begonnen met het ontwikkelen van een 'verdorvenheidsschaal', een gestandaardiseerde reeks criteria die gebaseerd is op feiten en bewijsmateriaal. Hij bestudeerde meer dan honderd zaken waarbij de kwalificaties 'verdorven' en 'gruwelijk' gehandhaafd of verworpen werden en maakte een inventarisatie van daden en attitudes die regelmatig werden aangehaald als voorbeelden van kwaadaardigheid bij misdrijven. Dit onderzoek vormde de eerste aanzet tot de samenstelling van de schaal. Voor de verdere ontwikkeling van de schaal vraagt Welner professionals om misdrijven te beoordelen op hun mate van verdorvenheid, zoals of het verdorven is om iemand doelbewust emotionele schade toe te brengen, iemand moedwillig fysiek te verminken of iemand langdurig met geweld te bestoken. Daarbij legt hij de nadruk op het vermogen van daders om bewuste keuzes te maken. Ook laat hij variabelen meewegen als religieuze overtuiging, geografische locatie en eerdere ervaringen met justitie. Als er genoeg mensen willen deelnemen, denkt hij een gevalideerde schaal te kunnen ontwikkelen die consensus creëert over termen die tot nu toe altijd vaag waren. Op die manier hoopt hij op wetenschappelijke wijze normen in het leven te roepen die door rechtbanken in het hele land kunnen worden gehanteerd.
Dit geldt echter alleen voor de meest extreme misdrijven. Veel misdrijven zijn een stuk minder ernstig, en worden dan ook minder zwaar bestraft.

Terwijl het team van de aanklager bewijsmateriaal bestudeert om een aanklacht te formuleren (wat soms al voor de arrestatie gebeurt), probeert de advocaat van de verdachte op de zaak te anticiperen door in te schatten wat hij zou kunnen aanvoeren om het bewijsmateriaal te ontkrachten. In het geval van ernstige misdrijven op landelijke schaal en andere complexe zaken, zoals de zaak-Simpson, wordt soms een *grand jury* (kamer van inbeschuldigingstelling) bijeengeroepen voor het formuleren van de aanklacht en wordt er een eerste hoorzitting gehouden om vast te stellen of er wel of geen sprake is van aannemelijke verdenking. Ook kan een zaak eerst worden voorgeleid voor de onderzoeksrechter. In geval van een rechtszitting voor een grand jury presenteert de aanklager zijn bewijsmateriaal tijdens een besloten zitting; bij een voorgeleiding voor de onderzoeksrechter wordt het bewijsmateriaal ook aan de verdediging voorgelegd. In dat geval kunnen de advocaten van de verdachte(n) plannen maken om bepaalde bewijsstukken te laten afkeuren tijdens het vooronderzoek. Ze kunnen bijvoorbeeld kritiek uiten op de verhoorprocedures of op de methoden die voor het politieonderzoek zijn gebruikt, of ze kunnen vragen om voorwaardelijke vrijlating of om een onderzoek naar de handelingsbekwaamheid van de verdachte. In 'Invisible Evidence' (*CSI-LV*) slaagde een advocaat van de verdediging erin om een bewijsstuk ongeldig te laten verklaren omdat het op oneigenlijke wijze zou zijn verkregen.
Wanneer dit soort verzoeken is afgehandeld, kan de verdediging proberen strafvermindering te krijgen in ruil voor een schuldbekentenis. Zo niet, dan komt de zaak uiteindelijk voor de rechter, voor een jury of voor beide.
Als er sprake is van psychische stoornissen, minderjarige daders, zwakzinnigheid of andere factoren, worden er soms hoorzittingen gehouden om duidelijk te krijgen of de verdachte in staat is om te begrijpen wat zijn rechten zijn, een bekentenis af te leggen en terecht te staan. Vervolgens krijgen de twee partijen de gelegenheid om bewijsmateriaal en getuigen te verzamelen. De advocaat van de verdediging kan plannen maken voor hoorzittingen over bewijsstukken of een verwijzing naar een ander gerecht (verandering van locatie).

Beide partijen formuleren een theorie over wat er in hun ogen is gebeurd en waarom. In dit stadium kunnen er pogingen worden ondernomen om strafvermindering te krijgen in ruil voor een schuldbekentenis. Als het daadwerkelijke proces in zicht komt, worden de getuigen voorbereid en de strategieën geformuleerd. Hoewel deze procedures in de *CSI*-series niet expliciet aan de orde komen, zijn ze altijd op de achtergrond aanwezig, want hoe overtuigender het bewijsmateriaal, hoe sterker de zaak.

In de zaak-Simpson bepaalden beide partijen met behulp van juryconsultants en vragenlijsten die door potentiële juryleden waren ingevuld wie hun ideale juryleden zouden zijn. Een juryconsultant kan zowel een individu als een hele organisatie zijn. Afhankelijk van de beschikbare middelen en de vermeende belangen worden er ook psychologisch deskundigen aan een juridisch team toegevoegd. Juryconsulting, dat in de jaren zeventig van de twintigste eeuw zijn intrede deed als een wetenschappelijke manier om jury's samen te stellen, wordt soms gedaan door individuele freelancers en soms door een team dat in dienst is bij een groter bedrijf. Sommige mensen keuren het inschakelen van juryconsultants af omdat hun werk niet gebaseerd is op zuivere psychologische principes, maar advocaten blijven er toch gebruik van maken. Juryconsultants hebben verschillende functies, maar beoordelen met name de verschillende mensen die aan de *voir dire* (aan de rechtszaak voorafgaande beoordeling van geschiktheid) worden onderworpen om jurylid te worden.

Hun doel is om advocaten te helpen een groep mensen samen te stellen die onbevooroordeeld naar het verhaal van hun cliënt zullen luisteren. Daartoe stellen ze een jurylidprofiel op, een lijst met eigenschappen van het soort persoon dat de zaak in kwestie welwillend tegemoet zal treden. Met andere woorden: juryconsultants kijken naar factoren als raciale vooroordelen, of een potentieel jurylid ooit te maken heeft gehad met hard politieoptreden of seksediscriminatie en hoe conservatief zijn of haar waarden zijn. Ze letten op de kleren die mensen dragen, op hun lichaamstaal en op aspecten van hun gedrag waarvan de kans groot is dat ze invloed zullen hebben op opvattingen die relevant zijn voor de zaak. Uit onderzoek blijkt dat jury's bij hun uitspraken hun waarden, opvattingen en ervaringen zwaarder laten wegen dan feiten. Bij sommige zaken, zoals zaken waarin de doodstraf kan worden opgelegd, zijn juryconsultants extra alert op autoritaire denkbeelden, een politieke agenda of een grote behoefte om te straffen. Daarnaast kijken zij naar het algemene karakter van mensen.

Toen het proces-Simpson in volle gang was, nam het team van de verdediging het bewijsmateriaal door. Alle advocaten vroegen zich af hoe de jury zou omgaan met gecompliceerde informatie als bloedanalyse, maar uiteindelijk kwam DNA-deskundige Barry Scheck met een idee dat de strategie van de verdediging ingrijpend veranderde. Op basis van Schecks woorden construeerde Johnnie Cochran, de hoofdadvocaat van O.J., in korte tijd een zaak die leidde tot een van de meest controversiële gerechtelijke uitspraken in de geschiedenis – en verwierf daarmee vrijspraak voor zijn cliënt. Het kwam erop neer dat Scheck een eenvoudige bevinding uit het psychologisch onderzoek aanreikte: mensen zetten een getuigenverklaring om in een verhaal dat hun logisch in de oren klinkt. Ze construeren een versie waarin ze alle latere informatie verwerken, dus om een zaak te winnen is het vooral belangrijk om een overtuigend verhaal te vertellen.

Als onderdeel van het selectieproces kan een juryconsultant een schijnproces in de doelgemeenschap organiseren, een telefonisch onderzoek uitvoeren of een focusgroep bijeenroepen om vast te stellen welk type reacties er op een bepaald gebied te verwachten zijn. Een focusgroep die bestaat uit mensen die model staan voor het doorsnee jurylid kan bruikbare informatie verschaffen voor het opbouwen van de bewijsvoering, voor de openingsverklaring en het slotbetoog en voor de effectiviteit van visuele hulpmiddelen. Ook kan zo'n focusgroep input leveren voor de aan de rechtszaak voorafgaande ondervraging van de juryleden (*voir dire*), voor de instructie van de jury en voor de toelichting van aspecten van de zaak die niet duidelijk bleken.

De consultants leggen iedere persoon die aan deze onderzoeken of focusgroepen deelneemt een vragenlijst voor die aanknopingspunten oplevert over wat de relevante populatie van een zaak vindt. Vervolgens registreren de consultants hun leeftijd, sekse, ras, arbeidsverleden, hobby's, jeugdervaringen, burgerlijke staat, sociaal-economische achtergrond, mate van empathie en levenshouding. Dat levert een databank op waarmee een voorkeursprofiel kan worden ontwikkeld.

Het proces

In de aflevering 'Mea Culpa' (*CSI-LV*) staat Grissom in de getuigenbank om bewijsmateriaal te bespreken uit naam van de aanklager. Tijdens een strafzaak krijgt de aanklager als eerste het woord en sluit hij ook als eerste af. Wanneer de jury is geïnstalleerd (wat een paar uur tot een paar weken in beslag kan nemen) komt de aanklager met een openingsverklaring, waarin hij meestal een theorie over het misdrijf uiteenzet. Vervolgens doet de verdediging hetzelfde, hoewel sommige advocaten hun theorie in dit stadium nog niet prijsgeven, omdat ze hun strategie niet willen onthullen. Beide partijen zetten hun zaak uiteen, waarbij ze gebruikmaken van getuigen en bewijsmateriaal. De andere partij mag deze getuigen aan een strenge ondervraging onderwerpen of bezwaar maken tegen het ingebrachte bewijsmateriaal. Dan volgt de weerleggingsfase, waarin beide advocaten terugkomen op de getuigenverklaringen en meer getuigen mogen opvoeren als ze dat nodig vinden. Tot slot houden beiden hun slotbetoog, waarbij de aanklager het laatste woord krijgt. Vervolgens instrueert de rechter de jury; hij geeft toelichting over de aanklacht, belangrijke juridische aandachtspunten en de potentiële uitspraken die de jury uiteindelijk mag doen. Vervolgens trekken de juryleden zich terug om te beraadslagen. (In sommige zaken is de rechter degene die de feiten onderzoekt en die vervolgens ook het vonnis bepaalt.) In 'Eleven Angry Jurors' (*CSI-LV*) werd kijkers een blik achter de schermen gegund toen er een onderzoek werd ingesteld naar de dood van een jurylid tijdens de beraadslagingen over een zaak.

Bij een schuldigverklaring in een zogenaamde *bifurcated trial* (rechtszaak die in verschillende stadia is opgesplitst) is er een fase voorafgaand aan het vonnis waarin beide partijen argumenten en factoren kunnen inbrengen die de rechter of de jury helpen bij hun keuze tussen mogelijke vonnissen.

Potentiële deskundigen moeten eerst voor de rechtbank aantonen dat zij inderdaad deskundig zijn op het betreffende gebied. Daarvoor worden ze doorgaans door de advocaten van beide partijen ondervraagd, en soms ook nog door de rechter. Dit is een onderdeel van de *voir dire* en wordt meestal uitgevoerd in aanwezigheid van de jury. Deskundigen die gekwalificeerd zijn bevonden, mogen getuigenverklaringen afleggen en hun mening als deskundige geven. De *voir dire* bepaalt de grenzen van hun expertise. Forensisch rechercheurs worden, dankzij hun positie en hun belang bij de presentatie van bewijsmateriaal, niet onderworpen aan hetzelfde soort procedure als externe deskundigen, zoals psychologen of meteorologen. Sommige laboratoria bootsen processen na om hun technici voor te bereiden op het afleggen van een getuigenis en op de strenge ondervragingen door de tegenpartij.

Als een getuige overtuigend overkomt, zal de tegenpartij weinig kanttekeningen plaatsen bij zijn of haar kwalificaties. Meestal worden er vragen gesteld over de opleiding van de getuige en over zijn kwalificaties, publicaties en ervaring. Soms wordt er ook gevraagd naar eerdere ervaringen in de rechtszaal en naar honoraria.

Alle ingeschakelde deskundigen moeten voorafgaand aan het proces met de advocaat hebben gesproken om ervoor te zorgen dat hun verklaring consistent is met diens strategie. Soms kan de advocaat ook informatie geven over de rechter en de raadsman van de tegenpartij, voorspellen welk type vragen er waarschijnlijk zal worden gesteld en ontbrekende details verschaffen.

Toelaatbaarheidsnormen

In 1923 bracht het Hof van Beroep van het District of Columbia een advies uit dat de eerste richtlijn zou worden voor de toelaatbaarheid van wetenschappelijk bewijsmateriaal. In een zaak die bekendstond als *Frye vs. United States* probeerde de advocaat van de verdediging bewijsmateriaal in te brengen dat was verkregen met een apparaat dat de bloeddruk mat en waarmee kon worden aangetoond dat iemand loog. De rechtbank bepaalde dat het object waarmee het bewijsmateriaal is verkregen 'in de betreffende wetenschappelijke kringen algemeen geaccepteerd moet zijn'. Bovendien moest de informatie die het voortbracht de algemene kennis van de jury overstijgen. Deze zogenaamde Frye-norm werd jarenlang in de meeste rechtszalen gehanteerd.
In de loop der jaren beweerden critici echter dat theorieën die ongebruikelijk maar goed onderbouwd waren, in de rechtszaal geen kans kregen. De rechtbanken ondernamen verschillende pogingen om de Frye-norm bij te stellen, maar elke poging leverde weer nieuwe problemen op.
In sommige Amerikaanse districten is de Frye-norm inmiddels vervangen door een norm die in 1993 werd gehanteerd bij het vonnis van het Supreme Court in de zaak *Daubert vs. Merrill Dow Pharmaceuticals, Inc.* Bij deze nieuwe norm ligt de nadruk op de verantwoordelijkheid van de rechter als 'poortwachter'. De rechtbank oordeelde in de Daubert-zaak dat 'wetenschappelijk' betekent 'verankerd in de methoden en procedures van de wetenschap', en dat 'kennis' betrouwbaarder is dan subjectieve opvattingen. De rechter hoeft alleen een oordeel te vellen over de methodologie, niet over de conclusie, én over de vraag of het wetenschappelijke bewijs van toepassing is op de feiten van de zaak. Met andere woorden: als er wetenschappelijk bewijsmateriaal wordt gepresenteerd, moeten rechters bepalen of

- de theorie toetsbaar is;
- de potentiële foutfrequentie bekend is;
- het door collega's binnen een relevante wetenschappelijke gemeenschap beoordeeld en algemeen geaccepteerd is;

- de mening relevant is voor de zaak in kwestie.

Veel advocaten gebruiken deze richtlijnen om pseudowetenschap te scheiden van activiteiten waarbij sprake is van controlemechanismen, wetenschappelijke methodologieën en de juiste voorzorgsmaatregelen. Dit geldt voor alle takken van wetenschap, ook voor gedragswetenschappen.
Sommige richtlijnen zijn echter voor meerdere interpretaties vatbaar, vooral als het om onderzoek naar de geestesgesteldheid van een verdachte gaat. Er zijn mensen die vraagtekens plaatsen bij de objectiviteit van psychologische evaluaties, maar op basis van uitgebreide betrouwbaarheids- en validiteitsstudies is er inmiddels een aantal standaardtests opgesteld. Zolang degene die het onderzoek uitvoert ervaren en onbevooroordeeld is, mogen de resultaten betrouwbaar worden geacht. Hoewel sommige zaken, zoals ontoerekeningsvatbaarheid, het specifieke domein zijn van deskundigen op het gebied van psychologie of psychiatrie en elders in dit boek ter sprake zullen komen, is de beoordeling van iemands handelingsbekwaamheid mede aan de rechter.

Handelingsbekwaamheid

De vraag of een verdachte geestelijk handelingsbekwaam is, is vaak een punt van onenigheid tijdens rechtszaken en kan in verschillende stadia ter sprake komen. Er worden vele typen handelingsbekwaamheid onderscheiden. Zo bestaat er in de strafrechtelijke arena de handelingsbekwaamheid om af te zien van het recht om te zwijgen en om juridische hulp in te schakelen, om toestemming te geven voor huiszoeking en beslaglegging, om een bekentenis af te leggen, om terecht te staan, om te getuigen, om schuld te bekennen, om de eigen verdediging te voeren, om te weigeren zich op ontoerekeningsvatbaarheid te beroepen, om strafrechtelijk verantwoordelijk te kunnen worden gehouden, om een straf uit te zitten en om te worden geëxecuteerd. In de civiele arena kunnen er bijvoorbeeld vragen rijzen over iemands bekwaamheid om in

te stemmen met een behandeling, om als voogd op te treden en om de zorg voor een kind op zich te nemen.
De kwesties die formeel beoordeeld moeten worden, hebben vooral te maken met terechtstaan, afzien van rechten en strafrechterlijke verantwoordelijkheid. Zodra er wordt getwijfeld aan het vermogen van de verdachte om de situatie op een realistische manier in te schatten of om op een normale manier in het proces te participeren, kan zijn of haar handelingsbekwaamheid worden onderzocht.

Op 31 juli 2001 stelde een grand jury Andrea Yates in staat van beschuldiging voor de moord op drie van haar kinderen: Noah, John en Mary. (Er waren vijf kinderen verdronken, maar de aanklagers hielden twee van de moorden achter voor een potentieel proces op een later tijdstip.) Ze zou de doodstraf kunnen krijgen.
Op 8 augustus beriepen de advocaten van Yates zich op ontoerekeningsvatbaarheid. Een basale psychologische rapportage die in opdracht van de rechtbank was uitgevoerd wees uit dat ze bekwaam genoeg was om terecht te staan, maar haar advocaten wilden dat een jury dat bepaalde, omdat hun eigen psychiaters hadden geconcludeerd dat ze niet kon meewerken aan haar eigen verdediging. De rechter honoreerde hun verzoek.
Dr. Gerald Harris, een klinisch psycholoog, had Yates geïnterviewd in de gevangenis, waar ze tekenen van een ernstige psychose had vertoond. Ze zei dat ze 'Satan' in haar cel had gezien, wilde dat haar haar in een kroon werd geknipt en geloofde dat het nummer van de Antichrist (666) in haar schedel stond gegrift. Eind augustus was ze dankzij medicatie weer bij zinnen, maar ze had nog steeds waanvoorstellingen over Satan en kon zich dingen moeilijk herinneren.
Dr. Lauren Marangell, een deskundige op het gebied van depressies, legde een verklaring af over veranderingen in de hersenen tijdens verschillende mentale toestanden. Ook toonde ze een overzicht van de psychotische episodes van Yates sinds 1999. Ze concludeerde dat Yates, als haar behandeling werd gecontinueerd, in de nabije toekomst handelingsbekwaam zou zijn.

De aanklagers doorliepen met hun getuigen – voornamelijk gevangenismedewerkers – de dertien punten die werden gebruikt voor het beoordelen van iemands handelingsbekwaamheid. Daarna ondervroegen ze dr. Steve Rubenzer, die meer dan tien uur met de verdachte had doorgebracht en die bij verschillende opeenvolgende gelegenheden handelingsbekwaamheidonderzoeken had uitgevoerd – die overigens controversieel waren, omdat er geen advocaat van de verdediging bij aanwezig was geweest. Hij was van mening dat het bevattingsvermogen van de verdachte in de loop der tijd was verbeterd en dat ze voldeed aan de voorwaarden die de staat aan handelingsbekwaamheid stelde. Hij meende echter dat Yates een ernstige mentale stoornis had en dat haar psychotische neigingen slechts gedeeltelijk afnamen. Tijdens een kruisverhoor gaf hij toe dat ze dacht dat Satan bezit van haar had genomen en dat gouverneur Bush hem zou vernietigen – maar Bush was in die tijd geen gouverneur van Texas geweest.
Nog twee andere deskundigen op het gebied van geestelijke gezondheid legden een verklaring af, en hoewel ze het niet eens waren over de handelingsbekwaamheid van Yates, onderkenden ze allemaal dat Andrea psychotisch was en had niemand het idee dat ze simuleerde. Toch achtte de jury Yates bekwaam genoeg om terecht te staan, omdat ze ondanks haar ziekte leek te weten wat er tijdens het proces voor haar op het spel stond.

Als iemand in Amerika handelingsonbekwaam wordt bevonden, krijgt hij een behandeling die tot doel heeft zijn handelingsbekwaamheid te herstellen. Dat kan betekenen dat hij voor onbepaalde tijd wordt opgesloten of dat civiele zaken zoals zakelijke beslissingen onder verantwoordelijkheid van een curator worden geplaatst. Als deze problemen op de een of andere manier zijn opgelost, kan de rechtbank verder met zijn werk. Maar bij strafrechtelijke zaken moet er, wanneer iemand handelingsbekwaam is verklaard, vervolgens een uitspraak worden gedaan over een nog lastiger onderwerp: de geestesgesteldheid van de verdachte ten tijde van het misdrijf.
Hierop komen we terug in hoofdstuk 5, maar we bespreken hier

nog een aspect van handelingsbekwaamheid dat in *CSI* voorkomt en dat voornamelijk juridische implicaties heeft. In 'Pro-per', een aflevering van *CSI-M*, koos een verdachte ervoor om zichzelf te verdedigen, wat betekende dat hij de getuigen zou moeten ondervragen. Dat is niet alleen vervelend voor professionals, in dit geval voor Calleigh Duquesne, maar het brengt ook problemen met zich mee voor de verdachte zelf, zoals in de praktijk is gebleken bij een aantal zaken waarin verdachten hun eigen verdediging voerden.

Toen in de herfst van 2003 het moordproces begon tegen 'Beltway Sniper' John Allen Muhammad, lid van een bende die Virginia, Maryland en de stad Washington het jaar daarvoor onveilig had gemaakt, koos Muhammad ervoor om zijn eigen verdediging te voeren. Rechter Leroy F. Millette jr. besliste dat Muhammad daarvoor bekwaam genoeg was, maar veel juridisch deskundigen hadden daar hun twijfels over.

De 42-jarige Muhammad werd beschuldigd van de brute moord op de 53-jarige Dean Harold Meyers, het zevende slachtoffer van een aantal schietpartijen waarbij in drie weken tijd tien mensen om het leven waren gekomen en drie mensen gewond waren geraakt. Na een klopjacht werd Muhammad samen met de 17-jarige John Lee Malvo aangetroffen in zijn auto, die leek te zijn aangepast voor sluipschuttersactiviteiten. Omdat hij zich geen advocaat kon veroorloven, werden Peter Greenspan en Jonathan Shapiro aangewezen om hem te vertegenwoordigen. In eerste instantie leek hij daar tevreden mee, maar vervolgens bedeelde hij hun een ondergeschikte rol toe.

In zijn onsamenhangende openingsverklaring bleef Muhammad volhouden dat hij niet betrokken was geweest bij de reeks schietpartijen die zo veel slachtoffers had gekost, en tijdens de presentatie van zijn zaak drong hij er bij getuigen op aan om zelfs als ze hem op een plaats delict hadden gezien toe te geven dat ze hem niet op iemand hadden zien schieten. Ook hadden ze hem niet met een vuurwapen gezien. Hij leek te geloven dat hij met deze bekentenissen zijn onschuld kon bewijzen. De aanklagers probeerden echter aan te tonen dat er bij de zaak veel meer factoren een rol speelden dan alleen de conclusies van ooggetuigen.

Al snel leek Muhammad hun daarin gelijk te geven, en hij vroeg zijn juridische team de verdediging weer van hem over te nemen. Doordat hij de getuigen waarop hij wellicht had geschoten uiterst bruusk had ondervraagd, was de kans echter aanwezig dat hij zijn zaak schade had toegebracht. Vervreemding van de jury kan bij beslissingen in zulke zaken een rol spelen, en de juryleden hadden de manier waarop hij de getuigen had behandeld ongetwijfeld onaangenaam gevonden – vooral omdat zij zelf uit een gebied kwamen waarin zo veel mensen waren geterroriseerd. Muhammad werd beschouwd als het meesterbrein achter de sluipmoorden en ter dood veroordeeld. Volgens veel juridisch deskundigen had hij dat aan zichzelf te danken.

Het rechtsbeginsel handelingsbekwaamheid is oorspronkelijk afkomstig uit het Engelse gewoonterecht van eeuwen geleden, toen alle verdachten zichzelf nog verdedigden. Mensen worden handelingsbekwaam geacht als ze vrijwillig afstand hebben gedaan van hun rechten en op dat moment niet aan een mentale stoornis lijden die maakt dat ze de rechtsgang, de woorden van de betrokken partijen en de consequenties niet kunnen begrijpen. Wie handelingsbekwaam wordt verklaard, is 'bij zijn gezonde verstand'. Dat betekent niet automatisch dat iemand geestelijk ook normaal functioneert. Gezien het feit dat de juridische arena een stuk gecompliceerder is geworden sinds de tijd dat er voor het eerst naar handelingsbekwaamheid werd gekeken, lijkt het niet altijd in het belang van de verdachten om hun puur op basis van 'gezond verstand' de gelegenheid te geven zichzelf te verdedigen en daar geen hoger kennis- of expertiseniveau voor te eisen.
In een federale uitspraak werd echter gesteld dat 'het Zesde Amendement de Staten als resultaat van het Veertiende Amendement dwingt om een verdachte in een strafrechtelijk staatsproces een onafhankelijk constitutioneel recht op zelfvertegenwoordiging te geven en hem de mogelijkheid te bieden zichzelf zonder begeleiding te blijven verdedigen als hij daar vrijwillig en bij zijn volle verstand voor kiest.'
Deze conclusie werd getrokken na een diepteanalyse van de ge-

schiedenis van zelfvertegenwoordiging in Amerika en Engeland. De Bill of Rights was niet alleen gebaseerd op rechten uit het Engelse gewoonterecht, maar ook op verschillende ogenschijnlijk onrechtvaardige gebeurtenissen in Engeland. Een daarvan was het proces tegen Sir Walter Raleigh in 1603.
Raleigh, die terechtstond wegens verraad van koning James, werd van tevoren niet op de hoogte gesteld van de aanklachten tegen hem. Die werden pas op de ochtend van zijn proces aan hem voorgelezen. Hij mocht geen vragen stellen aan getuigen, ook niet aan de belangrijkste getuige tegen hem, Lord Cobham, met wie hij samen plannen zou hebben gesmeed om de koning af te zetten. De schrijvers van de Amerikaanse grondwet namen hier met grote bezorgdheid notitie van en bedachten een manier om de rechten te beschermen van iedereen die van een misdrijf wordt verdacht.
Aan de verdachte worden vragen gesteld om zijn opleidingsniveau, zijn actieve en passieve beheersing van het Engels en zijn kennis van het verloop van een proces te toetsen. De rechter kan op dat moment nog niet bepalen hoe goed iemand in de rechtszaal zal functioneren, alleen maar dat hij de gang van zaken en de consequenties begrijpt.
In de zaak *State vs. Crisafi* in 1992 werd vastgesteld welke onderwerpen er tijdens zo'n vraaggesprek aan de orde moesten komen, zoals de nadelen van zelfvertegenwoordiging, kennis van de aanklachten en de straffen die ervoor staan, de risico's van een nietsuccesvolle verdediging en kennis van de regels van bewijsprocedures.
Als aan al deze voorwaarden wordt voldaan en de rechter nog steeds weigert het verzoek van de verdachte in te willigen, zoals in de zaak *State vs. Thomas* in New Jersey, waarin Thomas aantoonde dat hij kennis had van de wetgeving en in een vorige zaak zelf vrijspraak had bedongen, kan een veroordeling nietig worden verklaard. Als de rechter niet kan aantonen dat een verdachte voor een chaotisch verloop van het proces zou zorgen en als de verdachte voldoet aan de criteria van handelingsbekwaamheid, mag de rechter zijn verzoek om zichzelf te vertegenwoordigen niet weigeren.

DNA: een juridische kaskraker

Met DNA-analyse, een van de belangrijkste technologische vooruitgangen in de geschiedenis van politie en justitie, worden talloze vastgelopen oude misdrijven alsnog opgelost en veel veroordelingen extra ondersteund. DNA-analyses hebben het juridische apparaat ook regelmatig ernstig in verlegenheid gebracht. DNA-tests hebben een onacceptabel groot aantal onrechtmatige veroordelingen aan het licht gebracht, die vaak werden ondersteund door frauduleuze ooggetuigenverklaringen (een onderwerp dat aan de orde komt in 'Bloodlines', een aflevering van *CSI-LV*). Na het eerste succes met DNA-typering in twee gerelateerde moord- annex verkrachtingszaken in Engeland werkte een Amerikaans bedrijf dat Lifecodes heette de technologie verder uit. In 1987 nam Tim Berry, de onderofficier van justitie in Florida, contact op met forensisch directeur Michael Baird over een serieverkrachtingszaak die voor het gerecht zou komen. Hij vroeg zich af of het mogelijk was om DNA-identificatie als bewijsmateriaal in te brengen. Dit zou de eerste Amerikaanse rechtszaak worden waarin DNA als bewijsmateriaal werd gebruikt.

De zaak was begonnen in mei 1986, toen een man het appartement van Nancy Hodge in Orlando binnendrong en haar onder bedreiging van een mes verkrachtte. Vervolgens stal hij haar portemonnee en ging ervandoor. In de maanden daarna verkrachtte hij nog meer vrouwen, waarbij hij er steeds voor zorgde dat ze zijn gezicht niet te zien kregen. Als hij vertrok, nam hij altijd iets mee wat van hen was. In zes maanden tijd verkrachtte hij meer dan 23 vrouwen, en tot grote frustratie van de politie wist hij steeds te ontkomen. Op een gegeven moment maakte hij echter een fout: hij liet twee vingerafdrukken achter op de voorruit van een auto. Toen een andere vrouw hem uiteindelijk aangaf omdat hij haar beloerde, vormden zijn vingerafdrukken een match met de afdrukken op de autoruit en had de politie de dader te pakken: Tommie Lee Andrews.

Hoewel Andrews' bloedgroep overeenkwam met die van zaadmonsters die bij verschillende slachtoffers waren aangetroffen en het enige slachtoffer dat een glimp van hem had opgevangen hem positief had geïdentificeerd, zou het moeilijk worden om te bewijzen dat hij een serieverkrachter was. In elk van de andere zaken was er namelijk te veel ruimte voor gerede twijfel.

Er werden bloedmonsters van Andrews en zaadmonsters van de verkrachter naar Lifecodes gestuurd. Binnen twee maanden werden de resultaten bevestigd: de 'DNA-streepjescodes' vertoonden zo veel overeenkomsten dat het zaad alleen maar van Andrews kon zijn.

DNA-tests waren echter nog niet geaccepteerd in de rechtszaal, en voordat ze konden worden gebruikt, moest er een vooronderzoek worden ingesteld. Wanneer er een nieuwe wetenschappelijke technologie als bewijsmateriaal wordt ingebracht, moet deze binnen de wetenschappelijke gemeenschap bepaalde tests doorstaan. Op die manier zorgen de rechtbanken ervoor dat ze geen bewijsmateriaal toelaten dat gebaseerd is op pseudowetenschap. De werkwijze, de interpretatie en de theorie van DNA-analyse moesten wetenschappelijk worden bewezen en worden goedgekeurd door collega-wetenschappers. Het vooronderzoek was lang en complex, maar uiteindelijk liet de rechter het bewijsmateriaal toe. De aanklager maakte echter een misstap door indrukwekkende kansberekeningen te presenteren waarvoor hij geen harde bewijzen had, en de jury wist geen overeenstemming te bereiken. Vervolgens moest Andrews voorkomen voor een tweede verkrachtingszaak, waarvoor hij werd veroordeeld. Maanden later werd er een nieuw onderzoek aangevraagd in de eerste verkrachtingszaak, en werd het DNA-bewijs duidelijker en overtuigender gepresenteerd. Na dat proces werd Andrews' aanvankelijke gevangenisstraf van 22 jaar voor verkrachting verlengd naar 115 jaar voor serieverkrachting.

Vanaf dat moment werd DNA steeds meer geaccepteerd in de rechtszaal, hoewel er vaak problemen optraden met de interpretatie van de monsters of de onzorgvuldige manier waarop er met specimens werd omgegaan, zoals in de zaak-Simpson gebeurde. Omdat er een heleboel kan gebeuren tussen het afnemen van een monster en de uiteindelijke interpretatie, werd er per zaak een oordeel geveld over de toelaatbaarheid van DNA-bewijsmateriaal.

Toen DNA voor het eerst werd geïntroduceerd, stuitte het alleen af en toe op tegenwerking van advocaten of rechtbanken. Maar een uitspraak in een zaak in New York in 1989 zorgde ervoor dat men kritischer naar DNA-bewijsmateriaal ging kijken. Deze uitspraak van het New York Supreme Court was gebaseerd op een vooronderzoek dat drie maanden had geduurd. Joseph Castro werd beschuldigd van de moord op zijn buurvrouw en haar tweejarige dochtertje, en een bloedvlek op zijn horloge werd onderzocht op DNA. De rechtbank keek zorgvuldig naar de DNA-theorie en de identificatieprocedures en concludeerde dat ze algemeen werden geaccepteerd door de wetenschappelijke gemeenschap. De testprocedure mocht worden gebruikt om aan te tonen dat het bloed op het horloge niet van Castro was (uitsluiting), maar er kon niet mee worden bewezen dat het bloed van een van de slachtoffers was (bevestiging). De aanklager gaf aan dat het bloed niet van Castro was en voerde aan dat de kans astronomisch klein was dat zijn beweringen onjuist waren. De deskundige van de verdediging plaatste echter vraagtekens bij zijn berekeningen en de vergelijkingscriteria die waren gehanteerd. De rechtbank verwierp het DNA-bewijsmateriaal, hoewel Castro later alsnog schuldig werd bevonden en een minder zware straf kreeg.

Inmiddels waren er overal ter wereld berichten in de pers verschenen over dit nieuwe wondermiddel om misdrijven mee op te lossen. Advocaten waren er net zo gebrand op om het gebruik van DNA-bewijsmateriaal tegen te werken als aanklagers waren om het te gebruiken. Er volgden verschillende jaren van onderzoek die uiteindelijk uitmondden in de acceptatie van de oorspronkelijke protocollen.

Maar er was nog een ander probleem.

Toen George Ryan, de gouverneur van Illinois, erachter kwam dat dertien mannen die op de nominatie stonden voor de doodstraf via DNA-tests onschuldig waren verklaard, vaardigde hij een tijdelijk verbod uit op de doodstraf in zijn staat. Hij was geschokt door het feit dat er wellicht onschuldige mannen waren geëxecuteerd, en iedereen vroeg zich af hoeveel dat er al geweest zouden kunnen zijn. De doodstraf kan nog in 37 andere Amerikaanse staten worden opgelegd, en het is geen geheim dat er in de rechtszaal niet altijd gerechtigheid heerst. Bovendien zijn veel veroordelingen gebaseerd op ooggetuigenverklaringen, waarvan is bewezen dat ze notoir corrumpeerbaar en onbetrouwbaar zijn. Ook gebrek aan financiële middelen en gebrek aan inzet bij aanklagers staan boven aan de lijst van redenen waarom iemand valselijk beschuldigd kan worden. DNA-tests kunnen een oplossing vormen voor dit soort problemen – maar ze worden niet altijd zonder slag of stoot geaccepteerd.

Problemen met ooggetuigenverklaringen

In de aflevering '10-7' (*CSI-M*) voelt Calleigh dat er een pistool tegen haar hoofd wordt gezet en hoort ze het klikken van een kogel die de patroonkamer binnengaat. Als wapendeskundige denkt ze dat ze elk type pistool aan de hand van dat klikken kan herkennen en precies kan aangeven van welk wapen er sprake is. De kans is echter groter dat haar herinnering wordt vervormd door het geklik van andere vuurwapens die ze na het incident hoort dan dat ze kan identificeren wat ze daadwerkelijk gehoord heeft. De meeste getuigenverklaringen hebben betrekking op visueel bewijsmateriaal, maar dit is akoestisch bewijsmateriaal en zou waarschijnlijk in de rechtszaal niet worden geaccepteerd. Bovendien zou een klik haar herinnering hebben kunnen vervormen omdat ze hem in stressvolle omstandigheden hoorde. In een andere aflevering, 'And Then There Were None' (*CSI-LV*), komen ooggetuigen van een beroving allemaal met elkaar tegensprekende verhalen, wat aangeeft hoe problematisch ooggetuigenverklaringen kunnen zijn. Het is niet moeilijk te begrijpen hoe onschuldige mensen soms gearresteerd en zelfs veroordeeld kunnen worden.
Op 1 augustus 2005 werd de 46-jarige Thomas Doswell vrijgelaten uit de gevangenis in Pennsylvania. Negentien jaar eerder was hij veroordeeld voor verkrachting en mishandeling. Hij beweerde onschuldig te zijn, en na de veroordeling uitgevoerde DNA-tests bewezen dat ook. Het slachtoffer had Doswell echter geïdentificeerd.

Uit de manier waarop de politie daarbij te werk was gegaan, blijkt waarom.
De politie had het slachtoffer een vel foto's laten zien van acht mannen, maar bij een van de foto's – die van Doswell – stond een 'R' omdat hij eerder beschuldigd was geweest van verkrachting ('Rape') maar destijds was vrijgesproken. Het was dus niet zo verwonderlijk dat het slachtoffer Doswell eruit pikte, en ook een collega die de aanvaller had gezien 'herkende' hem. Met het vaststellen van de bloedgroep kwam men niet verder, waardoor de hele zaak gebaseerd was op de identificatie door de twee ooggetuigen. Hoewel Doswell geen baard had en er geen krassen op zijn gezicht zaten – de getuigen hadden gezegd dat hij een baard had en tijdens de aanval was gekrabd – moest hij toch de gevangenis in.
Het Innocence Project, een juridisch project dat middelen beschikbaar stelt voor DNA-tests na veroordelingen, onderzocht de zaak en testte een aantal biologische specimens. Zo werd Doswell een van de 175 mannen die tot nu toe zijn vrijgesproken na jarenlang in de gevangenis te hebben gezeten. Meer dan driekwart van hen was daar volgens Barry Scheck, medeoprichter van het Innocence Project, gedeeltelijk beland als gevolg van verkeerde identificaties door ooggetuigen – wat zelfs onder de meest gunstige omstandigheden kan gebeuren.
De 161ste gevangene die werd vrijgesproken was de 67-jarige Luis Diaz, die 26 jaar in de gevangenis heeft gezeten voor misdrijven die hij niet heeft gepleegd. In augustus 1979 arresteerde de politie van Miami-Dade County hem voor een reeks verkrachtingen die gedurende de twee jaar daarvoor hadden plaatsgevonden en die werden toegeschreven aan de 'Bird Road Rapist'. Eén slachtoffer, dat hem identificeerde als de dader, hoewel hij er totaal anders uitzag dan haar aanvankelijke beschrijving, had de politie zijn kenteken gegeven nadat ze hem bij een benzinestation had gezien. Zeven andere slachtoffers kregen een serie foto's te zien waar hij bij stond en wezen hem als de dader aan, ondanks het feit dat zijn uiterlijk ook met hun beschrijvingen belangrijke verschillen vertoonde (twee van hen trokken hun verklaring later in).
In 1980 werd Diaz veroordeeld voor zeven verkrachtingen en po-

gingen tot verkrachting. Er waren slechts twee zaadmonsters voorhanden, maar dat was voldoende voor een latere DNA-analyse. Ze vormden een match met elkaar, maar niet met Diaz. Hij werd onschuldig verklaard.

Al deze mannen werden slachtoffer van een juridisch systeem dat geen rekening houdt met de fragiliteit en de beïnvloedbaarheid van getuigenverklaringen. Sinds het begin van de twintigste eeuw proberen onderzoekspsychologen de kennis van de politie en de rechtbanken op dit punt bij te spijkeren, maar ze worden vaak genegeerd. Toch wijzen experimenten uit dat door een getuige een foto te laten zien van een persoon die gelijkenis vertoont met een misdadiger de herinnering van die getuige op een subtiele manier in de richting van die persoon kan verschuiven. Dat blijkt vooral het geval als er verschillende foto's van verdachten tegelijk worden getoond. Getuigen kiezen vaak de foto van de persoon die het meest op de dader lijkt zoals zij hem zich herinneren, omdat de perceptie zich concentreert op vertrouwde kenmerken.

Daar komt nog bij dat onderzoekers die zich bezighouden met het identificatieproces getuigen, die het altijd graag goed willen doen, ongewild op een bepaald spoor kunnen zetten. Met andere woorden: de herinnering van een ooggetuige is gemakkelijk beïnvloedbaar en gevoelig voor vervorming. De rechtsgang is er dus erg bij gebaat als men zorgvuldiger met herinneringen omgaat en daarbij rekening houdt met wetenschappelijke inzichten.

De accuratesse van ooggetuigenverslagen is afhankelijk van de kwaliteit van drie verschillende perceptuele processen: codering (het omzetten van informatie voor opslag), opslag (het vasthouden van informatie om die op de korte termijn te kunnen gebruiken of op de langere termijn weer op te kunnen roepen) en terughalen (het terugvinden en produceren van de opgeslagen informatie). De kwaliteit van elk van deze processen is afhankelijk van het aantal verstorende factoren dat aanwezig is.

Factoren die de codering kunnen beïnvloeden zijn onder andere:

- hoe vaak de informatie is herhaald;
- of zij in betekenisvolle eenheden of patronen is geordend;
- of iemand getraumatiseerd of gestrest was;

- of er sprake is van persoonlijke associaties;
- of iemand anders suggesties deed of druk gebruikte om de persoon zich een gebeurtenis op een bepaalde manier te laten herinneren;
- hoe versnipperd de aandacht van de persoon was.

Er zijn een heleboel verschillende factoren die de productie van accurate herinneringen in de weg kunnen staan. Soms kan datgene wat je al wist bijvoorbeeld je vermogen belemmeren om iets nieuws te onthouden.

Ook blootstelling aan nieuwe informatie tussen de opslag- en de terughaalfase kan invloed hebben op wat je je herinnert, zelfs als die nieuwe informatie onjuistheden bevat. In een experiment kregen proefpersonen een film te zien over een moord die plaatsvond in een menigte. Vervolgens kregen ze er geschreven informatie over, maar de helft van de proefpersonen ontving daarbij misleidende gegevens over bepaalde details. Zo werd bijvoorbeeld een blauwe auto beschreven als een witte. Degenen die de foutieve informatie hadden ontvangen, reproduceerden meestal díé informatie in plaats van wat ze daadwerkelijk hadden gezien. De foutpercentages liepen daarbij op tot maar liefst 40 procent. In soortgelijke onderzoeken maakten mensen melding van niet-bestaand gebroken glas, een gladgeschoren man die ineens een snor had, steil haar dat krullend zou zijn, stopborden die voorrangsborden waren geworden en een schuur in een weiland waar in werkelijkheid helemaal geen gebouwen in stonden.

Blootstelling aan foutieve informatie na een gebeurtenis kan ertoe leiden dat mensen die gebeurtenis foutief weergeven. Dit wordt het 'misinformatie-effect' genoemd. Als iemand ziet dat er een hamer wordt gestolen maar van een andere getuige hoort dat die de dief een schroevendraaier zag wegnemen, is de kans groot dat hij later beweert dat er een schroevendraaier is gestolen. Deze vergissingen zijn het gevolg van de manier waarop we informatie verwerven, vasthouden en weer ophalen. De acceptatie van door anderen verschafte informatie heeft invloed op de manier waarop herinneringen worden gevormd. Met andere woorden: misleidende of nieuwe informatie kan botsen met de manier waarop we ons een gebeurtenis herinneren en kan onze eigen herinneringen vervangen door informatie die we ons helemaal niet herinneren. Dit effect is het sterkst als de gebeurtenis in kwestie al enige tijd geleden heeft plaatsgevonden, zodat de oorspronkelijke herinneringen zijn vervaagd. Als er sprake is van zeer duidelijke oorspronkelijke herinneringen, treedt het nauwelijks op.

Dit verschijnsel is bevestigd door talloze experimenten in verschillende landen. Proefpersonen die foutieve informatie produceerden als gevolg van het 'misinformatie-effect' haalden die 'herinneringen' net zo snel op als echte herinneringen en waren ervan overtuigd dat zij zich deze informatie 'herinnerden'.

Als we een gebeurtenis of informatie coderen, zijn we geneigd om sommige aspecten te selecteren en andere te negeren. We accepteren de dingen die in onze schema's passen of die ons logisch voorkomen. Ook reconstrueren we ons geheugen zodanig dat het voor ons het best werkt. Suggestieve opmerkingen beïnvloeden dit proces en vervormen onze herinnering, vooral als we ze acceptabel vinden. Hetzelfde geldt voor verwachtingen die we vooraf van een situatie hebben.

Die verwachtingen hebben invloed op de manier waarop we ons iets herinneren. We hebben allemaal 'mentale scripts', diepgewortelde opvattingen over hoe gebeurtenissen normaal gesproken verlopen. Bij een gevecht tussen een man en een vrouw verwachten we bijvoorbeeld dat de man gewelddadiger is omdat we er bepaalde sociale ideeën over mannen en vrouwen op na houden en omdat we meer verhalen kennen over mannelijke agressie in thuissituaties. Daardoor ontwikkelen we specifieke verwachtingen over het verloop van zo'n incident. Door onze blootstelling aan eerdere situaties zijn we geconditioneerd om een bepaalde situatie te verwachten, en we gebruiken onze mentale scripts om de hiaten in ons geheugen op te vullen. Met andere woorden: we creëren materiaal om een verhaal voor onszelf kloppend te maken. Herinneringen kunnen worden vervormd om ze consistent te maken met onze verwachtingen, en herinneringen die daarmee in tegenspraak zijn worden vaak genegeerd.

In tegenstelling tot wat jury's lang hebben geloofd, is vertrouwen in de eigen herinneringen niet gerelateerd aan de nauwkeurigheid van die herinneringen. Dat komt gedeeltelijk doordat iemands mate van zelfvertrouwen kan worden gemanipuleerd door middel van aanmoediging. Kortom, uit onderzoek blijkt dat het geheugen kneedbaar is en dat herinneringen door allerlei factoren vervormd kunnen raken.

De 22-jarige Jennifer Thomason werd verkracht door een man die ze vanuit verschillende hoeken had kunnen zien. Ze wist te ontsnappen en gaf de politie aanwijzingen voor een compositietekening. De tekening werd verspreid, en mensen belden met namen van mannen die erop leken. Toen Ronald Cotton hoorde dat ook zijn naam was genoemd, ging hij naar het politiebureau om de politie te overtuigen van zijn onschuld. Hij werd echter gearresteerd en samen met een aantal andere mannen als mogelijke dader aan het slachtoffer gepresenteerd. Op basis daarvan, en op basis van een aantal foto's van verdachten, identificeerde Jennifer hem als haar verkrachter. Ze werd bij het maken van haar keuze nadrukkelijk aangemoedigd door de politie, wat haar meer zelfvertrouwen gaf. Cotton moest voorkomen en werd veroordeeld. Tien jaar later bleek echter uit een DNA-test dat hij onschuldig was en werd er een ander als schuldige aangewezen – een man die al in de gevangenis zat voor een andere verkrachting. Hij bekende dat hij de dader was. Hij leek niet op Cotton. Hoewel Jennifer moest toegeven dat ze ernaast had gezeten en nu wist hoe de echte dader eruitzag, bleef ze in haar herinnering Ronald Cotton als haar verkrachter voor zich zien.

Elk jaar worden er naar schatting 4500 mensen ten onrechte veroordeeld op basis van foutieve ooggetuige-identificaties, die meestal het gevolg zijn van de foutieve codering van herinneringen. Deze foutieve herinneringen zijn verantwoordelijk voor ongeveer 65 procent van de onterechte veroordelingen.
In een experiment op het gebied van jury's en scripts uit 1992 ondervroegen Victoria Holst en Kathy Pezdek proefpersonen om

gangbare opvattingen vast te stellen over veelvoorkomende scenario's, zoals een beroving van een avondwinkel. De proefpersonen bleken massaal bepaalde 'scripts', of gangbare opvattingen, te hebben over hoe een misdadiger een winkel verkent, hoe hij zich in de winkel gedraagt, hoe hij een vuurwapen gebruikt om geld te eisen en hoe hij wegrijdt in een vluchtauto. Tijdens het tweede deel van het onderzoek kregen dezelfde proefpersonen een nepproces naar aanleiding van zo'n beroving te zien. De meeste aspecten van een typisch script werden nagespeeld, maar een aantal belangrijke elementen ontbraken. De overvaller verkende de winkel niet, had geen vuurwapen en nam geen geld mee. Toen de proefpersonen later echter werd gevraagd om het proces te beschrijven, 'herinnerden' zij zich juist die elementen. De conclusie is dat eerdere ideeën en opvattingen inderdaad vermengd raken met echte gebeurtenissen als iemand vertrouwde situaties voor zichzelf begrijpelijk probeert te maken om zich ze beter te kunnen herinneren.

Samenvattend is het voor het ophalen van herinneringen dus eerst nodig dat die herinneringen geconstrueerd worden, wat kan gebeuren aan de hand van de oorspronkelijke ervaringen, of aan de hand van informatie waaraan de persoon later is blootgesteld.

Hoewel fouten die door getuigen worden gemaakt verstrekkende gevolgen kunnen hebben, is er doorgaans geen boze opzet in het spel. Veel verwerpelijker zijn deskundigen die pseudowetenschappelijke methoden en resultaten geaccepteerd proberen te krijgen en deskundigen die eenvoudigweg oneerlijk genoeg zijn om te liegen of om met resultaten te knoeien.

Echte wetenschap, pseudowetenschap en het grijze gebied ertussenin

Om de rechtvaardigheid van het juridische systeem te waarborgen worden er veel initiatieven ontplooid voor het opsporen van forensische fraude. Het Innocence Project, het tijdschrift *Scientific Sleuthing Review* van professor James Starrs en de website truthinjustice.org zijn hier voorbeelden van. Daarnaast moet het rechtssysteem ook zelfregulerend zijn; hiervan geeft Mac Taylor een voorbeeld in de aflevering 'The Closer' (CSI-NY), waarin hij zich opnieuw buigt over de zaak van een man die beweert onschuldig te zijn. Hij vindt bewijsmateriaal dat hij in eerste instantie anders geïnterpreteerd had en dat het verhaal van de man bevestigt.

In 25 van de eerste 82 gevallen waarin onschuldig veroordeelde mensen later dankzij DNA-tests zijn vrijgesproken, hebben deskundigen en aanklagers gecorrumpeerd of regelrecht slecht bewijsmateriaal aan de jury gepresenteerd. Dat blijkt uit onderzoek van het Innocence Project. Voorbeelden van dergelijke misstappen zijn deskundigen die de tests die ze presenteerden niet hadden uitgevoerd, vervalsing van resultaten en kwalificaties, het overdrijven van statistische gegevens en het verzwijgen van feiten over de onjuiste behandeling van bewijsmateriaal. In 'Summer in the City' (CSI-NY) is Aiden zo vastbesloten om bewijzen in handen te krijgen tegen een man van wie ze vast overtuigd is dat hij een verkrachter is, dat ze overweegt om vals bewijsmateriaal te gebruiken.

Ethisch gezien zouden professionals die als adviseurs of deskundigen optreden de druk moeten weerstaan om hun mening te geven over zaken waarvan ze geen verstand hebben. Ze moeten hun expertise niet overdrijven en zich niet zekerder van iets voordoen dan ze zijn als hun mening niet door onderzoek wordt gestaafd. Binnen hun vakgebied moeten ze het hoogst mogelijke competentieniveau zien te bereiken, wat betekent dat ze de resultaten van de meest recente onderzoeken op hun vakgebied moeten kennen.

Er zijn echter verschillende voorbeelden van zaken waarin deskundigen logen of bewijsmateriaal vervalsten. Daarmee hebben zij het vertrouwen dat het rechtssysteem behoort uit te stralen beschadigd en hebben zij ervoor gezorgd dat de procedures voor de beoordeling van deskundigen zijn verscherpt.

- Fred Zain, een politieagent uit West-Virginia die belast was met serologie, had als getuige opgetreden in honderden rechtszaken in twaalf verschillende staten. Hij werd beschuldigd van vervalsing van resultaten en het plegen van meineed, en moest in 2001 voor de rechtbank verschijnen. Het onderzoek naar zijn handelwijze begon met de zaak van Glen Dale Woodall, een grafdelver uit West-Virginia, die was veroordeeld voor twee ontvoerings- annex verkrachtingszaken. DNA-materiaal wees uit dat hij onschuldig was, en het was Zain die ten onrechte tegen hem had getuigd. Uit het latere onderzoek kwamen bewijzen naar voren dat Zain ofwel een test niet had uitgevoerd waarvan hij beweerde dat hij hem wel had uitgevoerd, ofwel twijfelachtige resultaten als feiten had gepresenteerd.

- Jeffrey Pierce zat vijftien jaar in de gevangenis voor een verkrachting die hij niet had gepleegd. De getuigenverklaring van Joyce Gilchrist, de criminalist uit Oklahoma die hem had geïdentificeerd op basis van haarmonsters van de plaats delict, bleek vals te zijn, en al haar zaken moesten opnieuw worden bekeken. Uit een snelle beoordeling van acht zaken bleek dat ze bij vijf daarvan broddelwerk had afgeleverd. Deze bevinding maakte het noodzakelijk om alle bijna 1700 veroordelingen waaraan ze had gewerkt opnieuw te bestuderen.
- Rolando Cruz en Alejandro Hernandez waren ten onrechte veroordeeld voor een moord in Illinois in 1983, en Cruz werd ervoor ter dood veroordeeld. Nadat de echte moordenaar had bekend, weigerden de aanklagers de twee mannen echter vrij te laten. Het Illinois Supreme Court verklaarde de veroordelingen nietig en ze werden opnieuw berecht maar ook opnieuw veroordeeld, grotendeels op basis van getuigenverklaringen van politiemensen. In 1994 werden ze uiteindelijk onschuldig verklaard dankzij een DNA-test, maar de aanklagers spanden een derde proces aan. Uiteindelijk bekende een agent dat hij onder ede had gelogen toen hij had gezegd dat Cruz details had genoemd die alleen de moordenaars konden weten. De rechter verklaarde Cruz onschuldig en ook de aanklacht tegen Hernandez werd ingetrokken. Cruz' straf werd hem kwijtgescholden.

Dan is er nog de vraag of bepaalde procedures wel gebaseerd zijn op wetenschappelijke methoden. Deskundigen zijn het oneens over de volgende hulpmiddelen, die beide zijn gebruikt in een aantal afleveringen van *CSI-LV*. Bij het eerste plaatste een onderzoeker in 'Compulsion' vraagtekens, omdat het niet toelaatbaar is in de rechtszaal, en het tweede werd in 'Sounds of Silence' gebruikt alsof er geen twijfels over bestonden, maar het was onderdeel van een onderzoek en niet zozeer een methode die in de zaak kon worden gepresenteerd. Toch werd er al snel een potentiële verdachte mee uitgesloten wiens gangen misschien nauwkeuriger hadden moeten worden nagetrokken.

- Psychologische-stressevaluator (Voice Stress Analyzer): iemands stem zou verraden dat hij of zij liegt omdat het apparaat zogenaamde microtrillingen – variaties in emotionele stress – meet. Als proefpersonen liegen, zo beweren de uitvinders, stijgt de toonhoogte van hun stem. De machine analyseert het geluid van de stem en geeft de resultaten weer in een grafiek. Volgens technici kan de stressevaluator verschillen in de stem opsporen die niet waarneembaar zijn met het menselijk gehoor. De American Polygraph Association concludeerde echter na een onderzoek dat het apparaat bij het opsporen van leugens niet beter scoort dan het toeval. Ook wezen zij erop dat het ministerie van Defensie bij haar onderzoeken wel leugendetectors, maar nooit psychologische-stressevaluators gebruikt. Vijfentwintig andere onderzoeken op dit gebied gaven dezelfde resultaten te zien. Toch gebruiken veel politiebureaus in Amerika de stressevaluator voor hun verhoren en zijn duizenden politiefunctionarissen opgeleid in het gebruik ervan. In San Diego werden bekentenissen afgedwongen van twee tieners die met het apparaat werden getest, maar de aanklacht tegen hen werd later ingetrokken toen ze juridische stappen hadden ondernomen om zich over de gang van zaken te beklagen.
- Brain fingerprinting, een techniek die wordt gebruikt om vast te stellen of iemands hersenen een bepaalde gebeurtenis hebben opgeslagen en die is ontwikkeld door de psychiater Lawrence Farwell, schijnt voor 99,9 procent betrouwbaar te zijn. Omdat de hersenen van centraal belang zijn bij alle men-

selijke activiteiten, zo zegt Farwell, registreren zij alle ervaringen. Net als andere ervaringen zouden een misdrijf en een plaats delict dus neurologisch moeten worden opgeslagen en zou een 'brainprint' meetbaar bewijs opleveren. De elektrische activiteit van de verdachte wordt met sensoren gemeten terwijl hij wordt geconfronteerd met stimuli in de vorm van woorden of beelden. Sommige daarvan zijn relevant voor het incident in kwestie en andere niet. Als zijn hersenactiviteit blijk geeft van herkenning van de relevante stimuli verschijnt er een elektrische piek die een Memory and Encoding Related Multifaceted Electroencephalographic Response (MER-MER) heet en die aangeeft dat de verdachte er een opname van in zijn hersenen heeft gemaakt. Onschuldige mensen, zo beweert de wetenschapper, zullen zo'n respons niet vertonen.
Een zwak punt van dit systeem – en dat geldt ook voor vingerafdrukken – is dat als de persoon op de plaats delict aanwezig was maar het misdrijf niet heeft gepleegd, er geen manier is om dat onderscheid te maken. Ook dan is het immers mogelijk dat de verdachte een deel van de scène, of het slachtoffer, herkent. De beste stimuli zullen alleen het geheugen activeren van iemand die zeer specifieke kennis van een misdrijf bezit.

Aan sommige typen analyse kleven echt grote problemen:

- De politie van Illinois verbrak haar contract met een lab dat jarenlang DNA-analyses voor hen had uitgevoerd omdat uit een controle van historische zaken naar voren kwam dat labmedewerkers er in 22 procent van de gevallen niet in waren geslaagd om de aanwezigheid van zaad aan te tonen, terwijl daar wel sprake van was geweest. Dat betekende dat er meer dan duizend zaken opnieuw moesten worden getest, wat behoorlijk veel geld kostte. Bovendien loopt er dankzij deze fouten een aantal misdadigers nu misschien vrij rond. Tien andere staten werkten ook samen met dit lab.
- Het DNA-bewijsmateriaal dat had bijgedragen aan de veroordeling van een tiener voor een verkrachting in 1999, pleitte hem uiteindelijk ook vrij. Nadat een onafhankelijk onderzoek

had uitgewezen dat hij het misdrijf niet gepleegd kon hebben, bleek dat het misdaadlab in Houston verkeerd was omgegaan met DNA-resultaten of de betrouwbaarheid van de resultaten had overdreven. Het serologielab werd gesloten in afwachting van nader onderzoek. De labmedewerkers hadden geen controles uitgevoerd, hun werk niet adequaat gedocumenteerd en geen voorzorgsmaatregelen genomen tegen de contaminatie van bewijsmateriaal. In de rechtszaal hadden ze bovendien te voorbarige conclusies uit hun resultaten getrokken.

- In 2005 zorgde een gecomputeriseerde vingersporenanalyse van de FBI er ten onrechte voor dat Jeremy Bryan Jones, een voortvluchtige pleger van een zedendelict, werd vrijgesproken. De kans is aanwezig dat hij daarna nog een aantal moorden heeft gepleegd (het onderzoek daarnaar loopt nog). Jones werd gezocht voor een zedendelict, maar toen zijn vingerafdrukken na een inbraak in de AFIS-databank van de FBI terechtkwamen, slaagde het systeem er niet in om die afdrukken te matchen met de afdrukken die al in het systeem zaten. Ditzelfde systeem had ook een advocaat uit Oregon valselijk beschuldigd van de bomaanslagen op metro's in Madrid. Woordvoerders van de FBI beweerden dat het systeem, dat meer dan 45 miljoen sets vingerafdrukken bevat, voor 95 procent betrouwbaar is. Het probleem zit hem wellicht in het feit dat vingerafdrukken tegenwoordig digitaal worden afgenomen, en die digitale beelden kunnen soms van slechte kwaliteit zijn. Maar zouden ze dan wel als bewijsmateriaal mogen fungeren?

Pseudowetenschap, liegende deskundigen en dubieuze hulpmiddelen zijn zaken die het rechtssysteem minder waterdicht maken. Dat probleem komt soms ook om de hoek kijken als het gaat om de menselijke geest. We hebben het al eerder gehad over handelingsbekwaamheid, en er zijn nog veel meer psychologische aspecten die invloed kunnen hebben op rechtszaken, van ontoerekeningsvatbaarheid tot profielschetsen en reclassering. In het volgende hoofdstuk buigen we ons over de discipline die zich rechtstreeks met dit soort zaken bezighoudt.

5 Psycho-logica

In de drie *CSI*-series komen psychologische aspecten aan de orde als ondervragingsstrategieën ('Compulsion'), profielschetsen ('Blink') en de beoordeling van stoornissen als een meervoudige persoonlijkheid ('Face-Lift'), automatisme ('Night, Mother') en psychopathie ('Grave Danger'). In dit hoofdstuk kijken we naar de specifieke manieren waarop de psychologie wordt ingezet in het juridische proces; in het volgende hoofdstuk houden we ons bezig met manifestaties van psychologische afwijkingen, waaronder het fenomeen seriemoord. In de *CSI*-series treden zelden psychiatrisch adviseurs op, maar aangezien de teams het werk van zulke deskundigen vaak zelf doen, is het een goed idee om ons te verdiepen in wat daar allemaal bij komt kijken.
Psychologen en psychiaters hebben verschillende functies in de juridische arena, zowel achter de schermen als in de rechtszaal. Als we het hebben over het raakvlak tussen recht en psychologie, spreken we van forensische psychologie.

De psycholoog en de rechtbank

Sommige psychologen en psychiaters gebruiken hun deskundigheid op het gebied van menselijk gedrag, menselijke motivatie en psychopathologie om diensten te verlenen aan rechtbanken. Ook treden zij als adviseur op bij misdaadonderzoeken. Ze beoordelen gedragspatronen zoals simulatie (het veinzen van de symptomen van een ziekte), posttraumatische stress of suïcidale neigingen. In 'Committed' (*CSI-LV*) komt een aantal van deze patronen ter sprake als Grissom en Sara een moord in een psychiatrisch-forensisch ziekenhuis onderzoeken. Hoewel de meeste mensen die zich met dit

werk bezighouden klinisch psychologen zijn die gespecialiseerd zijn in forensische zaken, zijn er binnen deze discipline ook professionals te vinden die zich bezighouden met onderzoek dat relevant is voor juridische kwesties. Zij kunnen bijvoorbeeld inschatten hoe groot de kans is dat iemand bepaald gedrag (opnieuw) vertoont, de geschiktheid van een voogd vaststellen of de factoren toetsen waardoor de nauwkeurigheid van een ooggetuigenverslag wordt beïnvloed. Ook assisteren zij forensisch kunstenaars bij het maken van reconstructies aan de hand van karaktereigenschappen, of lijkschouwers bij het bestuderen van een onduidelijke doodsoorzaak. Sommige forensisch psychologen werken voor de politie; zij beoordelen mensen op geschiktheid voor het politievak of verzorgen traumabegeleiding. Veel van hen werken in gevangenissen of psychiatrische ziekenhuizen.
Om hun werk goed te kunnen doen, moeten ze vertrouwd zijn met de manier waarop het justitiële apparaat en het strafrechtsysteem werken. Of ze nu een oordeel vellen over de geestesgesteldheid van een moordenaar tijdens een misdrijf of bepalen of een jeugdige delinquent als een volwassene moet worden berecht, psychologen vormen een integraal onderdeel van de teams die alles op alles zetten om de waarheid te achterhalen, anderen te beschermen en ervoor te zorgen dat het recht zijn loop krijgt. Ze genieten echter vooral bekendheid als deskundigen in de rechtszaal die uitmaken of een verdachte wel of niet toerekeningsvatbaar was op het moment dat hij een misdrijf pleegde. Daarom behandelen we dat onderwerp als eerste, waarbij we teruggaan naar een zaak die al meer dan een eeuw lang zijn weerslag heeft op alle klinische en juridische beoordelingen.

Ontoerekeningsvatbaarheid

In de jaren veertig van de negentiende eeuw was Daniel M'Naghten ervan overtuigd dat Robert Peele, de premier van Groot-Brittannië, hem iets aan wilde doen. Als gevolg van dit waandenkbeeld wilde hij Peele doodschieten, maar hij doodde per ongeluk de verkeerde man, de assistent van de premier. M'Naghten werd gearresteerd en moest terechtstaan. Zijn advocaat beweerde dat hij weliswaar geweten had wat hij deed, maar dat hij vanwege zijn paranoïde ideeën niet in staat was geweest om zichzelf tegen te houden. De rechtbank was overtuigd en sprak M'Naghten vrij, maar het publiek reageerde slecht op deze beslissing; het was niet bereid te accepteren dat iemand van de morele verantwoordelijkheid voor zo'n daad kon worden ontslagen. Er werd een koninklijke commissie in het leven geroepen die de kwestie moest bestuderen, maar ook deze commissie vond de beslissing van de rechtbank gerechtvaardigd. Op basis van deze zaak werd de M'Naghten Rule in het leven geroepen. Het Hogerhuis bepaalde dat verdachten zich in de toekomst alleen konden beroepen op ontoerekeningsvatbaarheid als kon worden bewezen dat 'het gezonde verstand van de beschuldigde op het moment van het plegen van het misdrijf zodanig was belemmerd dat hij zich niet bewust was van het feit dat zijn handelen verkeerd was'. Deze formulering wordt ook gebruikt bij de behandeling van de meeste ontoerekeningsvatbaarheidszaken in de Verenigde Staten.

Ontoerekeningsvatbaarheid is een juridische definitie, hoewel de term vaak oneigenlijk wordt gebruikt om te verwijzen naar iemand die psychotisch of zelfs alleen maar excentriek is. Soms wordt hij zelfs gebruikt voor moorddadige personen, puur omdat ze afwijken van de sociale norm. Ontoerekeningsvatbaarheid houdt in dat iemand niet verantwoordelijk is voor zijn daden omdat hij een mentale stoornis of aandoening heeft, waardoor er geen sprake is van boze opzet. Volgens de Amerikaanse wetgeving kan iemand alleen verantwoordelijk worden gesteld voor het plegen van een misdrijf als er sprake is van de volgende twee factoren: *actus reus*, het bewijs dat de beschuldigde de daad heeft gepleegd, en *mens rea*, de mentale toestand die nodig is om de daad moedwillig te plegen of de consequenties ervan te overzien. Het rechtssysteem gaat ervan uit dat mensen over het algemeen rationele wezens zijn en dat ze vrijelijk beslissingen kunnen nemen waarvoor ze moreel verantwoordelijk zijn. Professionals op het gebied van geestelijke gezondheid kunnen dit idee in sommige gevallen ondermijnen door psychologische factoren aan te halen die iemands aansprakelijkheid verminderen. Mensen die onderzoek doen naar een (mis)drijf moeten dan ook rekening houden met de mogelijkheid dat het gedrag van iemand zonder *mens rea* soms geëxcuseerd dient te worden, omdat zijn daden niet op dezelfde manier kunnen worden beoordeeld als die van rationele mensen. We willen mensen niet straffen als ze niet echt wisten wat ze deden.

Ontoerekeningsvatbaarheidsnormen kennen een lange historie in het Engelse gewoonterecht, dat is overgenomen door de Verenigde Staten. Toch verschillen in Amerika de standaarden voor het vaststellen van ontoerekeningsvatbaarheid momenteel van staat tot staat, waardoor iemand die in het ene district toerekeningsvatbaar is verklaard in het andere soms als ontoerekeningsvatbaar wordt beschouwd: een vrouw die haar kind vermoordt omdat het door demonen bezeten zou zijn kan in Texas naar de gevangenis worden gestuurd, terwijl ze in Minnesota – of zelfs in een andere regio van Texas – zou worden verplicht zich in een psychiatrische instelling te laten behandelen. Federale rechtbanken en staatsrechtbanken hanteren verschillende standaarden die doorgaans gebaseerd zijn op kennis van goed en kwaad, maar die soms ook rekening houden met iemands vermogen om zijn gedrag te conformeren aan de eisen van de wet.

John Wayne Gacy werd in 1978 gearresteerd en beschuldigd van de moord op 33 jonge mannen, van wie hij de meesten in de kruipruimte onder zijn huis had begraven. Hij had een aantal jaren boven de lijken gewoond. Na zijn arrestatie deed hij of hij een alter ego had dat verantwoordelijk was voor de misdrijven, dus probeerden zijn advocaten hem ontoerekeningsvatbaar te laten verklaren op basis van een dwangmatige neiging om te doden. Een aantal psychologen en psychiaters onderwierp Gacy aan een hele reeks tests, die verschillende diagnoses opleverden. De meest voorkomende conclusie was echter dat hij bij het doden van elke man een 'onweerstaanbare drang' had gevoeld en dat hij door alcoholgebruik ofwel een black-out had gehad ofwel zijn remmingen zodanig was verloren dat hij niet in staat was geweest zich te beheersen. Deze conclusie sloot aan bij de definitie van ontoerekeningsvatbaarheid die destijds in Illinois werd gehanteerd en die stelde dat een persoon zich soms weliswaar kon realiseren dat wat hij deed verkeerd was, maar dat hij niet in staat was om zichzelf in de hand te houden. De jury wees de argumenten van de verdediging af, voornamelijk omdat de aanklager wist aan te tonen dat Gacy verschillende moorden vooraf had gepland en omdat de psycholoog van de aanklager benadrukte dat een onweerstaanbare impuls niet vooraf te plannen is. Ook bleek Gacy zich de misdrijven heel goed te kunnen herinneren en wist hij nog waar hij alle lichamen had neergelegd – een indicatie dat hij niet aan black-outs had geleden.

De belangrijkste factor bij het vaststellen of er sprake is van *mens rea* is de geestesgesteldheid van de verdachte, met name ten tijde van het misdrijf. Met andere woorden: zelfs als bewezen is dat iemand aan een ernstige mentale stoornis lijdt, zoals schizofrenie, moet de ziekte op een betekenisvolle manier gerelateerd zijn aan het misdrijf, zodanig dat het misdrijf eruit is voortgekomen. Een man die aan paranoïde waanideeën lijdt zou bijvoorbeeld iemand kunnen aanvallen als gevolg van een paniekaanval of omdat hij daar tijdens een hallucinatie opdracht toe zou hebben gekregen. Achter het juridische verweer 'onschuldig als gevolg van ontoerekeningsvatbaarheid' schuilt dus het idee dat verdachten wel misdrijven hebben gepleegd, maar als gevolg van een 'stoornis of defect' niet verantwoordelijk kunnen worden gesteld voor hun daden. Ze zouden dus niet strafrechtelijk aansprakelijk gesteld mogen worden voor iets waar ze niets aan konden doen. Een forensisch professional op het gebied van geestelijke gezondheid moet onderzoek doen naar de relatie tussen de stoornis en het misdrijf, en als er gerede gronden zijn om aan te nemen dat de verdachte niet bevatte wat hij deed, of niet doorhad dat het verkeerd was wat hij deed, moet de jury hem vrijspreken. Dat is geen eenvoudig karwei, en niet elke professional zal tot dezelfde conclusie komen, vooral niet als zo iemand graag zijn stokpaardjes wil berijden.

Van dit type verweer wordt veel minder gebruikgemaakt dan het publiek denkt, en nog veel minder vaak met succes. Door bepaalde sensationele zaken heeft het echter de aandacht van de media getrokken. Vooral de zaken waarbij iemand die geëvalueerd, behandeld en vrijgelaten is opnieuw toeslaat (zoals gebeurde bij de zedendelinquent die pornodistributeur werd in de aflevering 'Innocent' van *CSI-M*) maken veel indruk. Het is heel ingewikkeld om te bepalen of iemand ten tijde van een misdrijf verminderd toerekeningsvatbaar was, omdat het gaat over een moment en een situatie waarvan de professional geen getuige was.
Forensisch psychologen moeten de procedures en de eisen van de rechtbank kennen. Als getuigen-deskundigen moeten ze geloofwaardig, competent en goed voorbereid zijn. Ook moeten ze beseffen dat de rechtbank de voorkeur geeft aan evaluaties zonder vakjargon en aan objectieve informatie die rechtstreeks betrekking heeft op de zaak in kwestie. Deze houding kan soms botsen met de algemene benadering van psychologie als wetenschap, dus professionals die zulke zaken aannemen moeten rekening houden met enige frictie. De rechtbank gaat er bijvoorbeeld van uit dat mensen over vrije wil beschikken en daarom verantwoordelijk zijn voor de criminele daden die zij verkiezen te plegen, terwijl psychologen keuzes zien in een context van andere causale factoren. De rechtbank is op zoek naar zekerheid; psychologen kunnen alleen maar aangeven hoe waarschijnlijk iets is. De rechtbank geeft de voorkeur aan korte verklaringen; psychologen komen soms met complexe verhandelingen.
Hoe dan ook, deskundigen op het gebied van geestelijke gezondheid spelen een specifieke rol in rechtszaken. Ze worden gestuurd door degenen die hen inhuren, en de meest effectieve getuigendeskundigen weten hoe advocaten reageren in een vijandige omgeving en hoe ze de onderzoekers van feiten, of dat nu juryleden of rechters zijn, het best tegemoet kunnen treden.

Onderdrukte herinneringen

Dit verschijnsel komt niet specifiek aan de orde in *CSI*, misschien omdat er zo duidelijk een specialist voor nodig is om het te diagnosticeren. Het speelt echter al meer dan tien jaar een belangrijke rol in het rechtssysteem, dus is het belangrijk om het hier te behandelen – vooral omdat veel verdachten zich erop proberen te beroepen als manier om aan hun verantwoordelijkheid te ontsnappen.

Arthur Shawcross moest in 1989 terechtstaan voor de moord op elf vrouwen in Rochester (New York). Hij en zijn advocaten besloten zich te beroepen op ontoerekeningsvatbaarheid. De verdediging huurde dr. Dorothy Lewis in, een psychiatrisch deskundige op het gebied van organische stoornissen en geweld uit het Bellevue Hospital in New York City. Zij had meer dan 25 jaar ervaring met misdadigers en wist uit ervaring dat hersenletsel, mishandeling en bepaalde organische aandoeningen een sterke rol kunnen spelen bij het plegen van een misdrijf. Ze geloofde dat Shawcross als kind ernstig getraumatiseerd was en leed aan partiële epileptische aanvallen vanuit de slaapkwab, die zijn geheugen blokkeerden. Zij was van mening dat deze aanvallen alleen in bepaalde situaties optraden, bijvoorbeeld wanneer hij 's nachts met prostituees alleen was. Toch had Shawcross elke moord bekend en details verschaft die alleen de moordenaar kon weten. Hij had de politie bijvoorbeeld de weg gewezen naar de lichamen van twee van zijn slachtoffers. De psychiater van de aanklager, dr. Park Dietz, zei dan ook dat Shawcross weliswaar aan een antisociale persoonlijkheidsstoornis leed, maar dat dat niet noodzakelijkerwijs betekende dat hij zich niet bewust was van wat hij deed. Shawcross had geprobeerd zijn daden geheim te houden en zijn arrestatie te ontlopen, wat duidelijk aangaf dat hij inzag dat zijn gedrag onwettig was. Na een proces van vijf weken had de jury minder dan twee uur nodig om hem zowel toerekeningsvatbaar te bevinden als schuldig aan doodslag van tien van de slachtoffers. Shawcross kreeg voor elk van de moorden 25 jaar tot levenslang.

Het idee dat herinneringen aan gebeurtenissen weer kunnen worden hervonden is gebaseerd op de ideeën van Sigmund Freud over trauma en repressie. Bovendien kunnen mensen op grote trauma's uit hun jeugd (of gestoorde gedachten) reageren door zich op te splitsen in 'alterpersoonlijkheden', een theorie die bij het grote publiek bekendheid kreeg door gevallen als 'Eve' in de jaren vijftig van de twintigste eeuw en 'Sybil' in de jaren zeventig. In de jaren tachtig werden er nog meer meervoudige persoonlijkheidsstoornissen geconstateerd, en het hervinden van herinneringen speelde daarbij een centrale rol.
Volgens advocaten realiseren mensen die aan een meervoudige persoonlijkheidsstoornis lijden dat vaak zelf niet eens. De stoornis wordt doorgaans vastgesteld door middel van de zogenaamde hervonden-herinneringtherapie (Recovered Memory Therapy of RMT). Tijdens die therapie blijkt dat de patiënt aan een onderdrukt trauma lijdt. Volgens deskundigen op het gebied van deze stoornis kan een onderdrukte herinnering zich uiten in de vorm van depressie, gevoelloosheid, hypersensitiviteit of sterke reacties op bepaalde omgevingsfactoren. Sommige mensen ervaren vage flashbacks, en soms duikt de herinnering jaren na de gebeurtenis spontaan op. Patiënten kunnen in een trance raken, het gevoel hebben geen contact meer te hebben met de werkelijkheid en plotselinge paniekaanvallen krijgen. Ook hebben ze soms eetstoornissen, zijn ze gewelddadig of ontwikkelen ze ernstige verslavingen. Een professional die probeert vast te stellen of er sprake is van deze aandoening begint meestal met een klinisch gesprek met de persoon in kwestie om te controleren of hij herinneringen heeft aan mishandeling in zijn jeugd of dat er perioden in zijn leven zijn waarvan hij zich niets herinnert. Tijdens zo'n gesprek probeert de psychiater of psycholoog ook de symptomen in kaart te brengen en neemt hij een gestructureerde diagnostische test af of gebruikt hij andere manieren om gegevens te verzamelen die zijn vermoedens bevestigen. Hoewel er onder hypnose soms andere persoonlijkheden kunnen worden geactiveerd, is het ook mogelijk om een beïnvloedbare persoon door middel van hypnose zo ver te krijgen dat hij zich gaat gedragen alsof hij meerdere persoonlijkhe-

den heeft – vooral als hij daar iets bij te winnen heeft. Volgens sommige critici zijn alterpersoonlijkheden zelfs niets meer dan sociale verzinsels die een beïnvloedbare patiënt door een therapeut zijn aangereikt en die worden ondersteund door de sociale omgeving. Kortom, onder professionals bestaat er geen duidelijke consensus over deze stoornis.

De eensgezindheid onder professionals over de betrouwbaarheid van de bovenstaande technieken en hun resultaten kreeg nog een extra knauw door een zaak die in 1990 voor de rechtbank diende. Op basis van een hervonden herinnering beschuldigde Eileen Franklin haar vader, George Franklin, van de verkrachting van en moord op haar beste vriendin toen ze allebei nog maar een kind waren, een jaar of twintig geleden. Ze was er absoluut zeker van dat het was gebeurd en dat haar vriendin inderdaad was vermoord. Psychologe Elizabeth Loftus getuigde uit naam van de vader dat geheugenprocessen grote hiaten kunnen bevatten en dat Eileen het mis zou kunnen hebben, hoe echt haar herinneringen ook mochten lijken. Herinnering, zo zei Loftus, is een reconstructief proces waarin de geest gemakkelijk samensmelt met fictie. Zelfs als Eileen geloofde dat ze de steen die haar vader optilde om het andere meisje mee af te ranselen 'voor zich zag', zou ze dat beeld achteraf aan haar herinnering hebben kunnen toevoegen doordat ze het had 'hervonden' of doordat ze bepaalde krantenartikelen had gelezen. De geest vult graag hiaten op en is vatbaar voor suggestie; een 'herinnering' kan dus een vervorming zijn van daadwerkelijke ervaringen. De jury accepteerde haar theorie niet, en George Franklin werd veroordeeld. (Later, toen Eileen toegaf dat ze onder hypnose tot haar verhaal was gekomen, werd de veroordeling door een hogere rechtbank nietig verklaard.)

Loftus bleef doorgaan met haar pogingen om te bewijzen dat de hervonden-herinneringtherapie valse herinneringen bij iemand kan oproepen of in ieder geval details kan toevoegen die niet echt zijn gebeurd. Ze werd de eerste Amerikaanse onderzoeker die aantoonde hoe onbetrouwbaar herinneringen – en dan vooral 'hervonden' herinneringen – kunnen zijn, hoe zeker de persoon die melding van die herinneringen maakt ook van zijn zaak is.

Ze deed experimenten met situaties waarin 25 procent van de deelnemers fictieve beelden van gebeurtenissen in zijn herinneringen bleek te verwerken, en haar bevindingen werden door andere onderzoekers bevestigd. Maar om ethische redenen konden ze tijdens hun experimenten geen echte trauma's opwekken, dus konden therapeuten die met hervonden herinneringen werkten blijven beweren dat hun resultaten niet automatisch voor getraumatiseerde mensen golden.

In die tijd was de hervonden-herinneringtherapie echter heel populair en kregen patiënten te horen dat symptomen als vergeetachtigheid, dagdromen en innerlijke conflicten subtiele aanwijzingen vormden voor mishandeling. Veel mannelijke familieleden van patiënten werden beschuldigd en sommigen werden veroordeeld. 'Traumatologen' traden in de rechtszaal op als getuigendeskundigen, en steeds meer mensen namen hun toevlucht tot deze vorm van geheugentherapie.

Begin tot midden jaren negentig kwam er echter een tegenstroom op gang. Een beschuldigde vader en zijn vrouw lazen iets over de geheugenexperimenten van Loftus en richtten een organisatie op voor valselijk beschuldigde familieleden. Deze organisatie zorgde er mede voor dat een aantal theorieën onderuit werd gehaald en dat rechtbanken beter gingen nadenken over de acceptatie van herinneringen als enig bewijsmateriaal voor crimineel gedrag. Toen ook de media zich tegen het idee van hervonden herinneringen keerden, trokken veel patiënten hun beweringen in of werd bewezen dat hun beschuldigingen vals waren.

Professionals op het gebied van geestelijke gezondheid gebruiken nu de term 'dissociatieve identiteitsstoornis' voor wat vroeger een meervoudige persoonlijkheidsstoornis werd genoemd. Sommige mensen beweren dat zo'n stoornis überhaupt niet bestaat, terwijl andere denken dat elke aanhangig gemaakte zaak echt is. Rechtbanken kunnen waarschijnlijk het best een houding van evenwichtige scepsis aannemen als er sprake lijkt te zijn van een dergelijke stoornis; zij moeten de mening van professionals niet klakkeloos overnemen, maar mogen de eigen lezing van verdachten ook niet direct diskwalificeren. In dit soort zaken zou ondersteunend bewijsmateriaal een centrale rol moeten spelen – ondanks het feit dat de familie niet altijd wil meewerken. In het geval van beschuldigingen tegen daders moet echt bewijsmateriaal de boventoon voeren, dat op dezelfde manier is verkregen als in andere typen misdaadzaken. Als iemand zich beroept op een dissociatieve identiteitsstoornis en beweert dat hij zich niet bewust was van zijn gedrag of er niet voor verantwoordelijk kan worden gehouden, moet er een anamnese of getuigenverklaring komen van mensen uit de directe omgeving van de persoon voordat hij zijn misdrijf pleegde – met sterkere bewijzen dan alleen episodes van vergeetachtigheid.

Standaardtests

De meeste forensisch deskundigen op het gebied van geestelijke gezondheid werken ofwel in een gevangenisomgeving, ofwel in een psychiatrisch ziekenhuis. Meestal houden zij zich bezig met evaluaties, behandelingen of therapeutische interventies, en hebben ze uitgebreide kennis van de klinische en de sociale psychologie en veel ervaring met psychometrische tests. Ze worden voornamelijk ingezet voor het beoordelen van de handelingsbekwaamheid van verdachten (hun huidige functioneren en begrip) of van hun geestesgesteldheid ten tijde van het misdrijf.
Hoewel er in de *CSI*-afleveringen weinig te zien is van wat er in voorbereiding op een strafrechtelijk proces gebeurt, zijn psychologen daar soms ook bij betrokken. Elke professional die betrokken is bij een civiele zaak of een strafzaak voert een standaard reeks evaluatietests uit, zoals een IQ-test, projectietests en zelfrapportages. Enkele van de meest gebruikte tests in Amerika zijn de Wechsler Adult Intelligence Scales, de Minnesota Multiphasic Personality Inventory-2, de Rorschach, de Thematic Apperception Test en, als er vermoedelijk sprake is van organische schade, de Bender-Gestalt en de Halstead-Reitan neuropsychologische testbatterij. Elke deskundige op het gebied van geestelijke gezondheid bekwaamt zich in, en ontwikkelt een voorkeur voor, be-

paalde evaluatietests. Met het oog op de toelaatbaarheid van tests als bewijsmateriaal en de subjectieve aard van interpretaties van testresultaten worden sommige tests vaker voor juridische doeleinden gebruikt dan andere. Naar aanleiding van de testresultaten stelt de professional een diagnose op.
Tests kunnen worden uitgevoerd in opdracht van de rechtbank (civiel of strafrecht), de overheid, verzekeringsmaatschappijen of andere instanties die te maken hebben met juridische zaken. Forensisch gedragsspecialisten kunnen als getuigen-deskundigen optreden voor de verdediging of de aanklager, of kunnen eenvoudigweg hun bevindingen presenteren op verzoek van de rechtbank. Ze moeten in feite onpartijdig blijven, maar soms worden ze in een zaak ingebracht als 'ingehuurd wapen', als professional die zegt waarvoor hij betaald is. Zulke deskundigen liggen voor het oprapen, hoewel hun werkwijze als onethisch wordt beschouwd en hun reputatie onder collega's er meestal niet beter van wordt.
Voordat een psycholoog met een klinisch interview begint, brengt hij de cliënt op de hoogte van het feit dat alles wat hij zegt of opschrijft voor de rechtbank is bedoeld en in het juridische proces kan worden gebruikt. Bij alle tests geldt dat de psycholoog allereerst informatie verzamelt. Hij stelt een lijst op van wat hij nodig heeft, zoals opleidings- en ziekenhuisgegevens, referenties, foto's van de plaats delict, autopsierapporten en getuigenverklaringen, en de advocaat verschaft de middelen die nodig zijn om deze informatie bijeen te krijgen. Verder haalt de psycholoog informatie uit het klinische interview en uit zijn onderzoeken naar de geestesgesteldheid van de verdachte. Hij vermijdt het gebruik van informatie die op illegale wijze is verkregen, omdat dat de toelaatbaarheid van zijn hele rapportage in gevaar kan brengen, en hij stelt vast wat de beste manieren zijn om details te verzamelen die van specifiek belang zijn voor zijn expertisegebied.
Bij een verdachte die zich op verminderde toerekeningsvatbaarheid of ontoerekeningsvatbaarheid beroept wordt standaard gecontroleerd of hij simuleert (symptomen voorwendt). Er bestaan verschillende tests die aangeven of iemand liegt, overdrijft of

zich slechter of beter voordoet dan hij in werkelijkheid is. Mensen die iets te winnen hebben bij ontoerekeningsvatbaarheid, die bijvoorbeeld een gevangenisstraf of de doodstraf willen ontlopen, weten wellicht dat er soms uitzonderingen worden gemaakt in geval van geestesziekte. Bij tests vallen zij echter vaak door de mand, omdat hun ideeën over de symptomen vaak gebaseerd zijn op populaire misvattingen.
Sommige psychologen hebben zo veel expertise ontwikkeld op het gebied van persoonlijkheidsstoornissen dat ze ook als adviseur voor de politie werken. Toch is daderprofilering, hoewel ook dat duidelijk een psychologische kant heeft, in Amerika meestal het domein van een federale onderzoeksinstelling als de FBI.

Daderprofilering

Tijdens het eerste seizoen van *CSI-LV* werd in de aflevering 'The Strip Strangler' een FBI-agent opgevoerd die assisteerde bij de opsporing van een seriemoordenaar. Tegenwoordig nemen de CSI's die verantwoordelijkheid echter meestal zelf op zich. In 'Blink' (*CSI-NY*) onderzochten zij bijvoorbeeld de overeenkomsten in lijkverkleuring bij twee slachtoffers om vast te stellen of een seriemoordenaar verantwoordelijk was voor de moorden, en toen Caine in 'Broken' het huis van een kindermoordenaar vond en opdracht gaf om de tuin om te spitten, maakte de medisch onderzoeker een schatting van de tijd die er tussen de moorden had gezeten om een indicatie te geven van de opbouw van het moorddadige gedrag. Wie het ook doet, het proces vraagt om tweeledige expertise: op het gebied van criminele psychologie en dat van misdaadonderzoek. Het is niet eenvoudig om vast te stellen dat misdrijven verband met elkaar houden; dat blijkt vaak pas achteraf. Sommige moordenaars laten echter aanwijzingen of indicaties van bepaalde bijzondere gedragingen achter – ook wel de 'signatuur' van de dader genoemd – zoals de slimme Paul Milander in verschillende afleveringen van *CSI-LV*. Ook in het echte leven geven moordenaars zich vaak bloot door hun misdrijven steeds op eenzelfde manier te plegen.

In mei 1984 roken een paar tienerjongens die aan het begin van de avond in de buurt van de snelweg I-75 ten zuidoosten van Tampa (Florida) liepen, een bedorven lucht. Ze liepen naar de plek waar de geur vandaan kwam en beseften dat het geblakerde ding in het onkruid waarnaar ze stonden te kijken het verminkte lichaam van een naakte vrouw was. Diezelfde maand stuitte een bouwvakker in een steegje in de buurt van de I-4 op een ander vrouwenlichaam. De politie besefte dat de twee plaatsen delict veel overeenkomsten vertoonden. Na een derde, soortgelijke moord schakelden ze de Behavioral Science Unit (tegenwoordig Behavioral Analysis Unit) van de FBI in.

Voor de analyse van de agenten waren de belangrijkste factoren dat de slachtoffers van anderen afhankelijk moesten zijn geweest voor vervoer, dat ze naakt waren toen ze werden gevonden, dat ze op dezelfde manier waren vastgebonden, dat ze in de buurt van een snelweg in een landelijk gebied waren achtergelaten en dat de plek waar ze waren ontdekt een behoorlijk eind verwijderd was van de plaats waar ze voor het laatst waren gezien. Tapijtvezels op de lichamen en bandensporen bevestigden dat er een relatie tussen de misdrijven bestond en dat de slachtoffers waren vervoerd.

Het was duidelijk dat de moordenaar mobiel was; waarschijnlijk bezat hij een auto of had hij er een geleend. De touwen om de halzen van de slachtoffers en de buitensporige agressie die er was gebruikt getuigden van abnormaal gedrag. De politie vermoedde dat de moordenaar een blanke man was van halverwege de twintig, sociaal, extravert en manipulatief. Waarschijnlijk functioneerde hij normaal in de maatschappij, maar was hij twistziek, egocentrisch en zelfzuchtig en toonde hij weinig tot geen emoties. Ook was hij waarschijnlijk impulsief, hoewel niet zodanig dat hij te veel risico's nam. Hij had hooguit een middelbare-schoolopleiding. Als hij al geprobeerd zou hebben om een vervolgopleiding te volgen, had hij waarschijnlijk moeite gehad om zich aan te passen aan de discipline en was hij daar voortijdig mee gestopt. Hij was intelligent maar had problemen met gezag. Waarschijnlijk was hij een spijbelaar geweest en zorgde hij voor overlast. In overeenstemming met zijn zelfbeeld zou hij waarschijnlijk mannelijke banen hebben uitgekozen, of een baan waarin zijn manipulatieve vaardigheden van pas kwamen.

De auto van zijn voorkeur was waarschijnlijk opzichtig, zoals een sportwagen. Ook was de kans groot dat hij in de gevangenis had gezeten of problemen had gehad met de wet. Voorafgaand aan de moorden had hij wellicht kleinere misdrijven begaan, zoals voyeurisme of inbraken.
De dader maakte in een hoog tempo meer slachtoffers, maar op een dag wist de zeventienjarige Lisa McVey te ontsnappen aan een man die haar in zijn huis verkracht en gemarteld had. Ze wees de politie de weg naar het huis van ene Bobby Joe Long. Na zijn arrestatie bekende hij niet alleen negen moorden, maar voegde daar ook nog een serie verkrachtingen aan toe. Tegen de tijd dat Florida klaar was met Bobby Joe Long had hij tweemaal de doodstraf gekregen en 34 keer levenslang. De politie bleek het grotendeels bij het rechte eind te hebben gehad.

De laatste twintig jaar wordt er steeds vaker gebruikgemaakt van daderprofilering, hoewel het een controversieel hulpmiddel blijft. Niet iedereen gelooft dat het samenstellen van een hypothetisch portret van een verdachte bijdraagt aan de oplossing van misdrijven. Sommige profielen blijken echter verrassend nauwkeurig. Het probleem is dat je meestal pas weet of een profiel goed is als de verdachte wordt gepakt en ermee wordt vergeleken.
Daderprofilering is ontwikkeld door medewerkers van de Behavioral Science Unit, onder wie John Douglas, Robert Ressler en Roger DePue. Het wordt echter ook gebruikt door de politie – vooral door afdelingen waar mensen werken die zijn opgeleid bij de National Academy van de FBI. Het idee achter een daderprofiel is dat men een heleboel gegevens verzamelt die terugkerende patronen opleveren op basis waarvan onderzoekers een algemene beschrijving kunnen maken van een onbekende verdachte. Bij daderprofilering moet de in de psychologie opgeleide deskundige zijn kennis gebruiken op het gebied van menselijk gedrag, motivatie en pathologische patronen. Mede op basis daarvan kan hij een multidimensionale rapportage opstellen.
Een profiel is gebaseerd op het idee dat mensen hun gedrag meestal laten leiden door hun individuele psychologie en onvermijdelijk idiosyncratische aanwijzingen achterlaten. Zijn ze mannelijk of

vrouwelijk? Zijn ze geografisch stabiel of leiden ze een zwervend bestaan? Zijn ze impulsief of compulsief? Aan de hand van een plaats delict kan een profielschetser inschatten of een dader een georganiseerde misdadiger is of dat hij een impulsief gelegenheidsmisdrijf heeft gepleegd. Ook kan hij opmaken of de dader een voertuig heeft gebruikt, of hij zijn daad weldoordacht heeft uitgevoerd en of hij verslaafd is aan seksuele fantasieën.

Een profiel is het best te ontwikkelen op basis van psychopathologische bewijzen, zoals sadistische marteling, postmortale verminking of pedofilie. Deze omstandigheden leveren betere gedragssignaturen op omdat er sprake is van een persoonlijkheidskronkel, zoals een dader die het lichaam in een vernederende houding legt, de ogen verwijdert of het vastbindt met een gecompliceerde knoop. Dit soort signaturen helpt plaatsen delict met elkaar in verband te brengen en kan de politie op het spoor brengen van een serieverkrachter, -bommenlegger, -pyromaan of -moordenaar. Als er een patroon wordt ontdekt kan men op basis daarvan soms ook voorspellingen doen over mogelijke toekomstige misdrijven, waarschijnlijke oppik- en dumpplaatsen en het type slachtoffer.

Daderprofilering is niet slechts een kwestie van persoonlijkheidsevaluatie, er worden ook andere soorten gegevens bij gebruikt. Schattingen over de leeftijd, het ras, het geslacht, het beroep, het opleidingsniveau, de sociale omgeving, de modus operandi, het type werk en andere sociologische factoren van de dader kunnen net zulke belangrijke aanwijzingen opleveren voor een persoonlijkheidsstoornis. Over het algemeen bedienen profielschetsers zich echter van psychologische theorieën waarmee zij mentale stoornissen (waanvoorstellingen), karaktereigenschappen (vijandigheid), criminele gedachtepatronen en karakterstoornissen kunnen analyseren. Ook is het vaak nuttig om een geoforensische analyse te maken van het soort plekken dat de moordenaar uitkiest om het lichaam te dumpen. Ted Bundy had bijvoorbeeld een voorliefde voor dichtbegroeide bergen.

De beste profielschetsers hebben veel ervaring opgedaan met misdadigers en hebben een fingerspitzengefühl ontwikkeld voor bepaalde typen misdrijven. Ook zijn ze op de hoogte van bepaalde statistische gegevens, zoals de leeftijdscategorie waarin daders over het algemeen vallen en hoe belangrijk een instabiele familiegeschiedenis is in relatie tot crimineel gedrag. Dit soort informatie verandert vaak, en dat beïnvloedt op zijn beurt weer de manier waarop een profiel wordt opgesteld. De voorspellingen over onbekende verdachten moesten bijvoorbeeld worden bijgesteld nu een groeiend aantal daders uit verschillende raciale groepen afkomstig is en nu het aantal vrouwelijke seriemisdadigers toeneemt.

De Behavioral Science Unit, die in de jaren zeventig werd opgericht, was vroeger onderdeel van de Training Division van de FBI. In 1994 integreerde de Critical Incident Response Group (CIRG) de crisismanagement-, de gedrags- en de tactische afdelingen van de FBI in één eenheid. Tegelijkertijd zette de directeur van de FBI de Child Abduction and Serial Killer Unit op. Later ontwikkelden deze eenheden zich samen tot de oostelijke en westelijke Behavioral Analysis Unit. Na de invoering van de Protection of Children from Sexual Predators Act in 1998 kreeg de FBI mandaten die betrekking hadden op misdrijven tegen kinderen en seriemoorden, en werd onder andere het Child Abduction and Serial Murder Investigative Resource Center (CASMIRC) opgericht. Na de terroristische aanvallen van 11 september 2001 kreeg de eenheid meer contraterroristische verantwoordelijkheden. Daarna viel zij uiteen in de Behavioral Analysis Unit 1 (contraterrorisme en dreigingsanalyse), Behavioral Analysis Unit 2 (misdrijven tegen volwassenen), Behavioral Analysis Unit 3 (misdrijven tegen kinderen) en de VICAP Unit. Vervolgens riep de Training Division een nieuw type Behavioral Science Unit in het leven, niet te verwarren met de oorspronkelijke profileringseenheid. Deze eenheid houdt zich bezig met onderzoek en training bij de National Academy en is niet operationeel betrokken bij zaken.

Wanneer agenten eenmaal voor een van de gedragsanalyse-eenheden worden geselecteerd, doorlopen zij een zestien weken durend klassikaal programma waarin ze zowel van agenten als van externe professionals les krijgen. Er wordt hun basiskennis bijge-

bracht van de psychologie, waarna ze zich vervolgens specialiseren in de criminele psychologie, de forensische wetenschap, Criminal Investigative Analysis, onderzoek naar sterfgevallen, dreigingsanalyse en kinderontvoering en -moord.
Mensen die als profielschetser zijn opgeleid benadrukken altijd dat er geen vast antwoord of vaste formule bestaat die op elke seriemoord van toepassing is, of een persoonlijkheid die past bij elke seriemoordenaar. Zij benaderen het onderzoek naar een seriemoordenaar op een multidisciplinaire manier, waarbij ze informatie gebruiken van professionals bij politie en justitie, in de academische wereld en op het gebied van geestelijke gezondheid.
Als daders eenmaal gepakt en veroordeeld zijn, speelt de psychologie echter een andere rol.

Wat is er tegen criminaliteit te doen?

Sommige misdrijven zijn zo afschuwelijk dat executie de enige gepaste straf lijkt. In de Amerikaanse staten waar de doodstraf kan worden opgelegd, bevat een proces vaak een zogenaamde veroordelingsfase (*sentencing phase*), waarin de verdachten verzachtende omstandigheden kunnen aandragen om een rechter of jury over te halen van deze ultieme bestraffing af te zien. Hierbij worden zij soms bijgestaan door psychologen.

Op 7 oktober 1998 werd de 21-jarige Matthew Shepard zwaar toegetakeld aangetroffen ten oosten van Laramie (Wyoming). Hij was vastgebonden aan een houten hek. Ondanks pogingen om zijn leven te redden stierf hij vijf dagen later. Twee jonge mannen werden gearresteerd op verdenking van mishandeling en moord: de 22-jarige Aaron McKinney en de 21-jarige Russell Henderson. Henderson kreeg twee keer levenslang in ruil voor een getuigenverklaring tegen McKinney. Hij bekende dat hij Shepard had opgepikt met de bedoeling om hem te beroven, maar McKinney had hem bruut in elkaar geslagen en Henderson opdracht gegeven om hem te helpen Shepard vast te binden. De advocaten van

McKinney wilden ter verdediging traumatische homoseksuele ervaringen aanvoeren die McKinneys woede tegen Shepard zouden hebben aangewakkerd, maar de rechtbank accepteerde dat niet. McKinney werd veroordeeld tot *felony murder*, dat wil zeggen moord die wordt gepleegd in combinatie met een ander misdrijf, zoals een ontvoering of een gewapende overval. Hij kon de doodstraf krijgen, en de aanklager probeerde daarop aan te sturen. Maar middels een psychiatrische getuigenverklaring lukte het de verdediging tijdens de veroordelingsfase om alle betrokkenen, inclusief de ouders van Shepard, ervan te overtuigen dat de doodstraf hier niet de geëigende straf was.

Deskundigen op het gebied van geestelijke gezondheid kunnen vaak invloed uitoefenen voordat er in een rechtszaak een vonnis wordt opgelegd. Een vonnis kan (een combinatie van) vier doelstellingen hebben: vergelding, afschrikking, bescherming van de gemeenschap en rehabilitatie. Het is echter niet altijd eenvoudig om te bepalen welk vonnis er op een individu van toepassing zou moeten zijn.
De Amerikaanse federale overheid maakt, net als een aantal afzonderlijke staten, gebruik van duidelijke richtlijnen om ervoor te zorgen dat daders op een gelijkwaardige manier worden gestraft, hoewel er bij deze werkwijze ook vraagtekens worden geplaatst. De richtlijnen verschaffen verschillende detentietermijnen voor bepaalde misdrijven. In zaken waarin niet de doodstraf kan worden geëist bepaalt meestal niet de rechter het vonnis, maar stelt de reclassering voorafgaand aan het vonnis een rapport met aanbevelingen op. Daarin wordt alle relevante informatie verwerkt van de aanklager, de verdachte, de slachtoffers, de familie en de werkgever van de verdachte. Ook de advocaat van de verdachte kan met een voorstel komen voor een gepast vonnis.
Tijdens dit proces kunnen psychologen suggesties doen voor behandelingen, vooral als de mate van aansprakelijkheid van de verdachte aan de orde komt. Ook kunnen ze voorspellingen doen over het risico op herhaling. Als er weinig rek zit in het vonnis is de rol van de psycholoog beperkt, maar hij of zij kan nog steeds de

aandacht vestigen op factoren als mentale beperkingen of dwang. Zaken waarin de doodstraf wordt geëist zijn verdeeld in een fase waarin wordt vastgesteld of de verdachte schuldig of onschuldig is, en een fase waarin wordt vastgesteld of hij de doodstraf of een (levenslange) gevangenisstraf krijgt. Tijdens deze laatste fase worden er bewijzen aangevoerd voor verzwarende of verzachtende omstandigheden. Een advocaat van de verdediging kan eisen dat de verdachte aan een psychiatrisch onderzoek wordt onderworpen, maar dat kan een aanklager ook doen, bijvoorbeeld om zijn zaak tegen de verdachte extra kracht bij te zetten. Verzwarende omstandigheden zijn bijvoorbeeld een lang strafblad of sporen van marteling bij een gepleegd misdrijf. Verzachtende omstandigheden zijn onder andere mishandeling in de jeugd, geestelijke en neurologische stoornissen en een verwrongen perceptie van gevaar. Een jury buigt zich over het bewijsmateriaal en neemt een beslissing.

In 1983 oordeelde het Supreme Court opnieuw dat het grondwettig was om de doodstraf toe te staan op basis van voorspellingen over toekomstig gewelddadig gedrag. In de zaak *Barefoot vs. Estelle* werd een dergelijke klinische getuigenverklaring toegestaan. Thomas Barefoot had een schuur in brand gestoken en vervolgens een politieman neergeschoten en vermoord. Hij werd veroordeeld en onderworpen aan een onderzoek dat moest vaststellen of hij in aanmerking kwam voor de doodstraf. De beslissing zou gedeeltelijk afhangen van de vraag of de verdachte ook in de toekomst een gevaar zou vormen, en de staat moest daarvoor wettig en overtuigend bewijsmateriaal aanleveren. De aanklager beriep zich op de getuigenverklaring van twee psychiaters die hypothetische situaties voorgelegd kregen die overeenkomsten vertoonden met de zaak. Hun werd gevraagd hoe groot de kans was dat de individuen in die situaties in de toekomst nieuwe geweldsmisdrijven zouden plegen. Beiden zeiden dat die kans zeer groot was.
Beroepsorganisaties trokken de betrouwbaarheid van zulke getuigenverklaringen in twijfel, evenals op dergelijke criteria gebaseerde risico-evaluaties in het algemeen, maar de rechtbank haalde precedenten aan en de doodstraf van Barefoot bleef overeind.

Sinds die tijd zijn de methoden voor risico-evaluatie verbeterd; in voorspellingen wordt nu zowel gebruikgemaakt van klinische oordelen als van statistische gegevens. De beste voorspellingen richten zich echter op dreiging op de korte termijn, die wordt bepaald door de specifieke context en het potentieel tot verandering.
Als iemand eenmaal tot een gevangenisstraf is veroordeeld, krijgen psychologen soms in een andere setting met hem te maken.

Psychologen in een gevangenisomgeving

In een gevangenisomgeving bekijken psychologen meestal welke gevangenen in aanmerking komen voor welke behandelprogramma's, beoordelen ze of er sprake is van een mentale stoornis en geven ze inhoudelijk advies over behandelingen, vooral als het gaat om reclassering. Ook grijpen ze soms in tijdens crisissituaties. De classificatie van veroordeelde daders vindt plaats op basis van psychologische evaluatietests, klinische interviews en informatie over hoe goed een bepaalde behandeling werkt. Sommige daders, zoals recidivisten, geestelijk gestoorden, zedendelinquenten en minderjarige daders, komen in aanmerking voor een speciale behandeling.
Zodra veroordeelden een gevangenis binnenkomen, worden zij psychologisch getest en op basis van de testresultaten in een bepaald gebouw of bij een bepaalde eenheid ondergebracht. Degenen bij wie de kans op een zelfmoordpoging groot is, worden 24 uur per dag onder bewaking geplaatst. Het testen van de gevangenen vindt meestal plaats in het ontvangstcentrum. Hun gegevens worden gecontroleerd en ze worden geïnterviewd en gescreend op emotionele problemen. Afhankelijk van hun behoeften en hun risicofactoren worden er behandeldoelstellingen geformuleerd. Sommigen komen in aanmerking voor een cursus woedebeheersing, anderen voor verslavingszorg, onderwijs of een beroepsopleiding. Daarnaast hebben sommigen medicijnen nodig.
Psychologen proberen individuen die een groot risico vormen te

behandelen, factoren te identificeren die hebben bijgedragen tot hun criminele gedrag en hun prosociale vaardigheden bij te brengen ter voorbereiding op hun toekomstige vrijlating. De gevangenis zelf is geen middel om criminele impulsen te corrigeren. Onderzoek heeft zelfs uitgewezen dat het verblijf in een gevangenis misdadigers tot herhaling of zelfs zwaardere misdrijven aanzet.
Daders die in alternatieve programma's buiten de gevangenis kunnen worden geplaatst, zoals half open inrichtingen, hebben vaak een betere kans om zich weer aan het normale leven aan te passen. Soms mogen ze werken, een opleiding volgen, familie bezoeken en een vak leren. Sommige daders blijven in hun eigen huis onder huisarrest en worden in de gaten gehouden via een elektronisch monitoringsysteem. Ondertussen blijven ze in therapie.

De civiele arena

De meeste mensen associëren forensisch psychologen met strafzaken of daderprofilering, terwijl ze ook een heleboel werk op civielrechtelijk gebied verrichten. Een van het soort civiele zaken waarmee deskundigen op het gebied van geestelijke gezondheid zich kunnen bezighouden zijn letselschadezaken, waarbij sprake is van verwondingen of emotionele pijn en emotioneel lijden. In civiele zaken worden mensen vaak getest op de aanwezigheid van een posttraumatische stressstoornis. Het is echter moeilijk om een standaard definitie voor deze geestesgesteldheid te vinden. Bovendien zijn de langetermijneffecten ervan moeilijk in te schatten, vooral als de hoogte van schadevergoedingen erop moet worden afgestemd.
Een ander probleem voor de psychologie is de onvrijwillige aanhouding van een persoon die gewelddadig kan worden tegenover anderen of zichzelf. Soms moet een psychiater inschatten hoe groot de kans is dat iemand moet worden opgenomen, zelfs als die persoon dat zelf niet wil. De betekenis van het predikaat 'gevaarlijk' verschilt in Amerika per staat en kan variëren van directe

geweldsdreiging tot zelfverwaarlozing met grote kans op verslechtering van de situatie.
Een ander problematisch onderwerp is de voogdij over een kind. Deskundigen op het gebied van geestelijke gezondheid wordt soms gevraagd om in te schatten of een ouder in staat is voor een kind te zorgen, uitgaande van de belangen van het kind. Daarbij moeten zij beslissingen nemen over zaken als bezoekrecht of de mogelijke behandeling van een ouder of gezin.
Ook arbeidsgeschillen vallen onder het werkgebied van de forensische psychologie. Deskundigen op het gebied van geestelijke gezondheid spelen vaak een belangrijke rol in het arbeidsrecht. Zij beoordelen bijvoorbeeld klachten van medewerkers waarbij sprake is van emotionele schade. Ze kunnen niet bepalen of een omgeving vijandig of gewelddadig is, maar ze kunnen wel vaststellen of er sprake is van langdurige emotionele stress, wat kan duiden op vijandigheid op de werkplek.
Hoewel veel van deze zaken zich in de *CSI*-afleveringen alleen op de achtergrond afspelen, is er in de serie groeiende aandacht voor de afwijkende of abnormale psyche. Dat onderwerp verdient een eigen hoofdstuk.

6 De afwijkende psyche

In 'Committed', een aflevering van CSI-LV, werden de kijkers meegenomen naar een psychiatrisch ziekenhuis voor gevaarlijke misdadigers en kwamen zij terecht in de wereld van de afwijkende psyche. Er passeerden verschillende stoornissen de revue, waaronder een aantal die niet formeel geaccepteerd zijn door de professionele gemeenschap. Wie in de wereld van de geestelijke stoornissen duikt, stuit lang niet alleen op stereotype aandoeningen als paranoïde schizofrenie en meervoudige persoonlijkheidsstoornissen. Om sommige misdrijven te kunnen oplossen moeten forensisch onderzoekers ook met andere gedragsafwijkingen bekend zijn.

De diagnostische bijbel

Voor diagnoses en behandelingen verlaten professionals op het gebied van geestelijke gezondheid in de Verenigde Staten zich voornamelijk op de symptomen en codes die staan beschreven in *The Diagnostic and Statistical Manual of Mental Disorders* (DSM-IV-TR), waarvan inmiddels de vierde editie uit is. Dit handboek verschaft verzekeringsmaatschappijen en zorginstellingen informatie over mentale aandoeningen en biedt professionals gemeenschappelijke referentiepunten voor doorverwijzingen en vakpublicaties. Het bevat een standaard diagnostisch systeem waarin veranderingen worden aangebracht als er dankzij onderzoek nieuwe feiten aan het licht komen of nieuwe inzichten over psychologische aandoeningen aan het licht komen. De codering en classificatie van de stoornissen is gebaseerd op drie diagnostische pijlers, plus twee die andere aandoeningen bestrijken dan de gedefinieerde klini-

sche syndromen. De lezer vindt er informatie over klinische problemen, persoonlijkheidsstoornissen, medische aandoeningen, psychosociale en omgevingsproblemen en problemen met het algehele functioneren.
Niet al deze aandoeningen zijn relevant voor het forensische vakgebied. Een aantal van de stoornissen die invloed kunnen hebben op iemands mentale toestand ten tijde van een misdrijf of in de loop van een proces, zijn echter vrij opmerkelijk.

Psychologische eigenaardigheden

Slaapwandelen

In de aflevering 'Night, Mother' (*CSI-NY*) komt een vrouw voor die naast iemand werd aangetroffen die was doodgestoken. De vrouw leek zich helemaal niet te kunnen herinneren wat ze had gedaan, omdat ze de hele tijd had geslapen. Voor de kijkers klinkt dat misschien ongeloofwaardig, maar deze stoornis heeft bij verschillende echte moordzaken een rol gespeeld.

In Arizona stak Scott Falater zijn vrouw vierenveertig keer met een mes, waarna hij haar lichaam in hun zwembad gooide. Vervolgens ging hij naar binnen, waste zijn handen en propte zijn bebloede kleren in een plastic krat in de achterbak van zijn auto. Toen hij na een tip van een buurman werd gearresteerd, beweerde hij dat hij had geslaapwandeld en niet had geweten wat hij deed. Blijkbaar slaapwandelde hij inderdaad wel vaker, en de aanklager kon slechts een zwak motief voor de moord aanvoeren. Er waren geen signalen geweest van problemen tussen hem en zijn vrouw, en zijn kinderen stonden achter hem. Bovendien haalden deskundigen op het gebied van slaapwandelen andere zaken aan waarin iemand in zijn slaap een moord had gepleegd. Toch werd Falater tijdens zijn rechtszaak in 1999 veroordeeld voor moord en kreeg hij levenslang.

Deze mentale toestand staat bekend als automatisme, wat wil zeggen dat een deel van de hersenen tijdelijk niet functioneert terwijl andere delen actief genoeg blijven om de slaper te dwingen rond te lopen. Een slaapwandelaar bezit geen *mens rea* voor wat hij in zijn slaap doet. Zijn gedrag is dus onvrijwillig. Dit verweer is niet geldig als kan worden aangetoond dat de verdachte al eerder aan deze aandoening leed, vooral als hij daarbij geweld gebruikte, en geen stappen heeft ondernomen om ervan te genezen. Het is een zeldzaam en bijzonder verweer, maar het heeft toch verschillende vrijspraken opgeleverd.
In 1987 sloeg de 23-jarige Kenneth Parks in Canada zijn schoonouders op brute wijze neer met een krik, waarna hij met een mes op ze in stak. Zijn schoonvader overleefde het incident. Parks beweerde dat hij gedurende de hele gebeurtenis had geslapen. Hij stapte in zijn auto, reed naar de politie en zei dat hij twee mensen had gedood. De medisch deskundigen beaamden dat hij die nacht geen controle had gehad over zijn daden. Hij werd vrijgesproken.

Amputatie als obsessie
In een andere aflevering van CSI-NY, 'Outside Man', komt een uniek syndroom voor waarbij mensen met alle geweld een gezond lichaamsdeel van zichzelf willen amputeren omdat ze er niet mee kunnen leven. Ze raken erdoor geobsedeerd, soms zodanig dat ze gevaarlijke chirurgische ingrepen ondergaan (of zelf het mes ter hand nemen) of zich zelfs van het leven beroven. Een jonge man met een volkomen normaal voorhoofd kon bijvoorbeeld niet accepteren dat dat voorhoofd niet al te groot was. Uiteindelijk pleegde hij zelfmoord om aan zijn vernederende 'misvorming' te ontsnappen. De meest voorkomende wens is het verlangen om een bovenbeen te amputeren, maar veel mensen die aan deze aandoening lijden nemen genoegen met hun vingers of tenen. De meeste chirurgen weigeren echter mee te werken met mensen die zich vrijwillig willen laten misvormen.
In sommige gevallen beschadigt iemand het gewraakte ledemaat zelf zodanig dat een chirurg besluit dat het moet worden verwijderd om zijn of haar leven te redden. Sommige mensen schieten

erin, bevriezen het, gaan het met een kettingzaag te lijf of verbranden het om hun doel te bereiken. Ze denken dat hun problemen verdwenen zijn als het betreffende ledemaat eenmaal is verwijderd. In het Engels worden deze mensen ook wel 'amputee wannabe's' genoemd. Ze zijn ervan overtuigd dat het ledemaat dat ze verwijderd willen hebben hen verhindert om volkomen zichzelf te zijn. Ze begrijpen niet hoe het werkt; ze 'weten' gewoon dat het zo is, net als bij mensen die een geslachtsveranderende operatie willen ondergaan. In sommige gevallen raken mensen geobsedeerd door amputatie omdat ze een andere geamputeerde persoon in een erotische context hebben gezien en zich op die manier aangetrokken zijn gaan voelen tot het idee van een amputatie.
Sommige professionals beschouwen deze aandoening als een verstoorde lichaamsbeleving (ook wel bekend als Body Dysmorphic Disorder of Body Integrity Identity Disorder); mensen die eraan lijden, zijn in de misplaatste overtuiging dat een lichaamsdeel lelijk of abnormaal is. Anderen zien het echter als apotemnofilie (amputatiefetisj), een soort parafilie of een verdrongen seksueel verlangen. Ook wordt de aandoening soms in de categorie 'nagebootste stoornissen' ondergebracht, omdat zulke mensen vaak doen alsof een van hun ledematen geamputeerd is, net zoals mensen met het Münchhausen-syndroom veinzen dat ze ziek zijn om aandacht te krijgen van artsen en ziekenhuizen. Deze aandoening is in verschillende wetenschappelijke artikelen en documentaires beschreven. Niemand heeft er nog een andere remedie tegen gevonden dan amputatie, en sommige artsen zijn bereid om op verzoek van behandelend psychiaters amputaties uit te voeren.

Het syndroom van Renfield

In de aflevering 'Committed' wordt terloops melding gemaakt van een vreemde, vampierachtige aandoening waarin bloed een erotische connotatie heeft. Deze aandoening wordt niet beschreven in de DSM-IV, maar lijkt volgens een aantal deskundigen wel degelijk te bestaan. Er zijn namelijk echte gevallen bekend waarin mensen dachten dat ze zo hard bloed nodig hadden om te overleven dat ze er andere mensen voor wilden vermoorden.

De psycholoog Richard Noll, auteur van *Vampires, Werewolves and Demons*, introduceerde de term 'syndroom van Renfield' voor klinisch vampirisme. De benaming is gebaseerd op het gestoorde personage in Bram Stokers *Dracula*, dat spinnen eet en bloed van vogels drinkt. Meestal zijn het mannen die aan dit syndroom lijden, en ze geven aan dat bloed voor hen mystieke, zelfs bovennatuurlijke, eigenschappen heeft. Noll beschrijft het reguliere verloop van de aandoening als volgt:
'Het syndroom van Renfield is een psychiatrisch syndroom, en het personage Renfield doorliep tijdens zijn leven dezelfde ontwikkelingsstadia als klinische vampiers. Het eerste stadium wordt gekenmerkt door een gebeurtenis die plaatsvindt voor de puberteit en waarin het kind op een seksuele manier opgewonden raakt door een verwonding waarbij bloed vrijkomt of door het inslikken van bloed. In de puberteit raakt die opwinding verweven met seksuele fantasieën en begint de persoon met het syndroom van Renfield met autovampirisme. Dat wil zeggen dat hij zijn eigen bloed gaat drinken en vervolgens overgaat op dat van andere levende wezens. Dit is het zoöfage element waarover dr. Seward het heeft in *Dracula*.
Dracula kwam uit in 1897. In die tijd geloofden veel wetenschappers en aanhangers van het occultisme in het begrip 'correspondenties', waarbij twee wezens die een bepaalde essentie gemeen hadden elkaar uiteindelijk zouden vinden. Dit is een oude wetenschappelijke theorie die teruggaat tot de Grieken en die in de negentiende eeuw uitgroeide tot een occulte overtuiging. De vitalisme-theorie in de biologie kwam tot op zekere hoogte overeen met de correspondentietheorie. De term *gen* werd pas in 1909 geïntroduceerd, en Mendel publiceerde zijn beroemde werk in 1900, dus al voordat de principes van de erfelijkheidsleer bekend waren, dacht men dat er een of andere vitale kracht van generatie op generatie werd doorgegeven waardoor wezens met bepaalde overeenkomsten zich tot elkaar aangetrokken voelden. Daarnaast had je de degeneratietheorie, die gebaseerd was op het idee dat gedegenereerden zich tot elkaar aangetrokken voelden. Soort zoekt soort.'

Hoewel dit syndroom vooral historische associaties lijkt te hebben, duikt het zo nu en dan op allerlei plekken ter wereld op, soms in combinatie met kannibalisme.

Foetusdieven

In de aflevering 'Bad to the Bone' onderzochten de CSI's uit Las Vegas een onopgeloste oude zaak waarin een zwangere vrouw was vermoord en haar foetus was verwijderd en door de zus van de moordenaar was grootgebracht. Dit type misdaad valt in de categorie 'foetusdieven', en er worden nogal wat van dit soort moorden gepleegd. Vaak wordt de zwangere vrouw in kwestie eerst specifiek geselecteerd en gestalkt voordat ze wordt vermoord.

Op 16 december 2004 werd de 23-jarige Bobbi Jo Stinnett, acht maanden zwanger van een dochtertje, in Missouri vermoord. Al snel werd duidelijk wat er was gebeurd. Via internet had ze ene Lisa Montgomery ontmoet, en ze hadden blijkbaar ergens afgesproken. Op dat moment vermoedde ze niet dat Montgomery haar had uitgekozen omdat ze acht maanden zwanger was.

Toen Montgomery naar het huis van Stinnett kwam, heeft ze Stinnett waarschijnlijk gewurgd en haar dochtertje weggehaald. Vervolgens heeft ze de baby van Missouri naar Kansas gebracht, waar ze tegen haar man zei dat ze een baby had gekregen terwijl ze boodschappen aan het doen was; ze probeerde dus net te doen of het kind van haar was. Intussen werd Stinnett in een plas bloed aangetroffen. Haar moeder vond haar en belde de politie. De arts gaf tijdens de autopsie aan dat ze zijdelings was opengesneden om de verwijdering van de baby te vergemakkelijken. Rechercheurs bestudeerden Stinnetts e-mails en spoorden Montgomery op. DNA-tests bevestigden dat het kind van Stinnett was, zodat Zeb Stinnett, de vader, haar mee naar huis mocht nemen. Montgomery werd gearresteerd en beschuldigd van ontvoering die tot de dood had geleid. Tijdens het schrijven van dit boek was de rechtszaak tegen haar nog niet begonnen.

Dit was het achtste incident van deze aard dat de afgelopen twintig jaar geregistreerd is bij het National Center for Missing and Exploited Children. Dit soort misdrijven wordt meestal gepleegd door vrouwen die eerst het vertrouwen van hun slachtoffer proberen te winnen. Vaak hebben ze in het verleden al eerder mensen bedrogen, en ze bouwen meestal een relatie op met een doelwit dat ze van tevoren hebben uitgekozen. In 2002 werd er in het *Journal of Forensic Sciences* een onderzoek gepubliceerd naar de ontvreemding en ontvoering van ongeboren kinderen. Daaruit kwam naar voren dat degenen die zulke misdrijven plegen egocentrisch zijn, geobsedeerd zijn door baby's en in een fantasiewereld leven maar niet als psychotisch worden beschouwd. Ze denken vaak niet na over de vragen die hun na de diefstal zullen worden gesteld, of over praktische zaken als geboortebewijzen. In één zaak sneed een vrouw de foetus zelfs uit met een autosleutel terwijl de moeder nog leefde.

Folie à deux – gedeelde psychotische stoornis

Dit is een besmettelijke gekte of een waanidee van twee mensen tegelijk, dat als basis kan dienen voor een misdrijf of een zelfmoordpact. Al sinds de zeventiende eeuw is deze aandoening terug te vinden in de psychiatrische literatuur, en tussen 1877 en 1996 werden er bijna vierhonderd gevallen van gedocumenteerd. Mensen springen samen van rotsen, doen zakken over hun hoofd om zogenaamd aan boord te kunnen komen van een ruimteschip of geloven dat een van hen of beiden het doelwit zijn van een of andere samenzwering. Meestal ontwikkelt een dominante persoon het waanidee en brengt die de psychose over op een ander, doorgaans een partner of familielid. Soms raken er complete gezinnen bij betrokken. De tweede persoon heeft meestal iets te winnen bij de overname van het waanidee; hij of zij probeert op die manier bijvoorbeeld de relatie in stand te houden.

In Engeland kwam een man bij de politie melden dat hij getuige was geweest van een moord. Ian Brady, het vriendje van zijn schoonzus Myra Hindley, zou het hoofd van een man met een bijl hebben opengespleten. De politie vond het lichaam van het slachtoffer en arresteerde Brady en Hindley ter plekke. Ze ontdekten al snel dat de twee ook twee kinderen hadden vermoord, die ze op de hei hadden begraven. Naarmate het onderzoek vorderde, ging de politie hen ook verdenken van verschillende andere verdwijningen van kinderen in de streek, maar ze weigerden te bekennen en het was onmogelijk om de hele hei af te zoeken.
Brady was een postmoderne nihilist met een strafblad, die de achttienjarige Hindley had meegesleept in zijn plannen om de perfecte moord te plegen. Hun eerste slachtoffer, in 1963, was een zestienjarig meisje geweest. Voordat Hindley Brady ontmoette, was ze een eenvoudig meisje geweest dat snel verliefd werd en dol was op kinderen en dieren. Volgens haar dagboek had Brady haar er langzaam maar zeker van weten te overtuigen dat moraliteit een relatief begrip was en dat sommige mensen 'supermannen' waren en boven de wet stonden. Uiteindelijk ging ze blijk geven van dezelfde haatgevoelens als hij. Hij stelde voor dat ze zich zouden verrijken via een leven vol misdaad, en zij stemde daarin toe. Doordat ze mee ging in zijn waanbeelden, werd ze een moordenares. In 1996 werden beiden tot levenslang veroordeeld.

Andere zeldzame aandoeningen

Hieronder volgt nog een aantal van de ongebruikelijkste syndromen of stoornissen. Sommige ervan komen voor in een CSI-aflevering.

- Het syndroom van Capgras – het waanidee dat anderen (of de persoon zelf) zijn vervangen door dubbelgangers; dit syndroom komt vaak voor in combinatie met paranoïde schizofrenie en organische hersenziekte. Het kan leiden tot geweld tegen de vermeende dubbelganger, vooral als de lijder aan het syndroom bang is dat de dubbelganger hem iets aan probeert te doen of hem probeert over te nemen.
- Pseudologia fantastica – voortdurend liegen zonder enig waarneembaar doel, dat wordt ingegeven door een onderlig-

gende pathologie; dit gedrag is tot op zekere hoogte terug te zien bij nagebootste stoornissen, antisociale persoonlijkheidsstoornissen en psychopathie. In de rechtszaal kan het verschillende consequenties hebben; het kan iemands verweer ondersteunen, maar ook leiden tot meineed.

- Jocasta-complex – de libidineuze fixatie van een moeder op haar zoon, wat haar ertoe kan brengen hem te verleiden en een seksuele relatie met hem aan te gaan. Ook zal ze proberen hem volledig in haar macht te houden, met alle schadelijke gevolgen van dien.
- Pica – de dwangmatige neiging om niet-eetbare dingen te eten, zoals grond, koffiedik, haar, verfschilfers of pleisterkalk. Deze afwijking manifesteert zich meestal bij kinderen die ook aan een andere stoornis lijden en is doorgaans tijdelijk. Zij kan echter wel tot ondervoeding en vergiftiging leiden.

Psychologische aandoeningen die vaker voorkomen, vooral bij misdadigers, zijn psychotische syndromen en persoonlijkheidsstoornissen. Deze laatste groep behandelen we als eerste.

Persoonlijkheidsstoornissen

Een karakter- of persoonlijkheidsstoornis is een permanent afwijkende manier om naar de omgeving te kijken en met die omgeving om te gaan, zodanig dat die normaal functioneren in de weg staat. Dit soort stoornissen manifesteert zich in de manier waarop mensen denken, voelen en hun impulsen beheersen. Ze bezorgen de persoon in kwestie en/of anderen in zijn omgeving doorgaans veel ellende. (In sommige gevallen ziet de persoon niet dat hij zelf de oorzaak is van het probleem.)

Er bestaan tien formeel erkende categorieën persoonlijkheidsstoornissen, die gegroepeerd zijn in 'clusters'. Cluster A bevat de excentrieke stoornissen: paranoïde, schizoïde en schizotypische stoornissen. In cluster B zijn de antisociale, narcistische, borderline- en theatrale stoornissen ondergebracht, terwijl cluster C wordt gevormd door ontwijkend, afhankelijk en obsessief-compulsief gedrag.

Hoewel de symptomen van deze stoornissen elkaar kunnen overlappen, (mensen met een borderline- of een antisociale stoornis zijn bijvoorbeeld vaak ook narcistisch), kijken klinisch psychologen naar een combinatie van verschillende factoren om tot een formele diagnose te komen: de belangrijkste klacht, langetermijnsymptomen, problemen in de jeugd, medische problemen, psychosociale stressoren, IQ en huidige geestesgesteldheid. De persoonlijkheidsstoornissen waarmee forensisch specialisten op het gebied van geestelijke gezondheid het meest te maken krijgen bevinden zich in cluster B. Hieronder gaan we nader op deze stoornissen in.

De narcistische persoonlijkheidsstoornis wordt gekenmerkt door grootheidswaan en een overmatige behoefte om bewonderd te worden. Narcisten kunnen grootse dingen bereiken omdat ze van zichzelf denken dat ze geweldig zijn, maar de mensen in hun omgeving zijn daar meestal de dupe van. Ze hebben vaak het gevoel dat ze zo vreselijk speciaal zijn dat ze alleen willen omgaan met mensen die hun 'waardig' zijn. Ze buiten anderen rustig uit om hun eigen ambities waar te maken, kunnen geen empathie opbrengen en denken dat anderen jaloers op hen zijn. Hun overtuiging dat ze overal recht op hebben maakt hen onuitstaanbaar, en ze gedragen zich vaak arrogant. Soms is hun ego zo opgeblazen dat ze menen boven de wet te staan. Op die momenten is de kans groot dat ze een misdrijf plegen.

Mensen met een borderlinestoornis zijn wispelturiger. Hun relaties zijn instabieler, gedeeltelijk omdat ze hun impulsen slecht kunnen bedwingen, emotioneel labiel zijn, een zelfbeeld hebben dat heen en weer slingert tussen lege wanhoop en grootheidswaan, buitensporig gedrag kunnen vertonen en soms aan zelfverminking doen. Van borderliners is bekend dat ze juist de mensen die ze overmatig idealiseren ineens de vreselijkste beschuldigingen naar het hoofd kunnen slingeren. Ze zijn bang om verlaten te worden, maar voelen zich ook snel overvleugeld in een relatie, dus zenden ze tegenstrijdige signalen uit die doodvermoeiend zijn voor degenen die dicht bij hen staan. Ook kunnen ze intens paranoïde worden, een tijdelijke psychose of tijdelijke dissociatie mee-

maken of vreselijk kwaad worden. Hoewel ze vaak met zelfmoord dreigen, voeren ze dat dreigement zelden uit.
Dan is er echter ook nog de antisociale persoonlijkheidsstoornis. Deze wordt vaak verward met psychopathie of sociopathie en zal misschien ooit nog eens zodanig geherdefinieerd worden dat ook die stoornissen eronder vallen. Mensen met een antisociale persoonlijkheidsstoornis lappen sociale normen aan hun laars, bedriegen en manipuleren, hebben vaak in hun jeugd al een strafblad opgebouwd en overtreden zeer regelmatig de wet. Maar ze bezitten niet altijd de gevaarlijker kenmerken van de criminele psychopaat, waar we ons hierna op zullen richten. Psychopathie komt niet voor op de lijst van persoonlijkheidsstoornissen in het *DSM-IV*, maar wordt internationaal gebruikt om een specifiek type persoon te omschrijven.
Een van de gevaarlijkste kenmerken van psychopaten is hun gevoelloze veronachtzaming van de rechten van anderen en hun neiging om normen te schenden. Ze voelen geen berouw. Ze zullen niet altijd echte criminelen worden, laat staan moordenaars, maar de kans op uitbuitend en vals gedrag is groot. Psychopaten palmen anderen in en manipuleren hen op een meedogenloze manier om er zelf beter van te worden. Ze kennen geen verantwoordelijkheidsgevoel en lichten mensen op zonder rekening te houden met hun gevoelens. In feite beschouwen ze anderen niet als menselijk. Degenen die weinig remmingen hebben ten aanzien van geweld kunnen moordenaars worden.
Psychopaten worden niet gezien als geestesziek, maar uit hersenscans blijkt dat ze de emotionele lading van situaties, zoals empathie, bezorgdheid of paniek, niet kunnen verwerken. Psychopaten die misdrijven plegen blijken zich wreder en agressiever te gedragen dan andere misdadigers, en hun criminele activiteiten lopen sterker uiteen. Waarschijnlijk zou de dader die Nick ontvoerde in de aflevering 'Grave Danger' (*CSI-LV*) de diagnose 'psychopaat' krijgen. Ook zijn er veel recidivisten onder hen. Ze reageren niet op therapie en kunnen niet tegen frustratie. Het maakt niet uit wie ze beschadigen; als ze er maar zo veel mogelijk voor zichzelf weten uit te slepen. Omdat ze niet de vaardigheden bezitten die

mensen nodig hebben om in sociale harmonie te leven, worden ze door sommige psychologen 'onvoltooide zielen' genoemd.
Robert R. Hare, een bekend deskundige op het gebied van deze stoornis en de auteur van het boek *Without Conscience*, zegt dat er weliswaar heel veel informatie voorhanden is over psychopaten in gevangenissen, maar dat we weinig weten over de manier waarop de stoornis zich in de 'gewone' samenleving manifesteert. Toch zijn er indicaties dat de persoonlijkheidsstructuur en de neiging tot onethisch gedrag zowel kenmerkend zijn voor criminele als voor niet-criminele psychopaten, en dat deze kenmerken zich misschien wel bij één op de honderd mensen manifesteren.
Als psychopaten misdrijven plegen, gebeurt dat in de meeste gevallen in koelen bloede en lijken ze sterk sadistische neigingen te vertonen. Ze vinden gemakkelijk slachtoffers omdat ze vlot, charmant en berekenend zijn, terwijl hun slachtoffers doorgaans naïef zijn. Het is dus heel goed mogelijk dat ze zich onder ons bevinden en een succesvol leven leiden met een huis en een gezin. Misschien gaan ze naar de kerk (hoewel ze nooit gewetenswroeging zullen hebben) en worden ze zelfs gezien als goede buren; ze weten precies hoe ze zich moeten gedragen. Maar ze zijn alleen geïnteresseerd in hun eigen gewin en zullen zonder scrupules misbruik van mensen maken als de tijd daar rijp voor is.

Dissociatieve identiteitsstoornis (meervoudige persoonlijkheidsstoornis)
Deze stoornis wordt vaak verward met schizofrenie of een gespleten persoonlijkheid, maar heeft meestal heel andere kenmerken. Er ontwikkelen zich twee of meer subpersoonlijkheden binnen één persoon, elk met zijn eigen identiteit, en deze persoonlijkheden beheersen om beurten de persoonlijkheid en het gedrag van de persoon in kwestie. De 'kernpersoon' ervaart meestal perioden van geheugenverlies en ontdekt soms zelfs ineens dat hij ergens in het buitenland zit zonder dat hij enig idee heeft van hoe hij daar terecht is gekomen. Dit wordt een amnestische barrière tussen identiteiten genoemd. De ene 'persoon' heeft op dat moment volledige toegang tot het geheugen, terwijl andere 'personen' er slechts gedeeltelijk toegang toe hebben. In sommige gevallen be-

seffen de subpersoonlijkheden welke de controlerende of kernpersoonlijkheid is.

Deze stoornis werd waarschijnlijk in 1816 voor het eerst gedocumenteerd door S.L. Mitchell, die het verhaal van een Britse jonge vrouw beschreef die als tiener psychisch gestoord was geraakt. Om de paar maanden viel ze in een diepe slaap, waarna ze wakker leek te worden als een andere persoon. Ze had geen herinneringen aan dingen die ze had meegemaakt en moest opnieuw dingen leren die ze eerder wel had geweten. Na een paar maanden viel ze weer in een diepe slaap, en als ze wakker werd bleken haar eerdere herinneringen intact terwijl de dingen die ze de afgelopen maanden had geleerd verdwenen waren. De arts die haar toestand beschreef nam deze veranderingen vier jaar lang bij haar waar, en waarschijnlijk hield ze de stoornis tot aan haar dood.

Vaak wordt aangenomen dat mensen een dissociatieve identiteitsstoornis ontwikkelen als gevolg van een trauma in hun vroege jeugd, zoals seksueel misbruik of ernstige fysieke mishandeling. Ze hebben leren dissociëren – zichzelf mentaal terugtrekken van een situatie – en deze vorm van psychologisch vluchtgedrag is een overlevingsmechanisme geworden. Dit overlevingsmechanisme verstoort vervolgens de normale integratieve functies van de identiteit en het geheugen. Soms kan iemand meer dan een paar honderd verschillende identiteiten in zich verenigen. Volgens sommige deskundigen is dat uiterst zeldzaam, terwijl andere denken dat het vaker voorkomt dan we beseffen.

Psychotische stoornissen

De meest voorkomende psychotische stoornis, schizofrenie, wordt vaak verward met een gespleten persoonlijkheid (zie hierboven). In werkelijkheid is schizofrenie een ziekte die wordt gekenmerkt door chronische of tijdelijke verwarring tussen denken en praten en die vaak gepaard gaat met periodieke attaques. Schizofrenie treedt ongeveer even vaak op bij mannen als bij vrouwen, manifesteert zich meestal voor het eerst tussen het vijftiende en het vijfendertigste levensjaar en treft ongeveer één procent van de bevolking. Er lijkt sprake te zijn van een genetische component, in de zin dat iemand een neiging tot psychotische stoornissen kan erven.

Schizofrenie kan ertoe leiden dat iemand zich afsluit voor de buitenwereld en zich terugtrekt in waanvoorstellingen en fantasieën. Zijn perceptie van en zijn denken over de realiteit kunnen zodanig vervormd zijn dat het gevaarlijk wordt. Uit onderzoek komt naar voren dat schizofrenie het gevolg is van een chemische of structurele afwijking in de hersenen, of misschien van een combinatie van de twee. Enkele van de eerste symptomen zijn een vaag gevoel van gespannenheid, slaapstoornissen en algehele desinteresse. Tijdens het dieptepunt krijgen mensen waanideeën en hallucinaties en raakt hun spraakvermogen ontregeld. In sommige gevallen ontwikkelen zich gewelddadige neigingen, hoewel ten onrechte vaak wordt gedacht dat deze aandoening daar per definitie mee gepaard gaat.

Van de verschillende typen schizofrenie leidt paranoïde schizofrenie het vaakst tot misdrijven; hierbij worden mensen soms door innerlijke stemmen gedwongen om een ander of zichzelf van het leven te beroven, eigendommen te vernielen, iemand te stalken of op andere manieren de wet te overtreden. Mensen met deze ziekte zijn moeilijk met medicijnen te behandelen, omdat ze anderen ervan verdenken dat die hen willen vergiftigen.

Schizofrenie is een levenslange ziekte waarvoor nog geen remedie is gevonden. Soms kunnen antipsychotische medicijnen helpen de chemische werking van de hersenen te stabiliseren, maar ze moeten onder strenge supervisie worden ingenomen. Er zijn allerlei voorbeelden van misdrijven die plaatshadden nadat een schizofrene persoon met zijn medicatie was gestopt. In New York vond bijvoorbeeld een dodelijke tragedie plaats toen Andrew Goldstein, die onder behandeling was voor schizofrenie maar was gestopt met zijn medicijnen, naar een vrouw toe liep die op de ondergrondse stond te wachten en haar onder de naderende trein duwde. Hij moest terechtstaan en werd veroordeeld voor moord.

Schizofrenie is echter niet de enige psychotische ziekte. De bipolaire affectieve of de manisch-depressieve stoornis wordt gekenmerkt door ingrijpende stemmingswisselingen die grenzen aan waanideeën. Mensen die aan deze stoornis lijden kunnen intens energieke perioden ervaren waarin ze zich bovenmenselijk voelen. Ze slapen lange perioden niet, hebben allerlei hoogdravende ideeën en lijken verbluffend veel werk te kunnen verzetten. Vervolgens kunnen ze echter in een ernstige depressie belanden, die vergezeld gaat van een gevaarlijk lage eigendunk. Tijdens beide fasen horen ze soms stemmen, maar tussen de fasen in kan hun situatie stabiel zijn.

Er bestaan ook stoornissen die beschouwd zouden kunnen worden als vlagen van tijdelijke ontoerekeningsvatbaarheid, zoals extreme emotionele stoornissen en sommige vormen van impulsieve stoornissen. Dit soort stoornissen wordt vaak geveinsd, en een aantal zeer slimme en gevaarlijke criminelen verdiept zich daadwerkelijk in de literatuur erover om een bepaalde stoornis zo goed mogelijk te kunnen voorwenden.

Hieronder buigen we ons over een extreme vorm van psychologische instabiliteit die uiterst onvoorspelbaar kan zijn.

Stalkers

In 'Weeping Willows' wordt het team van *CSI-LV* op het verkeerde been gezet door een stalker die geobsedeerd is door zijn voormalige vriendin. Hij volgt haar met een GPS, ziet haar met een andere man en vermoordt haar om de man voor het misdrijf te laten opdraaien. Om het verhaal nog geloofwaardiger te maken, doodt hij volledig willekeurig nog een andere persoon en laat hij bewijsmateriaal bij dit slachtoffer achter dat in de richting van diezelfde man wijst. Zulke volledig uitgewerkte plannen zijn vaak onderdeel van de stoornis van een stalker, en om deze zaak op te lossen moest het team zich verdiepen in de aard van dit type berekenende obsessie. Onze kennis over stalkers is afkomstig van een paar tragische gevallen en van psychologen die de tijd hebben genomen om gegevens te verzamelen en te onderzoeken hoe iemand een stalker wordt.

De 21-jarige actrice Rebecca Schaeffer speelde in de jaren tachtig van de twintigste eeuw een rol in de populaire comedy *My Sister Sam*. Ze kreeg een heleboel fanmail en probeerde elke brief persoonlijk te beantwoorden. Ook een 19-jarige man uit Tucson (Arizona), Robert John Bardo, had haar geschreven en ze had hem een gesigneerde foto gestuurd. Hij raakte geobsedeerd door haar en spoorde haar op. In de vroege ochtend van 18 juli 1989 ging hij naar Schaeffers appartement in Hollywood. Nadat hij had gezien dat een koerier bij iemand in het gebouw scripts had afgeleverd, besloot hij de stoute schoenen aan te trekken en gewoon op de bel te drukken.
Schaeffer deed de deur open en voerde een kort gesprekje met hem. Hij stond op het punt om te vertrekken, maar keerde toch terug om haar nog eens te zien. Toen ze de deur voor de tweede keer opende, haalde hij een pistool tevoorschijn en schoot haar in de borst. Schaeffer viel op de grond en stierf. Eerder had Bardo op een briefje geschreven: 'Ik ben geobsedeerd door het onbereikbare. Wat ik niet kan bereiken, moet ik elimineren.' Zijn zus gaf hem aan.
In 1982 gebeurde er met een andere actrice iets soortgelijks. Arthur Jackson had Theresa Saldana gezien in de film *Deliverance* en voelde zich hopeloos tot haar aangetrokken. Hij besloot haar te vermoorden en zich te laten inrekenen om de doodstraf te krijgen, zodat hij zich na de dood met haar kon verenigen. Hij achterhaalde haar adres via een detectivebureau, dat haar gegevens van het Department of Motor Vehicles in Californië had gekregen. Jackson ging naar haar huis. Toen hij haar zag, stak hij haar tien keer met een mes, maar een bezorger kwam tussenbeide. Ze overleefde de aanval en Jackson werd veroordeeld voor poging tot moord. Hij bleef haar echter dreigbrieven sturen.
Deze zaken vormden de aanleiding voor de eerste anti-stalkingwetgeving. In heel Amerika werd stalking steeds serieuzer genomen en in 1993 waren in alle staten, inclusief Canada, anti-stalkingwetten ingevoerd. In de wet wordt een stalker omschreven als 'iemand die willens en wetens, herhaaldelijk en met kwaadaardige bedoelingen een slachtoffer volgt of lastigvalt en die een reële

bedreiging vormt met de intentie om het slachtoffer of de directe familie van het slachtoffer te laten vrezen voor hun veiligheid.' Er moeten ten minste twee incidenten hebben plaatsgevonden om te kunnen spreken van dit type misdrijf, en er moet sprake zijn van 'continuïteit in de doelstelling' of reële dreiging. Een andere naam voor stalking is psychologisch terrorisme.

Er worden een heleboel beroemdheden gestalkt, maar stalking is nog veel vaker een probleem tussen mensen die ooit een relatie hebben gehad. Vaak groeit een waanidee uit tot een obsessie of een vorm van intimidatie door middel van telefoontjes, ongevraagde cadeautjes, brieven en bewaking. 'Als ik je niet kan krijgen, krijgt niemand je,' zo lijken veel stalkers te redeneren. Soms heeft stalking dodelijke gevolgen voor een of beide partijen, of zelfs nog voor een derde partij. Mensen die aan dit soort waanideeën lijden zijn meestal alleenstaand en niet in staat om intieme relaties aan te gaan, hebben een geschiedenis van obsessieve gehechtheid, bereiken in hun fantasie het onbereikbare en kunnen soms gewelddadig worden.

Dan is er ook nog erotomanie, de overtuiging van de stalker dat een andere persoon van hem of haar houdt. Erotomanie heeft een vrij voorspelbaar verloop: na het eerste contact ontwikkelt de stalker gevoelens van verliefdheid en plaatst hij het object van zijn liefde op een voetstuk. Vervolgens begint hij de uitverkoren persoon te benaderen. Soms duurt het een tijdje, maar als er eenmaal contact is gemaakt, zorgt het opdringerige en soms beangstigende gedrag van de stalker ervoor dat hij wordt afgewezen. Die afwijzing activeert het waanidee, waardoor de stalker zijn eigen gevoelens op het object projecteert. De stalker ontwikkelt bovendien gevoelens van woede om zijn schaamte te verhullen, waardoor hij het slachtoffer nog intenser gaat achtervolgen. Hij wil zijn slachtoffer beheersen via intimidatie of mishandeling en probeert zo zijn narcistische fantasie herstellen. De kans op geweld is het grootst als het object van zijn liefde in zijn ogen van diens voetstuk valt, bijvoorbeeld door vermeend verraad (Bardo vond bijvoorbeeld dat Schaeffer verraad pleegde toen zij een rol aannam die in tegenspraak was met haar imago als klein zusje).

Hoewel veel stalkers alleen maar dreigen met geweld, brengt een klein percentage van hen hun dreigementen ook daadwerkelijk ten uitvoer. Zij brengen bijvoorbeeld schade toe aan eigendommen of doen de huisdieren van het object van hun obsessie iets aan. Met de toegenomen populariteit van het internet heeft ook cyberstalking zijn intrede gedaan. Veel stalkers hebben al een strafblad, zijn verslaafd aan drugs of alcohol, lijden aan hevige stemmingswisselingen, een persoonlijkheidsstoornis of zelfs een psychose.

Het is niet eenvoudig om te voorspellen welke mensen stalkers zouden kunnen worden: het kan een ex-vriend, -vriendin of -echtgeno(o)t(e) zijn, een collega die zijn doelwit heeft geselecteerd tijdens een oppervlakkige ontmoeting, een vijandige buurman of -vrouw, een medewerker van een videotheek of zelfs een vreemde die het slachtoffer toevallig op straat heeft gezien. Zelfs mensen die voor hun obsessie niet gewelddadig waren, kunnen dat worden als ze zich eenmaal tot stalkers hebben ontpopt.

In 'Weeping Willows' voerde een stalker zijn obsessie en zijn woede zo ver door dat hij een seriemoordenaar werd. Hieronder vertellen we iets over dat verschijnsel.

Seriemoordenaars

In een aantal afleveringen van CSI komen seriemoordenaars voor, zoals in 'Blue Paint Killer' (*CSI-LV*), wat een overzicht rechtvaardigt van wat criminologen en psychologen over dit type misdadiger weten. In 'Whacked' (*CSI-M*) bleek uit DNA-materiaal uit de keel van een van de slachtoffers van een reeks moorden dat de moordenaar, die op het punt stond te worden geëxecuteerd, een medeplichtige had. Om dit misdrijf goed te kunnen onderzoeken was niet alleen psychologische kennis nodig van het verschijnsel seriemoordenaar, maar ook van de interactie tussen twee mensen die samen zulke misdrijven plegen. Het is zeldzaam, maar het komt voor.

Op 17 oktober 1977 werd een vrouw gewurgd en vervolgens gedumpt bij de ingang van de Forest Lawn Hollywood Hills Cemetery in Los Angeles (Californië). Snel daarna werden nog vier vrouwen en drie meisjes vermoord en langs de weg gedumpt. Er kwamen duizenden tips binnen, en de media begonnen de moordenaar de 'Hillside Strangler' te noemen. De politie vermoedde echter dat er twee mannen bij de moorden betrokken waren.

Opnieuw werd er een vermoorde vrouw gevonden: ditmaal een prostituee die naakt op een helling lag. Haar lichaam was op een beledigende manier neergelegd, als een adelaar die zijn vleugels spreidt. Dit keer was het slachtoffer gesignaleerd in aanwezigheid van twee mannen.

Ineens stopten de moorden net zo abrupt als ze waren begonnen. De politie kreeg in de kerstvakantie geen meldingen meer binnen van vermoorde vrouwen. Op 17 februari spotte een helikopter van de verkeerspolitie echter een oranje auto die door de vangrail van een snelweg was gereden, en in de kofferbak bleek slachtoffer nummer tien te zitten. Maar ook hierna hield het moorden weer op.

Bijna een jaar nadat het laatste slachtoffer in Los Angeles was ontdekt, werden in Bellingham (Washington) twee vrouwelijke studentes die een kamer deelden als vermist opgegeven. Ze hadden op een huis gepast voor het beveiligingsbedrijf van Ken Bianchi, een knappe man met een vriendin en een klein zoontje. De politie ondervroeg hem, maar hij ontkende ook maar iets van de meisjes te weten. Ze vonden het adres van het huis waar de meisjes hadden opgepast en troffen vervolgens ook hun auto aan. In de auto lagen hun lijken.

Via haar en weefsel werd Bianchi met de moorden in verband gebracht. Vervolgens koppelde de politie hem via zijn Californische rijbewijs ook aan de moorden in Los Angeles van het jaar daarvoor; hij bleek onder andere sieraden van twee van die meisjes in zijn huis te hebben. Al snel kwam de politie ook op het spoor van zijn neef, Angelo Buono, die een autostoffeerderij runde in de buurt van veel van de plekken waar de lichamen van de vrouwen waren gedumpt.

Bianchi probeerde te doen of hij een meervoudige persoonlijkheidsstoornis had, maar hij werd schuldig bevonden en accepteerde een schikking waarbij hij tegen zijn neef zou getuigen in ruil voor een levenslange gevangenisstraf. In 1982 begon het proces. Op basis van fysiek bewijsmateriaal en de verklaringen van Bianchi werd Buono veroordeeld voor negen van de tien moorden en kreeg hij negen keer levenslang. Bianchi, die schuldig werd bevonden aan vijf van de moorden, kreeg vijf keer levenslang boven op de twee keer levenslang die hij in Washington had gekregen.

Niet alle criminalisten hanteren dezelfde definitie van het begrip seriemoordenaar, maar volgens het officiële handboek van de FBI moet er sprake zijn van minstens drie verschillende moorden op drie verschillende locaties en moet er een bepaalde hoeveelheid tijd tussen de misdrijven zitten. Het National Institute of Justice (NIJ) spreekt echter al van een seriemoordenaar als er sprake is van slechts twee incidenten en hanteert ook het begrip teamseriemoordenaar. De FBI legt de nadruk op verschillende locaties, maar sommige moordenaars doden hun slachtoffers op verschillende tijdstippen op dezelfde plek. Uit de definitie van het NIJ komt naar voren dat het motief vaak psychologisch is en dat het gedrag op de plaats delict meestal een seksuele ondertoon heeft.
Maar ondanks het feit dat in sommige definities en in de media de nadruk wordt gelegd op seksuele moorden, kan een seriemoord ook worden ingegeven door hebzucht, sensatiezucht, lust of zelfs wraak. In veel gevallen is er bij de moordenaar sprake van een vorm van ontlading, ofwel seksueel ofwel van een andere aard, en wil hij over het algemeen niet gepakt of tegengehouden worden. Wanneer hij zijn daad eenmaal heeft gepleegd ebt de behoefte weg, maar vaak komt zij weer terug en begint de cyclus van voren af aan. Hoogstwaarschijnlijk kunnen zulke moordenaars niet meer stoppen, hoewel ze zich soms jarenlang gedeisd houden. Meestal leiden ze een dubbelleven waarin ze zich niet als gewelddadige individuen gedragen.
Naar aanleiding van de arrestatie van huisvader en kerkganger Dennis L. Rader voor de reeks moorden die werd toegeschreven aan de 'BTK-moordenaar', en die van Gary Ridgeway voor de lange reeks moorden die hem de bijnaam 'Green River Killer' ople-

verden, vragen veel mensen zich af hoe het kan dat zulke gewelddadige criminelen zich jarenlang onopgemerkt in hun midden bevinden. Gedeeltelijk is dat het resultaat van de gesloten aard van zulke daders, maar ze worden ook een handje geholpen door de culturele misvatting dat monsters altijd duidelijk als zodanig herkenbaar zijn. Met andere woorden: een leider van de padvinderij, een kerkvoorzitter en een ogenschijnlijk verantwoordelijk burger kunnen zich extreem afwijkend gedragen omdat er binnen de maatschappij waarin ze leven bepaalde naïeve culturele veronderstellingen heersen.

In het verleden zijn hier duidelijke voorbeelden van geweest: de knappe en charmante Ted Bundy werkte bij een crisishotline toen hij zijn slachtoffers vermoordde, John Waynce Gacy, een succesvol zakenman, begroef jongens onder zijn huis terwijl hij vriendschappelijk omging met politici en clown speelde voor zieke kinderen, en de prostitueemoordenaar van Spokane, Robert Yates jr., was een ex-luchtmachtpiloot met vijf kinderen. Veel seriemoordenaars hebben een baan en een gezin. De seriemoordenaar Jerome Brudos vermoordde zelfs jonge vrouwen die hij in de werkplaats van zijn huis ophing terwijl zijn vrouw, moeder en kinderen zich slechts een paar meter van hem vandaan bevonden.

Sommige seriemoordenaars vallen dus niet op omdat ze heel goed kunnen doen of ze een normaal leven leiden. Met andere woorden: ze zijn niet zichtbaar ontspoord en kunnen zich verbergen achter een vriendelijke façade. Een paar van hen, zoals Bianchi, wisten zelfs anderen bij hun misdrijven te betrekken.

Eric W. Hickey, criminoloog en auteur van *Serial Murderers and Their Victims*, een boek over een onderzoek naar meer dan driehonderd seriemoordenaars, zegt: 'Voor sommige meervoudige moordenaars moet moord zowel iets zijn waaraan ze deelnemen als iets waarnaar ze kijken; het kan hun een gevoel van macht geven door toe te kijken hoe een handlanger een mensenleven verwoest, misschien wel net zoveel als wanneer ze het moorden zelf ter hand nemen. De pathologie van de relatie werkt symbiotisch.'

De moordenaars voegen beiden iets toe aan de opwinding van de ander. Misschien kunnen ze datgene waartoe ze alleen niet in staat zouden zijn wél uitvoeren binnen de chemie van zo'n gevaarlijke samenwerking.

Volgens het onderzoek dat Hickey beschrijft is 74 procent van de in teams opererende moordenaars blank, werken vrouwelijke moordenaars in ongeveer een derde van de gevallen samen met mannen en is er meestal sprake van niet meer dan twee daders. Van de slachtoffers van seriemoorden werd ongeveer 15 procent gedood door een team van moordenaars, en in de meerderheid van de gevallen waren de slachtoffers vreemden. Soms geeft de teamleider of dominante partner anderen opdrachten, en soms doet hij zelf mee. De ene keer zijn de partners familieleden of geliefden, de andere keer zijn het onbekenden van elkaar bij wie toevallig wederzijds een vonk oversloeg. Als er vrouwen bij zulke teamoperaties betrokken zijn, is het meestal de man die het brein is achter de moorden, tenzij de vrouw dominant is, zoals in een team van moeder en zoon. Er is bijna altijd één persoon die de psychologische touwtjes in handen houdt.

Er lijkt een verband te bestaan tussen geur en vertrouwen dat bepaalt of iemand bang is voor een aanvaller of zich genoeg op zijn gemak voelt om met hem mee te gaan – of zelfs een team met hem te vormen. De geur van oxytocine kan iemand ongewoon veel vertrouwen geven in een andere persoon, genoeg om hem geld te geven voor een zakelijke deal, bij hem in de auto te stappen of hem binnen te laten. Volgens een economisch onderzoek van de Universiteit van Zürich gaven dertien mannen die een beleggingsspel speelden en die een neusspray met dit hormoon hadden geïnhaleerd meer geld (in de vorm van fiches) aan partners bij riskante beleggingen. Meer dan de helft van hen gaf zelfs al zijn fiches aan zijn partner, in tegenstelling tot slechts één van de deelnemers die een placebo te inhaleren hadden gekregen. Uit eerdere onderzoeken met dieren bleek ook dat oxytocine duurzame relaties tussen paren en verzorgend gedrag bij moeders stimuleert. De stof lijkt vertrouwen te bevorderen dat noodzakelijk is voor de vorming van relaties. In sociale situaties heeft oxytocine invloed op iemands bereidheid om risico's te nemen. Met andere woorden: de aanwezigheid van oxytocine zorgt voor extra vertrouwen binnen een interactie tussen twee mensen. De vraag blijft echter of een zelfverzekerde psychopaat dat hormoon net als een zelfverzekerde minnaar of zakenman in zodanige hoeveelheden kan afscheiden dat zijn potentiële slachtoffer hem extra vertrouwt.

De meerderheid van de seriemoordenaars opereert alleen. Sommige zijn georganiseerde criminelen die de gangen van politie en justitie bestuderen om hun misdrijven zo lang mogelijk te kunnen uitvoeren, terwijl andere chaotischer te werk gaan en vaak fouten maken waardoor ze eenvoudiger en sneller gearresteerd kunnen worden. Richard Trenton Chase, de 'Vampire of Sacramento' uit 1978, doodde zijn slachtoffers op klaarlichte dag en liep dan gewoon de deur uit met bloed aan zijn kleding – hij sprak zelfs mensen aan die hij kende. Het was duidelijk dat de persoon die een vrouw en een gezin had vermoord geen auto bezat en waarschijnlijk in de buurt woonde. Dankzij meldingen over zijn beangstigende gedrag kon Chase al snel worden gearresteerd.
Ook de signatuur van een moordenaar (zie hoofdstuk 5) kan het oplossen van een reeks misdrijven vergemakkelijken. Veel moordenaars die steeds nieuwe slachtoffers maken laten een persoonlijk spoor achter dat hen in verband brengt met elk incident (sommige van die sporen zijn overduidelijk, andere zijn subtieler). Grissom ontdekte dit in de aflevering 'What's Eating Gilbert Grissom?', waarin een moordenaar steeds spottend een lok haar achterlaat, samen met briefjes en afschuwelijke tekeningen. Voorbeelden van echt bestaande moordenaars met een signatuur zijn de 'Texas Eyeball Killer', die altijd de ogen van zijn slachtoffers verwijderde, Jack Unterweger, die zijn slachtoffers met bladeren bedekte en ze wurgde met hun eigen ondergoed, en 'Gainesville Ripper' Danny Rolling, die zijn slachtoffers in stukken sneed en ze in provocerende poses achterliet. Ook nam hij na de moorden een douche in hun huis. Sommige moordenaars verwijderen schoenen of sieraden, andere communiceren hun daden aan de pers of de politie. Deze rituelen brengen hun psychologische bevrediging. Vaak is hun gedrag gekoppeld aan iets in

hun fantasie, of geeft het blijk van een specifieke psychopathologie.
Als zulke gerelateerde incidenten optreden, bestaat er altijd een risico dat er nabootsers aan het werk gaan doordat de media aandacht hebben besteed aan de oorspronkelijke moorden. Zo'n nabootser wil ofwel bekendheid, of hij wil een specifieke persoon vermoorden en hoopt zijn slachtoffer op zo'n manier achter te laten dat de politie denkt dat het door de rondwarende seriemoordenaar is omgebracht. Vaak slaagt de nabootser er niet in om de details van zo'n misdrijf goed genoeg te kopiëren en valt hij alsnog door de mand. Hij heeft iets over het hoofd gezien, iets te duidelijk in scène gezet of een cruciaal detail vergeten (dat de politie doelbewust heeft achtergehouden).
Hoe meer we over seriemoordenaars te weten komen, hoe duidelijker het wordt dat er aparte subtypes bestaan. Een van die categorieën bestaat bijvoorbeeld uit seriemoordenaars in de gezondheidszorg – artsen en verpleegsters die patiënten vermoorden. Een van de beruchtste seriemoordenaars ter wereld die een gigantisch aantal slachtoffers wist te maken was een 'aardige' Britse huisarts, Harold Shipman, die graag bij zijn patiënten op huisbezoek ging. Dankzij hem is er echter wel een effectieve detectiemethode voor dit soort misdadigers ontwikkeld.
Hoewel hij in 2004 zelfmoord pleegde in zijn cel in Wakefield Prison, eindigde een hernieuwd onderzoek naar Shipmans praktijken op 27 januari 2005 met een opzienbarend bericht. Hij had minimaal 260 slachtoffers gemaakt, die hij voornamelijk door middel van een dodelijke injectie met diamorfine om het leven had gebracht. In eerste instantie werd aangenomen dat Shipman, die vaak op bezoek ging bij bejaarde patiënten (meestal vrouwen), zich had toegelegd op de gemakkelijke prooien onder zijn patiënten. Maar dat bleek een misvatting te zijn. Hoewel hij zich zeker op grote schaal aan weerloze bejaarden vergreep, lijkt het erop dat hij het ook op andere soorten patiënten had gemunt. Volgens de laatste berichten schijnt Shipman ten minste 22 patiënten in ziekenhuizen te hebben vermoord voordat hij zijn eigen huisartsenpraktijk begon. Shipman dreef de spot met zijn patiënten en gaf ze

kleinerende bijnamen, zoals WOW (Whining Old Woman – zanikende oude vrouw) en FTPBI (Failed To Put Brain In – vergeten hersenen in te stoppen). Hij maakte zich duidelijk absoluut niet druk om hun welzijn.

Niet lang daarna bleek uit een onderzoek dat Shipman via een statistische analyse als moordenaar had kunnen worden aangewezen. De Biostatics Unit van de UK Medical Research Council in Cambridge paste een statistische methode die tijdens de Tweede Wereldoorlog werd gebruikt om de kwaliteit van explosieven te garanderen en die sindsdien in verschillende bedrijfsmatige contexten opduikt, toe op gegevens over de slachtoffers van Shipman om te achterhalen of zijn heimelijke destructieve daden eerder aan het licht hadden kunnen worden gebracht. Een hoog percentage slachtoffers alleen is niet voldoende, omdat artsen nu eenmaal vaak werken met mensen van wie de kans groot is dat ze sterven. Door andere feiten aan die slachtoffers te koppelen had er echter wel een lichtje kunnen gaan branden. Vaak hadden de sterfgevallen in ziekenhuizen waarbij Shipman betrokken was bijvoorbeeld precies plaats nadat hij met zijn dienst was begonnen. Met behulp van deze methode kunnen de gegevens van verschillende jaren tegelijk worden vergeleken. Zij wordt op dit moment aangepast voor toepassing in de gezondheidszorg.

Abnormaal gedrag mondt niet altijd uit in geweld. Vaak vormen zich subculturen rond ongebruikelijke fetisjen en gedragspatronen. Meestal hebben de leden van zo'n subcultuur geen kwaad in de zin, zelfs niet als ze zich inlaten met wat voor een buitenstaander extreme of pijnlijke praktijken lijken. Soms hebben er binnen een subcultuur echter incidenten plaats die nader onderzoek vergen. De onderzoekers die zich daarin verdiepen, moeten dus goed voorbereid zijn.

7 De taal van subculturen

Soms komen CSI's tijdens een misdaadonderzoek in een ongebruikelijke subcultuur terecht en moeten ze iets van die subcultuur weten om het misdrijf in kwestie te kunnen oplossen. Dat brengt hen in een arena waarin slechts een select gezelschap wetenschappers zich heeft verdiept, maar waarvan wel bepaalde onderzoeksresultaten beschikbaar zijn.

De CSI's in alle drie de steden komen regelmatig in contact met bendeleden, professionele clowns, trapezeartiesten, 'vampiers', liefhebbers van bondage en kastijding, extreme sportfanatici, programmeurs van videogames en zelfs mensen die zich voor erotische doeleinden in gigantische dierenkostuums tooien. Ze belanden op elitaire hondenshows en begeven zich in de exotische wereld van de haute couture. Ook komen ze via een moord soms terecht in de showbizzwereld met zijn privileges en protocollen of krijgen ze te maken met de 'Dove Commission', een groep rechters die zich heeft toegelegd op het blootleggen van fouten van de politie. Als het voor de oplossing van een misdrijf nodig is om iets af te weten van een subcultuur, moeten ze daar bij de arrestatie en het verhoor van de verdachten en bij de reconstructie van het misdrijf onvermijdelijk rekening mee houden. Bovendien moeten ze zo'n zaak met open vizier tegemoet treden, omdat leden van subculturen vaak terugdeinzen voor mensen die hen be- of veroordelen.

Supersterren

Sommige beroemdheden vinden het een logisch gevolg van hun sterrenstatus dat ze boven de wet staan. Ze voelen zich beschermd door geld, mensen en een aura van onaanraakbaarheid. Helaas slagen ze er vaak inderdaad in om de consequenties van hun daden te ontlopen, wat heel frustrerend kan zijn voor de rechercheurs die alles op alles hebben gezet om hen voor de rechter te krijgen. Marcia Clark, voormalig aanklager in Los Angeles, zei ooit in een uitgave van het tijdschrift *Justice*: 'Degene die de populairste en sympathiekste cliënt heeft, wint.' Uit de uitspraken in een aantal rechtszaken tegen beroemdheden in de afgelopen tien jaar blijkt dat dat 'aura' inderdaad effect heeft.

Beroemdheden beweren echter ook dat de stortvloed van publiciteit voorafgaand aan een rechtszaak in hun nadeel werkt. Al in 1807 verklaarde de politicus Aaron Burr dat hij als gevolg van alle publiciteit om zijn persoon geen eerlijk proces kon krijgen, en zijn klacht is in de decennia daarna talloze malen herhaald, vooral in het huidige tijdperk waarin beroemdheden regelmatig worden gearresteerd. Veel advocaten beamen dat er bij dit soort rechtszaken sprake is van unieke omstandigheden, en sommige staan klaar om beroemdheden te adviseren over de vraag of ze hun roem wel of niet als wapen moeten inzetten en hun fans wel of niet moeten mobiliseren om de publiciteit in hun voordeel te laten werken.

Er zijn echter manieren om door de glitter en de glamour heen te prikken en deze mensen weer met beide benen op de grond te krijgen. Dat komt soms hard aan. In 'Stalkerazzi', een aflevering van *CSI-M*, wordt er een foto ontdekt van een filmster die een vrouw neerschiet. De vrouw wordt later dood gevonden. Hoewel de filmster beweert dat zijn bij hem inwonende manager, die tevens zijn dubbelganger in de film is, de moord heeft gepleegd, komt de waarheid uiteindelijk aan het licht en wordt hij beschuldigd van moord. Dat ging echter niet zonder slag of stoot, omdat hij omringd werd door beschermers – managers, advocaten en lijfwachten – die het onderzoek probeerden tegen te werken. Zo gaat het in het echte leven ook vaak.

Michael Jackson is twee keer openlijk beschuldigd van seksuele handelingen met jonge jongens. De eerste keer, in 1993, wist hij een schikking te treffen van naar verluidt 15 tot 20 miljoen dollar. In 2004 was Tom Sneddon, de officier van justitie van Santa Barbara County, vastbesloten om Jackson dit keer voor het gerecht te slepen. De verdediging beweerde dat de familie van het vermeende slachtoffer alleen maar op geld uit was, terwijl de aanklager zei dat er sprake was van een wettig geval van kindermisbruik. Ondanks Jacksons indrukwekkende entourage van bodyguards, woordvoerders, persagenten en persoonlijk assistenten slaagde de politie erin om een huiszoekingsbevel te krijgen voor zijn landgoed Neverland Ranch. Jackson had echter een heleboel mensen in dienst in de stad waarin hij terechtstond, zodat de kans groot was dat de potentiële juryleden een of andere verre band met hem hadden. Bovendien was de moeder van de jongen die de beschuldigingen had geuit niet sympathiek. Ze had zelfs al eerder een rechtszaak aangespannen voor geld. Sneddon beschikte over pornoblaadjes met vingerafdrukken van Jackson en zijn vermeende slachtoffer en had de bevestiging van de oudere broer van de jongen dat Jackson ongepast gedrag had vertoond. Maar er waren te veel getuigen die Jackson graag voor andere dingen achter de tralies zouden willen hebben, waardoor Sneddon terrein verloor. Bovendien zag Jackson, die net uit het ziekenhuis kwam en in zijn pyjama bij de rechtszaal arriveerde, er meer uit als het slachtoffer in de zaak. Tijdens zijn verdediging verschenen er allerlei beroemdheden om hun steun aan hem te betuigen, wat zijn aura nog eens extra kracht bijzette. Uiteindelijk werd hij vrijgesproken. De meningen blijven verdeeld over de vraag of dit al of niet terecht was.

Als misdaadonderzoekers een beroemdheid voor de rechter willen krijgen, is het meestal een slecht idee om rechtstreeks contact op te nemen met de mensen om hem of haar heen. Daarmee verraden ze wat ze van plan zijn, waardoor ze de tegenpartij in de kaart spelen. Soms is het bewijsmateriaal overtuigend genoeg en moet de beroemdheid wel door de knieën, maar vaak neemt zo iemand voor veel geld een gladde advocaat in de arm die het allemaal zo kan brengen dat er voldoende grond is voor gerede twijfel. Als een onderzoeker slim is, kan hij beter voor een indirectere route kiezen en de verdachte en zijn of haar beschermers overrompelen. Maar ook dan is het in de rechtszaal vaak vechten tegen de bierkaai. De 'gewone mensen' waaruit een jury bestaat, zijn vaak

onder de indruk van de exotische wereld van een beroemde verdachte.
Toch is de showbizzcultuur min of meer een bekend wereldje. Het is voor CSI's een grotere uitdaging als ze worden geconfronteerd met bepaalde subculturen. Voor meer informatie daarover buigen we ons over een beroemd experiment uit de sociale psychologie.

Undercover

Sommige rechercheurs gaan undercover, à la Donnie Brasco, en leven een tijd samen met de mensen die ze hopen te arresteren om hun geheimen te ontrafelen en een lijst met namen te bemachtigen. Vaak lopen ze daarbij een zeker risico, bijvoorbeeld als het gaat om drugs dealende motorbendes, terroristische groeperingen of misdaadorganisaties. Veldonderzoek door psychologen heeft een aantal inzichten opgeleverd over de positieve en negatieve effecten van infiltreren in een cultuur die de onderzoeker vreemd is.

Aan het begin van de jaren zeventig van de twintigste eeuw wilde David Rosenhan testen hoe goed psychiaters onderscheid konden maken tussen een persoon die normaal functioneerde en een persoon die als psychotisch of mentaal afwijkend werd beschouwd. In die tijd hadden psychiaters de bevoegdheid om mensen tegen hun wil in een instelling op te sluiten en om een oordeel te vellen over iemands geschiktheid als ouder, zijn vermogen om belangrijke beslissingen te nemen en zijn kansen om weer op het rechte pad terecht te komen.
Rosenhan en acht van zijn vrienden (onder wie drie psychologen en een psychiater) zorgden ervoor dat ze in verschillende psychiatrische ziekenhuizen werden opgenomen door te beweren dat ze stemmen hoorden. Rosenhan kreeg de diagnose paranoïde schizofrenie (net als zeven van zijn vrienden; de achtste zou manisch depressief zijn). Ze werden dagenlang vastgehouden (variërend van 7 tot 52 dagen), hoewel ze zich, toen ze eenmaal binnen waren, normaal gedroegen en volhielden dat het enige symptoom waarvan ze melding hadden gemaakt was verdwenen. Tijdens de therapieën die ze kregen werd alles wat Rosenhan en zijn handlangers over hun daadwerkelijke ervaringen vertelden geïnterpreteerd als onderdeel

van hun pathologie. Ze beweerden dat ze dankzij dit schokkende experiment hadden geleerd hoe contextspecifiek percepties kunnen zijn. Voordat hij op staande voet uit de inrichting werd ontslagen, wist Rosenhan vast te leggen hoe het voelde om in een psychiatrische inrichting te zitten. Hij zag hoe mensen als objecten werden behandeld en werden geslagen of genegeerd, en nadat hij eenmaal 'een van hen' was geweest, ontwikkelde hij een heleboel sympathie voor psychiatrische patiënten die hij anders misschien niet had gevoeld. Hoewel de meeste psychiaters kritiek hadden op de manier waarop het onderzoek was uitgevoerd en naar buiten werd gebracht – in sommige conclusies werden de systematische gebreken inderdaad te zwaar aangezet – ondersteunt het volgens sociaal psychologen op zijn minst het idee dat subculturen hun eigen waarheden en percepties ontwikkelen, en dat die percepties invloed kunnen hebben op het gedrag van de ontvangers van diagnoses. Deze inzichten vormen de basis voor de psychologie van undercoveractiviteiten.

Een undercoveronderzoeker die bekend is met de bovenstaande principes, zal in een subcultuur proberen te infiltreren door zich allereerst te verdiepen in de percepties en de rituelen van die cultuur en zich vervolgens op dezelfde manier te gaan gedragen. Hij moet zich echter ook bewust zijn van de verraderlijke risico's die een lang en intensief verblijf in een subcultuur met zich mee kan brengen. Het kan zijn identiteitsbesef of zijn opvattingen uithollen – vooral als hij ziet dat mensen rijk worden van misdrijven terwijl hij zelf voor een schamel loon zijn leven in de waagschaal stelt om die misdrijven te bestrijden. Toch werpen talloze undercoveroperaties vruchten af: er worden terroristische activiteiten mee tegengehouden, drugsbaronnen mee gearresteerd en moordenaars mee veroordeeld die hun criminele activiteiten anders misschien veel langer hadden voortgezet.
Onderzoekers kunnen niet alleen te maken krijgen met criminele organisaties, ze moeten soms ook misdrijven oplossen die zijn gepleegd in normaal gesproken goedaardige subculturen. Het is vaak afhankelijk van hun aanpak of ze medewerking krijgen en in de gelegenheid worden gesteld om vragen te stellen.

Rollenspelers

In 'Who Shot Sherlock', een aflevering van *CSI-LV*, treft een groep rollenspelers een van hun leden dood aan. Hun hypotheses over het incident variëren van moord tot een onbedoelde overdosis of zelfmoord. Een van de spelers merkt op dat het slachtoffer een dood had gewenst die de 'meester' – Holmes – zou tarten, en dat hij nu zo'n dood heeft gekregen. Dat geeft aan hoezeer sommige rollenspelers in hun spel kunnen opgaan. Soms gaat er zelfs iemand over tot moord. Om dit soort misdrijven op te lossen, moeten onderzoekers zich verdiepen in het verschijnsel Live Action Role Playing (LARP).

Interactieve rollenspellen zijn voortgevloeid uit de populaire oorlogsspelletjes met speelgoedsoldaatjes in de jaren zestig, die zich vaak afspeelden in een van de wereldoorlogen of in de Amerikaanse Burgeroorlog. Al snel werden er spelletjes uitgevonden voor mensen die geïnteresseerd waren in de middeleeuwen, en de spelers beheersten de acties van specifieke symbolische personages. In 1974 verscheen *Dungeons & Dragons* (D&D), in eerste instantie een bordspel met dobbelstenen dat in de huiskamer werd gespeeld. Later verplaatste het spel zich naar de echte buitenwereld, waarbij mensen niet alleen met pionnen schuiven maar daadwerkelijk in de huid kruipen van bepaalde personages. Het is een beetje te vergelijken met het schaakspel uit *Alice in Wonderland*. Het spel werd razend populair, vooral onder studenten, en er werden allerlei imitaties van gemaakt. Ook kwamen er geavanceerdere versies die aantrekkelijk waren voor spelers die de basisniveaus al onder de knie hadden. Er werden bijeenkomsten georganiseerd waarop spelers elkaar konden ontmoeten, hun identiteiten en vaardigheden verder konden ontwikkelen en ideeën konden opdoen voor kostuums, wapens en andere rolversterkende objecten. De spelregels werden steeds gecompliceerder en de spelers professioneler.

Sommige mensen haken af als de regels te ingewikkeld worden of stappen over op een ander type spel, maar het is ook wel voorgekomen dat deelnemers zo geobsedeerd raakten dat ze daadwerkelijk een moord op een personage pleegden. Twee jongens in Bellevue (Washington) kwamen erachter dat moord geen spelletje is – maar helaas was het toen al te laat voor de slachtoffers.

Alex Baranyi en David Anderson waren fervente spelers van *Dungeons & Dragons*, en soms namen ze hun agressieve, zwaardzwaaiende personages te serieus. Op 3 januari 1997 lokten ze de twintigjarige Kim Wilson rond middernacht naar een plaatselijk park. Terwijl ze waarschijnlijk nog steeds in hun rol zaten, wurgden ze haar, stampten ze op haar ribbenkast en lieten haar stervend achter. Vervolgens gingen ze naar het huis van Kims ouders, die lagen te slapen. Baranyi sloeg mevrouw Wilson dood met een honkbalknuppel en stak mijnheer Wilson en Kims zus Julia met een mes.
Baranyi werd volledig verantwoordelijk gehouden voor de moorden, maar het forensisch lab bewees dat Anderson ook bij de moorden betrokken was geweest, en ook hij werd gearresteerd. Beiden moesten terechtstaan voor moord met voorbedachten rade. Uit het bewijsmateriaal kwam naar voren dat het geweld wellicht was ontketend toen Kim Anderson om geld had gevraagd dat hij haar schuldig was.
Voor de verdediging legde dr. Karen Froming uit dat Baranyi aan een bipolaire stoornis leed en weinig eigenwaarde had, wat hem ertoe zou hebben gebracht om een pact te sluiten met een andere jongen. Samen hadden ze een uitgebreid fantasieleven ontwikkeld rondom het spel *Dungeons & Dragons*, en zij dacht dat Anderson Baranyi heel gemakkelijk had kunnen overhalen om alles te doen wat hij maar wilde.
Volgens de getuige à charge, dr. Robert Wheeler, leed Baranyi aan een antisociale persoonlijkheidsstoornis, wat onder andere inhield dat hij agressief was en geen berouw voelde. Hij zei dat Baranyi wist wat hij deed en niet verminderd toerekeningsvatbaar was.
Uiteindelijk werden beide jongens voor de moorden veroordeeld.

Halverwege de jaren negentig vergaarde het kaartspel *Magic: The Gathering* in de Verenigde Staten veel aanhangers, net als *Vampire: The Masquerade* van White Wolf, waarop een korte televisieserie werd gebaseerd. *Vampire,* gemaakt door Mark Rein-Hagen en op de markt gebracht in 1991, was oorspronkelijk een kaartspel. De beste spelers vonden elkaar via het internet, en er kwam een hele gemeenschap tot stand. Het spel was een verbetering ten opzichte van D&D, waarbij de spelers hun intenties en acties bekend moesten maken. Bij *Vampire* ligt de nadruk op het vertellen van verhalen, die worden ondersteund door middel van handgebaren. Het centrale verhaal is beïnvloed door verschillende vampiermythologieën, waarin vampiers in feite afstamden van Kaïn, de 'slechte' zoon van Adam en Eva die was vervloekt omdat hij zijn broer had vermoord. De 'verwanten', oftewel vampiers in menselijke vermomming, vormen een gemeenschap die de Camarilla wordt genoemd. Elk territorium heeft zijn eigen hiërarchie en staat bol van de dramatische intriges.

Dankzij *Vampire* werden LARP's over de hele wereld populair. Mensen kropen in de huid van bovennatuurlijke personages en sloten zich aan bij 'clans' die pasten bij hun persoonlijkheidstype (artistiek, rebels, plechtig of een natuurlijke leider). Ze konden helemaal opgaan in hun personage en het hele spelcircuit afreizen, wat vaak betekende dat ze gedurende een aantal dagen verschillende steden bezochten. Vervolgens kwam White Wolf met occultere versies waarin tovenaars, wisselkinderen, geestverschijningen, weerwolven en andere wezens een rol speelden, waardoor de oorspronkelijke spelregels er behoorlijk veel gecompliceerder op werden. Het idee was dat spelers met inachtneming van bepaalde spelregels hun eigen fantasieën tot leven konden brengen binnen het raamwerk van een aparte wereld, maar ook interacties konden aangaan met andere spelers die zich eveneens in die wereld vermaakten. Ze konden sterke helden worden, geheimzinnige tovenaars, slinkse vampiers of wat ze ook maar wilden worden binnen de grenzen van een bepaald spelsysteem.

Vampiers zijn al meer dan een eeuw lang in zwang bij sommige typen mensen, maar vooral sinds de jaren zestig heeft hun populariteit een grote vlucht genomen. Meestal bleef dit soort mensen op zichzelf of sloot zich aan bij een club gelijkgestemden met wie ze bloed uitwisselden. Ze hielden hun activiteiten voor zich en leefden zich heimelijk uit in hun obsessies. Maar in de jaren negen-

tig brachten de LARP's daar verandering in. Mensen begonnen elkaar te ontmoeten in clubs, bij elkaar thuis en in internet-chatrooms om ideeën en gevoelens over vampiers uit te wisselen. De subcultuur groeide en bracht mensen samen in internationale gemeenschappen, zoals te zien is in 'Suckers' (CSI-LV).
Onder hen bevonden zich ook een paar gevaarlijke individuen die zich aangetrokken voelden tot de opwindende, roofdierachtige mystiek van de vampier, en ze vormden prima combinaties met degenen die puur behoefte hadden aan gezelschap in hun hang naar mystiek en die als vampieraanhanger een persoonlijk statement wilden maken. De laatste jaren zijn er verschillende vampiergerelateerde moorden gepleegd:

- Roderick Ferrell ging op Thanksgiving 1996 naar Florida en sloeg daar de ouders van zijn ex-vriendin dood.
- Joshua Ridger sneed de kelen van dakloze mannen in San Francisco door omdat hij dacht dat hij een vampier was.
- Allen Menzies sloeg in 2003 zijn beste vriend dood en dronk wat van zijn bloed om het personage Akasha, uit de roman *The Queen of the Damned* van Ann Rice, een plezier te doen.

Soms nemen mensen met minder criminele bedoelingen anderen in gijzeling om hun bloed te drinken, zoals in de volgende zaak het geval was.

In de Oekraïne werd de 29-jarige Diana Semenuha door de politie gearresteerd omdat ze straatkinderen naar haar huis zou hebben gelokt, waar ze voor occulte doeleinden bloed bij hen zou hebben afgenomen. Ze wist de kinderen waarschijnlijk haar huis in te krijgen door ze eten en een slaapplaats te beloven, en vervolgens maakte ze ze met behulp van alcohol en lijmdampen voldoende mak om hun bloed af te kunnen nemen. Een deel daarvan verkocht ze aan occultisten in haar netwerk.
Toen de politie haar appartement binnenviel, bleek het helemaal zwart te zijn geverfd. De enige verlichting bestond uit zwarte kaarsen. Binnen troffen zij zeven kinderen aan, allemaal in bedwelmde toestand en allemaal vastgebonden op een bed. Semenuha bekende dat ze een heks was

en dat ze bloed voor zichzelf afnam, maar omdat ze de kinderen er iets voor in de plaats gaf, vond ze dat ze het bloed niet van hen gestolen had. Eén kind verklaarde dat hij Semenuha bloed bij hem had zien afnemen met behulp van een injectiespuit, waarna ze de spuit in een zilveren schaal leegspoot en het bloed opdronk.

Om misdrijven binnen een subcultuur te kunnen onderzoeken, moet een rechercheur weten wat de drijfveren van de leden zijn en hoe hij de gewone leden die geen kwaadaardige bedoelingen hebben kan onderscheiden van degenen die echt gevaarlijk zijn. Soms zijn leden van een subcultuur psychotisch, zoals in het geval van Richard Trenton Chase, alias de 'Vampire of Sacramento'. Gedreven door het waanidee dat zijn bloed in poeder veranderde, doodde hij dieren, een vrouw en een gezin. Maar vaker identificeren vampieraanhangers zich zo sterk met de ongrijpbare, slinks opererende Dracula dat ze de politie weten te ontwijken en soms zo geheimzinnig te werk gaan dat zelfs de mensen in hun directe omgeving geen benul hebben van hun gevaarlijke gedrag.
Voor rechercheurs is het in ieder geval vooral zaak om te leren hun oordeel opzij te zetten, zodat ze mensen die voor deze levensstijl hebben gekozen niet tegen zich in het harnas jagen. Dan is de kans namelijk groot dat ze niet bereid zijn om mee te werken.

Bondage

Een van de interessantere werelden waarmee de *CSI*-onderzoekers te maken krijgen, is de wereld van mensen die op zoek zijn naar een of andere ongebruikelijke vorm van seksuele expressie. Zowel in 'Slaves of Las Vegas' als in 'Lady Heather's Box' moest Gil Grissom een meesteres die gekleed was in leer en kant heel omzichtig zien te benaderen. Ze was gewend aan onbehouwen uitspraken over haar levensstijl, en Grissom was zich er maar al te bewust van dat hij geen partij voor haar was.
Dit soort praktijken wordt door doorsnee mensen vaak als abnor-

maal beschouwd, als gedrag dat gemeden of genezen moeten worden. Bepaalde seksuele voorkeuren worden in psychiatrische kringen parafilieën genoemd, en het zijn voornamelijk mannelijke stoornissen die in de jeugd of de adolescentie beginnen en zich in de volwassenheid blijven manifesteren. Soms worden ze dwangmatig en worden ze gekenmerkt door fantasieën en gedragspatronen die primair gericht zijn op objecten, activiteiten of situaties die voor seksuele opwinding zorgen. In 'Spring Break' verhoorde Horatio Caine van *CSI-M* bijvoorbeeld een man die seksuele handelingen had verricht met een lijk. De meest voorkomende parafilieën zijn:

- exhibitionisme – de behoefte om je genitaliën aan onbekenden te laten zien;
- fetisjisme – seksuele driften die worden opgewekt door niet-menselijke objecten, zoals schoenen, ondergoed, kaarsen of touwen;
- frotteurisme – een andere persoon aanraken of heimelijk met je lichaam tegen dat van een ander wrijven, meestal van een onbekende, op een openbare plek;
- pedofilie – hierbij zijn kinderen het object van seksuele aandacht, ofwel in de vorm van pornografie ofwel in de vorm van misbruik of aanranding van daadwerkelijke slachtoffers;
- masochisme – het ontlenen van seksueel genot aan pijn of vernedering, bijvoorbeeld via verbale mishandeling of bondage of zelfs door geslagen, met een zweep bewerkt of gesneden te worden;
- necrofilie – seksueel opgewonden raken van het betasten van of gemeenschap hebben met lijken;
- sadisme – het ontlenen van seksueel genot aan het domineren, martelen of mishandelen van anderen via activiteiten als verbale mishandeling, zweepslagen, verbranding, steken, verkrachten, wurgen en moorden;
- travestie – heteroseksuele mannen die gekleed gaan als leden van de andere sekse. Sommigen dragen slechts één vrouwenkledingstuk, anderen kleden zich volledig als een vrouw en doen zich ook daadwerkelijk voor als vrouw;

- voyeurisme – het ontlenen van seksueel genot aan het heimelijk observeren van anderen, zoals door ramen gluren waarachter iemand zich uitkleedt of ligt te slapen.

Het is niet duidelijk of het verkleden als gigantische dieren en vervolgens tegen elkaar aanwrijven, zoals in 'Fur and Loathing' (*CSI-LV*), of de voorkeur voor 'knuffelfeesten' waarmee het New Yorkse team te maken kreeg in 'Grand Murder at Central Station' ook aan deze lijst zouden moeten worden toegevoegd. Het is in ieder geval onwaarschijnlijk dat psychologen alles op dit gebied al hebben gezien, dus hun lijst van parafilieën kan niet als uitputtend worden beschouwd.
Wat bijvoorbeeld niet op de officiële lijst staat, maar er vaak wel elementen van bevat, is Bondage and Discipline (B&D), waarbij deelnemers de rol van meester/meesteres of slaaf/gevangene op zich nemen. B&D is gebaseerd op overheersing en onderwerping (Dominance and Submission, D&S) en bevat masochistische elementen, maar het toebrengen van pijn (Sadisme en Masochisme, S&M) hoeft er geen vast onderdeel van te zijn. En zelfs als dat wel het geval is, gaat het niet om de pijn zelf maar om het ongemak dat de seksuele opwinding vergroot.
Veel mensen die niet gewend zijn aan deze praktijken – zoals de meeste rechercheurs en advocaten – analyseren de dynamiek van B&D op een oppervlakkige manier; ze gaan ervan uit dat de dominante persoon altijd de touwtjes in handen heeft en dat de onderdanige ten minste gedeeltelijk geëxcuseerd is, omdat hij of zij gedweeër en kwetsbaarder is. Dat is echter een naïeve veronderstelling, en het idee dat de dominante partner meer controle en verantwoordelijkheid heeft, resulteert soms in misleidende analyses van ernstige teammisdrijven. Daardoor komen sommige mensen (de zogenaamde hulpeloze medeplichtigen) met lichtere straffen weg dan ze in werkelijkheid verdienen.
Maar dat is een ander verhaal. Laten we teruggaan naar de subculturen. Sommige onderzoekers gaan er ten onrechte van uit dat B&D-, D&S- of S&M-scenario's altijd met geweld te maken hebben. B&D is echter een veel gecompliceerdere ervaring, en alleen de

mensen die eraan doen weten wat het echt met je doet. Professionals die diepteanalyses hebben uitgevoerd via interviews en observaties van B&D-activiteiten hebben een aantal verrassende paradoxen ontdekt. Als politie en justitie een minder oppervlakkig beeld zouden hebben van de activiteiten die erbij komen kijken, zouden ze minder snel onjuiste conclusies trekken die tot fouten of manipulatie kunnen leiden.

In werkelijkheid bezitten beide partners in B&D- of D&S-constructies namelijk sterke en zwakke kanten en worden beide beurtelings door de ander geëxploiteerd en gecomplementeerd. Ze hebben elkaar nodig om de magie te laten werken. Voordat ze ook maar iets doen, maken ze daarom allereerst afspraken over de randvoorwaarden: dat wat elke partij verlangt en nodig heeft om zich bevredigd en veilig te voelen. Ze spreken af wat ieder van hen bij de interactie kan betrekken waarmee dit wederzijdse doel kan worden bereikt. Vervolgens gaan ze van start: ze spelen met de illusie van 'gedwongen gevangenschap' en maken dat het enger lijkt dan het in werkelijkheid is. Ieder ziet er echter op toe dat de ander de rol op een specifieke manier speelt, zodat er voortdurend sprake is van subtiele machtswisselingen.

De dominante persoon put genot uit overheersing, terwijl de onderdanige opgewonden raakt van een gevoel van overgave. Ze helpen elkaar hun fantasieën te verkennen door elkaar te geven wat ze nodig hebben om hun idee over het gewenste gevoel te completeren. Deze ervaring brengt hen beiden dichter in de buurt van hun primaire behoeften, wat een bepaalde energie schijnt te kunnen ontketenen die geen van beiden alleen zou kunnen opwekken. Vreemd genoeg wordt er een delicaat machtsevenwicht bereikt tussen degene die de macht heeft en degene die daar bewust afstand van heeft gedaan.

De meest extreme vorm van deze dynamiek is sadomasochisme, waarbij het gebruik van geweld door beide partijen wordt goedgekeurd. De ene persoon wil bijvoorbeeld brandwonden toegebracht krijgen, met een zweep worden geslagen, een geladen pistool tegen zijn hoofd gedrukt krijgen of in een badkuip worden ingemetseld zodat hij zich niet meer kan bewegen. De 'meester' zorgt voor pijn en vernedering om de 'slaaf' te helpen emotionele catharsis te bereiken, en beiden genieten van hun rol in het scenario. Volgens de beoefenaars ervan erotiseert sadomasochisme mentale en fysieke pijn doordat het het lichaam één maakt met de geest en de ziel. Deze rituelen maken de fantasieën waar beide partijen naar verlangen concreet. En hoewel het ook bij sadomasochisme niet altijd draait om echte pijn, voelen sommige mensen zich tot deze wereld aangetrokken vanwege hun preoccupatie met geweld – en soms zelfs met moord.

John Robinson begon zijn criminele loopbaan met het plegen van witteboordenmisdrijven en besloot vervolgens zijn kennis van computers in te zetten om zijn slachtoffers te lokken via internet. Hij wordt beschouwd als de eerste seriemoordenaar die er deze werkwijze op na hield. Robinson was geboren in Chicago in een arbeidersgezin, was actief geweest in de padvinderij en had op een seminarie gezeten om priester te worden. Toch stortte hij zich op een gegeven moment op nieuwe ambities en werd vervalser, dief, verduisteraar en leugenaar. Tijdens een verblijf in de gevangenis voor een klein vergrijp verdiepte hij zich in computertechnologie, en die kennis benutte hij vervolgens om nietsvermoedende mensen op te lichten. Hij kreeg een relatie met een getrouwde vrouw, Beverly Bonner, die in de gevangenisbibliotheek werkte. Toen hij in 1993 vrijkwam, ging ze met hem mee. Sindsdien is er niets meer van haar vernomen. Ook een moeder en een dochter raakten verstrikt in zijn net, en Robinson streek de arbeidsongeschiktheidsuitkering van de dochter op, in totaal een fiks bedrag van 150.000 dollar.
Daarna vond hij zijn slachtoffers via internet, waar hij bondage-chatrooms bezocht onder het pseudoniem 'Slavemaster'. Al snel kreeg hij vrouwen zo ver dat ze contracten tekenden waarin ze beloofden zijn seksuele slavin te zijn. Door die contracten kreeg hij ze volledig in zijn macht. In 1997 ging hij een relatie aan met een studente aan Purdue University, Izabela Lewicka, die geïnteresseerd was in de seksuele wereld van het sadomasochisme. Op verzoek van Robinson ging ze naar Kansas City om schriftelijke toestemming te vragen voor een huwelijk met hem, waarna ze verdween. Vervolgens begon hij een online-relatie

met Suzette Trouten, en ook van haar heeft niemand ooit meer iets gehoord.
Dankzij tips van vrienden en familieleden van Trouten begonnen de autoriteiten Robinson in de gaten te houden. In april 2000 verhuisde een psychologe die Vickie Neufeld heette naar Kansas City om een relatie met Robinson aan te gaan. Op een gegeven moment diende ze een klacht in bij de politie, en na een urenlang verhoor van Neufeld werd Robinson gearresteerd op verdenking van aanranding en diefstal. Via objecten die in zijn bezit waren kon hij in verband worden gebracht met de vermiste vrouwen, en ook in zijn door een forensisch computerdeskundige doorzochte bestanden en e-mails werden aanwijzingen gevonden.
De politie vroeg huiszoekingsbevelen aan voor de opslagruimtes van Robinson en voor een huis in La Cygne (Kansas). Daar leidden lijkenhonden de rechercheurs naar twee driehonderd-litervaten naast een houten schuur. De vaten bleken menselijke resten te bevatten, en uit gebitsgegevens bleek dat het om Suzette Trouten en Izabela Lewicka ging. In de opslagruimtes van Robinson werden nog eens drie vaten aangetroffen, die de overblijfselen bevatten van Beverley Bonner en Sheila Faith en haar dochter Debbie.
Een jury in Kansas bevond Robinson net voor Halloween 2002 schuldig aan moord en veroordeelde hem ter dood. Voor de misdrijven in Missouri pleitte hij schuldig in ruil voor de bekentenis van vijf moorden, inclusief twee moorden waarbij nooit een lichaam was gevonden. Robinson was 59, een van de oudste seriemoordenaars die ooit is veroordeeld. In 2004 herriep Kansas een oude wet die aanklagers een voordeel had gegeven bij rechtszaken waarin de doodstraf werd geëist, en Robinsons straf werd omgezet in levenslang.

Rechercheurs die niet precies begrijpen wat er zo aantrekkelijk aan dit soort activiteiten is, zullen zich moeilijk kunnen verplaatsen in de motieven van mensen die er vrijwillig aan deelnemen. Daardoor bestaat het risico dat ze ze niet als echte slachtoffers zien terwijl ze dat in werkelijkheid wel zijn, zoals in de hierboven beschreven zaak. (In een andere zaak kwam de politie tot de conclusie dat de bereidwillige 'slaaf' een slachtoffer was en werd haar partner gearresteerd; nadat zijn identiteit in de openbaarheid was gebracht, pleegde hij zelfmoord.) Voor de masochist vertaalt gewelddadig controleverlies, in combinatie met angst, zich in een krachtig psychisch orgasme en het gevoel dat het ik tijdelijk is uitgeschakeld. Het schijnt te voelen als een radicale transformatie waarbij men volledig open staat voor alles en het gevoel heeft voor 200 procent te leven.

Volgens sommige deskundigen schijnen de innerlijke conflicten die ontstaan door de scenario's die de deelnemers hebben ontworpen de sensualiteit van hun ervaring te vergroten. Spanning zorgt voor extra intensiteit, waardoor bondage en slaan kunnen zorgen voor een intieme verbintenis tussen lichaam en geest. Het idee om met instemming ergens toe te worden gedwongen kan misschien verwarrend of zelfs tegenstrijdig lijken, maar de complexiteit van de menselijke psyche maakt dat mogelijk. Psychologen beschrijven het als een essentieel mechanisme van zelfbedrog, en B&D'ers maken er gretig gebruik van.

We bezitten allemaal het vermogen om zo op te gaan in een activiteit dat we soms helemaal vergeten dat we die activiteit zelf in gang hebben gezet. Op zo'n moment geloven we dat we geen keus hebben gehad. Bij B&D geven de 'slaven' zich gewillig over aan de 'meesters' die hen door middel van beperkingen en soms misschien door middel van pijn en vernederingen tot een fysiek besef van hun lichaam dwingen, waardoor ze mogelijkheden voor plezier en overgave kunnen ervaren waar ze, als ze alleen waren geweest, wellicht weerstand tegen zouden hebben geboden. Dit mechanisme werkt alleen als beide deelnemers zich ervan bewust zijn dat het met wederzijdse goedkeuring gebeurt, maar wanneer de gebeurtenissen eenmaal in gang zijn gezet, vervaagt de herinnering aan het feit dat het vrijwillig gebeurde. Het intensieve rollenspel zorgt voor een veranderde staat van bewustzijn waarin de gevangene zich echt gedwongen voelt. Onder het mom van 'geen keus hebben' ontleent de ene persoon erotisch genot aan de illusie dat hij of zij onder dwang is onderworpen aan de wil van de ander. Als er geen risico is van ernstig letsel, geeft de slaaf toestemming om op onvoorspelbare manieren te worden ge-

domineerd; zo kan de juiste dosis angst de meest intense stimulatie opleveren.
Het idee om tot iets te worden gedwongen wat men zowel vreest als begeert, brengt een felle spanning teweeg die lichaam en geest doet samensmelten in een verhoogde staat van opwinding. Het lichaam laat zien dat plezier de kroon is op het leven: alles wat de zintuigen prikkelt en ervoor zorgt dat je je springlevend voelt, moet actief worden uitgebuit binnen een veilig raamwerk. Door het lichaam beperkingen op te leggen in de vorm van bondage of discipline wordt de aandacht gevestigd op het vermogen van het lichaam om extreme sensaties te voelen. Het is een absolute overgave aan de volle impact van het vleselijke, en de grenzen van het ego vloeien over in iets groters. Pijn deconstrueert het ego; als iemands persoonlijke identiteit op deze manier wordt getart, voelt hij zich niet langer belemmerd om daden te verrichten die tot dan toe niet strookten met wie hij dacht te zijn.
Spelen met machtsongelijkheid door middel van risico 's en overgave heeft te maken met het verleggen van psychologische grenzen. Omdat mensen gedwongen worden hun diepste angsten en schaamtegevoelens te doorstaan, moeten ze hun innerlijke krachten aanspreken om die gevoelens te overwinnen. Vaak verwerven ze daarbij een hoger besef van zichzelf. Ze worden sterker, wijzer en zelfbewuster. Het lijkt een paradox dat dingen die onze verlangens belemmeren diezelfde verlangens in bepaalde omstandigheden ook kunnen versterken. Omdat opwinding fysiologisch gezien onze pijndrempel verhoogt, kan iets wat normaal gesproken pijn zou doen ook ons genot vergroten; dat wat we vrezen of verafschuwen kan ons in bepaalde gevallen dus ook opwinden.
Deze dynamiek wordt niet door iedereen begrepen, zeker niet door politiefunctionarissen of rechercheurs. Maar misdaadonderzoekers zijn vaak afhankelijk van verklaringen van mensen uit de directe omgeving van daders en van getuigen, dus om ervoor te zorgen dat een getuige of informant uit zo'n subcultuur bereid is om mee te werken, moeten zij door hun anders-zijn heen kijken en zich erin verdiepen. In sommige gevallen is er bij de interpretatie van bewijsmateriaal zelfs gespecialiseerde kennis nodig van hoe

een subcultuur in elkaar zit. Die informatie kan men het best krijgen van iemand die de subcultuur in kwestie goed kent. (En van psychologen of sociologen die er veel ervaring mee hebben, omdat zelfs de deelnemers de aantrekkingskracht van de rituelen en de percepties van de subcultuur vaak niet goed onder woorden kunnen brengen.)

Of het nu gaat om een subcultuur van clowns, Goths, geestenjagers of UFO-fanatici, ze hebben allemaal hun eigen 'taal', en de misdaadonderzoeker die als het ware meerdere talen weet te leren spreken zal een belangrijke voorsprong hebben bij pogingen om een zaak snel tot een oplossing te brengen.

Gespecialiseerde kennis is overigens niet alleen gewenst bij misdrijven waarbij leden van een subcultuur betrokken zijn. Soms krijgen rechercheurs extra scholing om deskundigheid te verwerven op een bepaald gebied. In het volgende hoofdstuk keren we terug naar de 'normale' wereld van het misdaadonderzoek en gaan we dieper in op een van deze gebieden.

8 Een ongeluk zit in een klein hoekje

De politie doet vaak onderzoek naar (verkeers)ongevallen, maar een ongeval is niet altijd wat het lijkt. Sommige misdrijven worden zodanig geënsceneerd dat het ongevallen lijken, terwijl andere gewoon zo gecompliceerd zijn dat alleen de knapste deskundigen de toedracht ervan kunnen ontrafelen. Bovendien komt het ook voor dat mensen die iemand aanrijden bang zijn voor vervolging en daarom vluchten, waarna de politie moet zien uit te vinden wie de dader is.

In verschillende afleveringen van *CSI* moest er een reconstructie worden gemaakt van een ongeval, zoals in 'Game Over' (*CSI-M*), waarin een skateboarder werd aangetroffen in een auto die op een andere auto was gebotst. Hij bleek eerst geëlektrocuteerd te zijn, en het 'auto-ongeluk' moest dat verhullen. Zelfs bij een echt ongeluk worstelt de politie vaak met de vraag wie verantwoordelijk is. In de aflevering 'Crash and Burn' (*CSI-LV*) kwam een oudere vrouw met haar auto door de ruit van een restaurant zetten, waarbij enkele klanten om het leven kwamen. Het team moest zowel informatie zien te verzamelen over haar gezondheid als over eventuele mechanische problemen aan haar auto. De optelsom van feiten, met name de aanwezigheid van medicijnen in haar lichaam, duidde op een doelbewust geval van moord via zelfmoord: ze had een einde aan haar leven gemaakt, maar het tegelijkertijd gemunt op een groep mensen die in het restaurant zat te eten. In 'Turn of the Screw' onderzocht het team van Grissom een ongeval met een achtbaan.

Veel politiemensen zijn gespecialiseerd in de reconstructie van ongevallen, een complex maar belangrijk hulpmiddel bij het oplossen van zowel civiele zaken als strafzaken. Het vermogen om te reconstrueren wat er precies is gebeurd, is van essentieel belang bij auto- en vliegtuigongelukken, maar bijvoorbeeld ook bij fatale valpartijen.

Ongelukken met vervoermiddelen

Auto-ongelukken zijn in Amerika doodsoorzaak nummer 6, na natuurlijke en onbedoelde sterfgevallen. En dat zegt nog niets over het aantal niet-dodelijke ongelukken dat er jaarlijks in het verkeer plaatsvindt. De meest voorkomende oorzaken van zulke ongelukken zijn een te hoge snelheid, geen voorrang verlenen, het negeren van een verkeersbord of -signaal, het gebruik van drank of verdovende middelen en verkeerd inhalen.
Bij het onderzoek naar dit soort ongevallen zijn er meestal twee typen functionarissen die een belangrijke rol spelen: rechercheurs, die de eerste feiten optekenen, situatieschetsen en foto's maken, en ongevallenanalisten, die later allerlei technieken op die feiten en foto's loslaten om preciezere gegevens te kunnen genereren. Voor een nauwkeurige berekening van wat er tussen twee auto's of een auto en een object is gebeurd, zal de eerste groep zich concentreren op de volgende factoren:

- rem- en slipsporen voor en na de botsing;
- weg- en weersomstandigheden;
- lichtomstandigheden;
- tijdstip van de dag;
- laatste positie van de auto of auto's;
- hoek en intensiteit van de botsing;
- type schade aan de auto('s)/objecten;
- conditie van de banden;
- rijrichting.

Ook zullen ze, als dat mogelijk is, mondelinge verklaringen afnemen van de chauffeurs, maar voor de eindconclusies vertrouwen ze op de techniek (sommige mensen weten niet hoe hard ze reden,

onderschatten hun snelheid of hebben zo hun redenen om die te verzwijgen). Belangrijke elementen die ze moeten vastleggen zijn snelheid, afgelegde afstand en verstreken tijd.
Om vast te stellen bij wie de verantwoordelijkheid voor een ongeluk ligt, zullen rechercheurs ook gegevens proberen te achterhalen over de technische staat van het voertuig en zijn ze alert op ieder spoor van contact tussen het ene voertuig en het andere of tussen het voertuig en een object (een muur, een voetganger). Ook zullen ze ooggetuigenverklaringen verzamelen, de specificaties van de betrokken automodellen achterhalen en vastleggen op welke datum het ongeluk plaatshad. Verder registreren ze de positie van eventuele verkeersborden of kilometerpaaltjes die een rol kunnen hebben gespeeld bij het ongeluk. Een andere factor die moet worden nagetrokken, is het verleden van de chauffeur. Al deze gegevens worden opgeslagen in een dossier dat kan worden geraadpleegd als er een rechtszaak uit voortvloeit. In dat geval wordt er soms een ongevallenanalist ingeschakeld.

Tijdens een winter in New England gebeurde er een dodelijk ongeluk waarbij een politieman met zijn auto tegen een boom reed. De twee rechercheurs die het ongeval onderzochten, verschilden van mening over wat er precies was gebeurd: de een geloofde dat het koude weer en de gladde wegen de belangrijkste boosdoeners waren geweest en zag het incident dus als een ongeval. Maar omdat de voorruit en de andere autoruiten geen tekenen van bevriezing vertoonden, was de ander ervan overtuigd dat er sprake was van een misdrijf en dat het incident zodanig was geënsceneerd dat het op een ongeluk leek. Een ongevallenanaliste deed onderzoek naar factoren als de manifestatie van vorst in deze omstandigheden, de rijstijl van het slachtoffer, eventueel drank- of drugsgebruik in het verleden, de remsporen op de weg, de conditie van de weg en alles in de buurt wat ervoor had kunnen zorgen dat hij van de weg was geraakt. (Sporen van een dier zouden er bijvoorbeeld op kunnen duiden dat hij plotseling had moeten remmen.) Ook trok zij na of de man voor zijn dood iets had losgelaten over vijanden of dat iemand waartegen hij had getuigd recent was vrijgekomen. Uiteindelijk kwam ze tot de conclusie dat de warmte van de auto bevriezing van de autoruiten in deze omstandigheden had kunnen voorkomen en dat er verder geen factoren aanwezig waren die duidden op een misdrijf.

Een belangrijk probleem voor ongevallenanalisten is dat ze het incident meestal niet te zien krijgen zoals het daadwerkelijk heeft plaatsgevonden. Vaak arriveren ze pas lang nadat de betrokken auto's weggesleept of -gereden zijn. Soms komen ze zelfs pas maanden na het ongeluk in actie. Ze moeten dus afgaan op de documentatie van de mensen die als eerste ter plaatse waren. Dat betekent dat de kwaliteit van hun eindrapportage afhankelijk is van de deskundigheid waarmee het ongeluk is afgehandeld. De politie beschikt over een verslag van het ongeval, foto's, situatieschetsen, toegang tot de voertuigen, getuigenverklaringen en verklaringen van eventuele overlevenden. Als het voertuig in kwestie weggesleept of gerepareerd is of als er iets aan veranderd is, moet ook die informatie worden vastgelegd. Verder kunnen er onderhoudsrapporten worden opgevraagd en duikt men soms in het verleden van de auto.
Het instrumentarium van de ongevallenanalist bestaat onder andere uit allerlei verschillende typen schroevendraaiers, een uitschuifbare monteursspiegel, een doppenset, gewone sleutels en inbussleutels, een zakmes, een geodriehoek met hoeken van 30, 60 en 90 graden, een tekenblok met potlood, krijt, dieptemeters, krikken en een meetlint. Soms gebruiken ze een dictafoon om hun observaties op te nemen, zodat ze ze later kunnen uitschrijven.
Ongevallenanalisten moeten een goede rekenvaardigheid bezitten en een technische achtergrond hebben. Ook moeten ze iets afweten van de effecten die een ongeluk kan hebben op de biologische systemen van de mens. Vaak zijn er complexe algebraïsche berekeningen voor nodig om te kunnen achterhalen wat er precies is gebeurd en om de verzamelde gegevens om te zetten in de juiste opeenvolging van gebeurtenissen. Ongevallenanalisten zijn ook in staat om verschillende typen rem- en slipsporen te 'lezen'. Een

wringspoor duidt er bijvoorbeeld op dat de band die het spoor heeft gemaakt tegelijkertijd naar voren en opzij gleed.
De beste informatie verschaffen de auto zelf en de plek waar hij tot stilstand is gekomen. Analisten werken vaak van achteren naar voren om de chronologie van een incident vast te stellen en betrekken daar dan alle bekende feiten bij. Vervolgens voeren ze een technische analyse uit om vast te stellen hoe hard het voertuig reed. De uitkomsten daarvan kunnen worden vergeleken met beschikbare ooggetuigenverslagen.
De werking van de belangrijkste instrumenten die worden gebruikt om ongevallen met voertuigen te analyseren is gebaseerd op twee wetten: de wet van behoud van energie en de wet van behoud van impuls. Er bestaan dus twee belangrijke reconstructiemethoden. Bij de energiemethode wordt gebruikgemaakt van de eerste wet, die stelt dat in een fysiek proces de totale energie van een systeem aan het begin van het proces gelijk is aan de totale energie aan het eind. Een bewegend voertuig bezit kinetische energie, en om die energie tot nul terug te brengen als het voertuig tot stilstand komt, moet zij een andere vorm aannemen. Kinetische energie wordt berekend aan de hand van de massa en de snelheid van het voertuig, en om haar tot nul terug te brengen is energie nodig die ontstaat door remfrictie, slippen of het raken van een object. Er bestaan vergelijkingen voor allerlei verschillende scenario's, en bepaalde aanwijzingen, zoals door het voertuig achtergelaten laksporen, kunnen helpen bepalen wie wie heeft geraakt.
De impulsmethode is gebaseerd op de wet die impuls definieert als snelheid maal massa. Als voertuigen met elkaar in botsing komen, oefenen ze tegengestelde krachten uit. De netto impuls voor de botsing is gelijk aan de netto impuls erna. Bij deze methode laat de ongevallenanalist onder andere formules los op de slipsporen en de ernst van de schade aan de voertuigen om te achterhalen wie of wat er in de fout is gegaan, welk voertuig sneller reed of gewoon hoe snel een individueel voertuig reed. Met andere woorden: de analist stelt vast hoeveel impuls er werd overgebracht van een bewegend voertuig op iets waarmee het in botsing

kwam. Beide methoden kunnen tegelijkertijd worden gebruikt om verschillende aspecten van een incident te onderzoeken.
Maar ook als is vastgesteld dat het om een ongeluk ging en dat er alleen sprake was van slecht weer of onachtzaam rijden, wordt een onderzoek nog niet altijd direct gesloten. De reconstructie van een ongeval levert soms namelijk verrassende resultaten op.

De 34-jarige Madison Rutherford was een succesvol financieel adviseur uit Connecticut. Op een dag in juli 1998 was hij op weg gegaan naar Mexico om een Braziliaanse mastiff te kopen, maar het leek erop dat hij met zijn huurauto tegen de vangrail was gebotst. Rechercheurs troffen een verkoold lijk in het voertuig aan en maakten daaruit op dat Rutherford om het leven was gekomen tijdens de brand die op de botsing was gevolgd. Hij was voor 7 miljoen dollar verzekerd, dus wilde de verzekeringsmaatschappij Kemper Life, die een groot deel van dat geld moest uitbetalen, een grondiger onderzoek.
Dr. William Bass, een forensisch antropoloog uit Tennessee, werd gevraagd naar Mexico te komen om de botfragmenten uit de auto te analyseren – dat was het enige wat er nog over was van het slachtoffer. Bass wist welk effect vuur kon hebben op breukpatronen in botten. Toen hij de wrakstukken van de auto doorzocht ontdekte hij de bovenkant van een schedel, die vooral aan de binnenkant was verbrand. Hij vermoedde dat het hoofd tijdens de brand was geëxplodeerd doordat het hersenvocht door de hitte was gaan uitzetten. Hij vond echter wel dat de schedel op een vreemde locatie lag: die duidde erop dat het slachtoffer ten tijde van de brand omgekeerd op de bodem van de auto had gelegen. Volgens de politieverslagen was de chauffeur een greppel in gereden, maar Bass geloofde niet dat de situatie die hij had aangetroffen daardoor had kunnen ontstaan. Bovendien was het vuur onverklaarbaar heet geweest – zo heet als wanneer er sprake is van brandstichting.
Ondanks de enorme schade aan het lijk wist Bass voldoende materiaal te verzamelen om op basis van breukpatronen te kunnen vaststellen dat de botfragmenten afkomstig waren van een lichaam dat pas dood was – niet van een ouder skelet dat in de auto was geplaatst. Hij dacht dat er op basis van het stuk schedel en verschillende tanden wel een DNA-ana-

lyse kon worden gemaakt, maar het bleek lastig om vergelijkingsmateriaal in Rutherfords huis te vinden. De gevonden tanden konden echter wel worden vergeleken met gegevens uit Rutherfords tandheelkundig dossier. Maar voordat de onderzoekers dat dossier hadden opgevraagd, zag Bass al dat deze tanden, die versleten waren en vol zaten met ongevulde gaatjes, niet hadden toebehoord aan een welvarende, 34-jarige Kaukasische man. Ze pasten eerder bij een oudere inwoner van Mexico. Hetzelfde gold voor het stuk schedel en de paar stukjes ruggengraat die konden worden geanalyseerd.
Zijn analyse vormde voldoende reden om de zaak grondiger te onderzoeken, en de verzekeringsmaatschappij schakelde privé-detectives in die uiteindelijk een springlevende Rutherford wisten op te sporen, die onder een valse naam in de Verenigde Staten woonde. Hij had zijn dood in scène gezet: hij had een lichaam uit een Mexicaans mausoleum gestolen en dat in de huurauto gelegd, de auto laten verongelukken en in brand gestoken en gedacht dat hij als rijk man verder had kunnen leven. In plaats daarvan draaide hij de gevangenis in voor fraude.

Bij een soortgelijk incident in de Verenigde Staten merkte de onderzoeker op dat er geen rem- of slipsporen aanwezig waren, wat erop duidde dat de chauffeur geen ongeluk had gehad. Ook dit incident bleek in scène gezet om de verzekering om de tuin te leiden, en ook hierbij was een lichaam gestolen uit een mausoleum.
Als er sprake is van een aanrijding waarbij de dader is doorgereden, vertoont het slachtoffer vaak specifieke kenmerken, zoals kneuzingen in de vorm van een nummerplaat of een speciale bumper, of laksporen die afkomstig zijn van de auto. Als iemand van opzij is geraakt, is zijn been vaak ontwricht en is de vorm van de autobumper erin te zien. Wanneer het slachtoffer contact maakt met de auto, draait het om zijn as en legt het in de lucht een bepaald traject af. Ongevallenanalisten met kennis van auto's kunnen op basis daarvan berekenen hoe de voorkant van de auto in kwestie eruitzag.
Als er een verdachte auto wordt gelokaliseerd, kan hij met al deze

factoren worden vergeleken. Wordt er lak aangetroffen op het slachtoffer, dan kunnen onderzoekers het merk en het model van de auto identificeren via een databank voor autolak.
De contactpunten tussen voertuig en voetganger zullen in ieder geval altijd duidelijk zichtbaar zijn op het slachtoffer. Als de huid van het slachtoffer door de botsing is opengebarsten (wat zeer waarschijnlijk is, omdat er bij zulke ongevallen meestal sprake is van botbreuken en vaak zelfs van afgerukte lichaamsdelen), kunnen er bloedspetters op de auto zitten. Ook is het mogelijk dat er afdrukken of vezels van de kleding van het slachtoffer op het voertuig zijn achtergebleven.

Om meer te weten te komen over wat een aanrijding door een auto met een voetganger kan doen, wordt er vaak geëxperimenteerd met kadavers. Bij één zogenaamd impactonderzoek werd bijvoorbeeld bekeken wat de effecten zijn wanneer verschillende typen auto's een menselijk lichaam raken. Sommige kadavers droegen schoenen, andere niet. Dankzij de experimenten kwamen de onderzoekers meer te weten over zaken als de wrijving tussen de voetzool en het leer, de afstand die het lichaam aflegt na de botsing, de hoek waarin het door de lucht vliegt, de invloed van de botsing op de voorruit, de deuken in de auto en het type schade dat aan de onderbenen wordt toegebracht.

Forensische meteorologie

Bij de reconstructie van ongevallen en andere incidenten zijn soms ook meteorologen betrokken, die het weerbeeld op de dag van een ongeluk kunnen analyseren en daar verschillende conclusies uit kunnen trekken. Omgevingselementen kunnen grote invloed hebben op een onderzoek: soms kun je er het tijdstip van overlijden mee bepalen, er een alibi mee weerleggen of er de herinneringen van een getuige mee ondersteunen of tegenspreken. Aan de hand van gedocumenteerde gegevens kunnen meteorologen het

weer op een heleboel plekken gedetailleerd reconstrueren. Ook kunnen zij de weersvoorspellingen van een bepaalde dag achterhalen en interpreteren en iets zeggen over het effect van microklimaten. Als het weer op een bepaalde dag een wending nam die niet was voorspeld, kunnen ze berekenen welk effect dat heeft gehad op het incident in kwestie. Ook kunnen ze computergrafieken en grafische weergaven maken voor jury's.
Forensisch meteorologen gebruiken instrumenten als de Nexrad doppler-radar voor het meten van neerslag, satellieten voor het in kaart brengen van wolkenpatronen, onweer- en tornadodetectieapparatuur, weerkaarten en rapportages van stormspotters. Zij kunnen zowel in civiele zaken als in strafzaken vragen beantwoorden over door het weer veroorzaakte schade, menselijke nalatigheid tijdens bepaalde weersomstandigheden, door de wind verspreide giftige stoffen en vochtpatronen waarvan sprake zou zijn ten tijde van een incident.

In 1986 werd een arts, dr. Glen Wolsieffer uit Wilkes-Barre (Pennsylvania), in zijn huis aangetroffen door zijn broer Neil. Het leek erop dat hij was overvallen. Zijn vrouw was vermoord; zij lag boven. Volgens de arts was de dader door een bovenraam naar binnen gekomen, en een ladder die buiten tegen het huis stond leek zijn lezing te bevestigen. De politie vertrouwde de zaak echter niet en richtte haar aandacht uiteindelijk op de arts zelf. Toen ze zijn broer Neil opnieuw wilden verhoren over wat hij zich van de gebeurtenis herinnerde, pleegde die zelfmoord. Later bleek dat het huwelijk van dr. Wolsieffer slecht was geweest en dat hij zijn vrouw herhaaldelijk ontrouw was geweest. Bovendien stelde een patholoog vast dat de verwondingen van de man door hemzelf leken te zijn aangebracht. Ook een meteoroloog, dr. Joseph Sobel, kwam met veelbetekenend bewijsmateriaal. Hij deed onderzoek naar de luchtvochtigheid in de nacht van de vermeende inbraak en moord en concludeerde dat er die nacht genoeg dauw had moeten zijn om duidelijke voetsporen van de indringer op te leveren, maar op de foto's was daar niets van te zien. Bovendien zou ook de auto van de arts vochtig hebben moeten zijn als die de hele nacht op de oprit had gestaan, zoals Wolsieffer had beweerd. Deze was echter helemaal droog toen de rechercheurs hem onderzochten. Op basis van dit bewijs en een goede reconstructie van wat er mogelijk gebeurd zou kunnen zijn, slaagde de aanklager erin om Wolsieffer veroordeeld te krijgen voor doodslag, en hij ging de gevangenis in.

Biomechanica

De reconstructie van ongelukken blijft niet beperkt tot wat er op een autoweg, in een trein of in een vliegtuig is gebeurd. Veel ongelukken gebeuren thuis, soms met dodelijke afloop. Het team van Grissom onderzocht één zo'n ongeluk in de aflevering 'Bite Me', die gebaseerd is op het volgende waargebeurde verhaal. In North Carolina stond een man terecht wegens de moord op zijn vrouw, en de belangrijkste vraag was of uit het bewijsmateriaal kon worden opgemaakt of het om een brute vechtpartij of om een ongeluk ging.

Op 9 december 2001 kwam er rond 2:45 's ochtends bij de politie een telefoontje binnen vanaf 1810 Cedar Street in de wijk Forest Hills in Durham. De schrijver en columnist Michael Peterson was volledig in paniek omdat zijn vrouw zou zijn gevallen en onder aan de trap lag. Hij snikte en ademde als een man die volledig over zijn toeren is. Ambulancepersoneel kwam direct in actie en trof de 48-jarige Kathleen Peterson dood onder aan de trap aan. De muren van het trappenhuis zaten onder het bloed. Ook Peterson had bloed op zich, en hij liep in kringetjes rond. Hij vroeg of hij een advocaat nodig had.

Hoewel een arts in eerste instantie vaststelde dat het om een dodelijk ongeval ging, vond de politie dat de grote hoeveelheid bloed op de muren de zaak verdacht maakte. Een autopsie op het lichaam van Kathleen Peterson bracht zeven wonden op haar achterhoofd en verschillende kneuzingen op haar gezicht en hoofd aan het licht. Dat duidde erop dat ze was overleden als gevolg van klappen met een stomp voorwerp, die niet te rijmen waren met een val. De politie wist een huiszoekingsbevel te krijgen en nam computers en meer dan zestig andere objecten in beslag. Peterson nam advocaat David Rudolf in de arm. Hij werd gearresteerd en op borgtocht vrijgelaten, waarna hij terugkeerde naar het huis waar Kathleen om het leven was gekomen. Daar verzamelde hij elk bloeddruppeltje op en rond de trap zodat zijn deskundigen het konden onderzoeken.

In oktober 2002 maakte officier van justitie Jim Hardin jr. kenbaar dat hij het lichaam van Elizabeth Ratliff, een voormalige vriendin van Peterson en zijn eerste vrouw, graag wilde opgraven. Ook zij was namelijk – in het jaar 1985 – dood onder aan een trap aangetroffen. Een kindermeisje had haar gevonden, maar Peterson had haar de avond daarvoor naar huis gebracht na een etentje. Destijds werd een beroerte als doodsoorzaak aangewezen. Hardin wilde echter een tweede autopsie, ondanks het feit dat Ratliffs lichaam nog warm was toen het gevonden werd, vele uren nadat Peterson weer naar huis was gegaan. (Peterson nam de voogdij op zich van de twee dochters van Ratliff en heeft zelfs nu nog een hechte relatie met deze meisjes.) De opgraving en de autopsie werden uitgevoerd in april 2003, en de medisch onderzoeker concludeerde dat Ratliff het slachtoffer was geweest van moord.

In juli begon het proces tegen Peterson, dat vier maanden duurde. Hardin en onderofficier van justitie Freda Black hielden vol dat Peterson, een voormalig marinier, zijn vrouw had doodgeslagen met een pook die bij de open haard had gelegen en die op mysterieuze wijze uit het huis was verdwenen. Vervolgens zou hij het verhaal hebben verzonnen over de val van zijn vrouw. In het licht van de autopsieresultaten leek de positie van Peterson verdacht. Hardin zei dat hij niet per se met een motief hoefde te komen, maar hij vermoedde dat Peterson dat jaar niet veel had verdiend met zijn schrijfwerkzaamheden en dat het stel boven zijn stand leefde. Door Kathleen om te brengen, zou hij 1,8 miljoen dollar van de verzekering uitbetaald krijgen. Later in het proces voegde Hardin daar nog een ander motief aan toe: Kathleen, die elf jaar jonger was dan Michael, was erachter gekomen dat haar echtgenoot stiekem homoseksuele betrekkingen had en had daar ruzie met hem over gemaakt.

Het team van de verdediging, dat geleid werd door Rudolf, meende dat de hoofdwonden van Kathleen niet consistent waren met een afranseling. Ze had zuurstoftekort gehad door verwondingen aan haar hoofd die het gevolg waren geweest van een val van de trap. Dat ze zichzelf niet in veiligheid had kunnen brengen, was mede het gevolg van een avond drinken bij het zwembad. Terwijl haar echtgenoot nog bij het zwembad had gezeten, was ze op dunne plastic sandaaltjes de trap opgelopen, had een black-out gekregen, was achterover gevallen en had haar hoofd gestoten. Terwijl ze onder aan de trap lag te bloeden, had ze geprobeerd op te staan. Ze was uitgegleden over haar eigen bloed en opnieuw op haar hoofd gevallen. Kuchend en piepend had ze uit alle macht geprobeerd weer op te krabbelen, waarbij ze haar bloed over het hele trapgat had verspreid. De deskundigen gaven aan dat dit proces best een tijdje heeft kunnen duren. Omdat er geen bewijzen waren voor geweld tussen de Petersons en alles erop wees dat ze een goede relatie hadden, leek het onwaarschijnlijk dat Peterson zijn vrouw ineens zou zijn gaan slaan. Rudolf beweerde dat de aanklager pas vlak voor het proces gegevens had verzameld om zijn theorie over het motief te ondersteunen en dat er sowieso geen sprake was van voldoende financieel gewin om het motief te rechtvaardigen. Hij was van mening dat de politie van Durham rancune jegens Peterson koesterde, omdat deze een aantal jaren lang columns had geschreven waarin hij de plaatselijke politie had bekritiseerd vanwege de onbekwame manier waarop zij zaken afhandelde. Het was dus mogelijk dat ze het onderzoek zodanig hadden gestuurd dat ze hem in staat van beschuldiging konden stellen.

De belangrijkste factoren in het proces waren de hoeveelheid en de locatie van de bloedspetters (een stuk of 10.000 individuele spetters) en het aantal en de aard van de wonden op Kathleens schedel. (De politie beweerde ook dat zij via een screeningtest met luminol bloederige voetafdrukken had ontdekt die onder andere van het lichaam naar een aanrecht liepen, maar daar hadden ze geen foto's van genomen.) Een andere vraag was of Peterson andere dingen had gedaan terwijl zijn vrouw onder aan de trap lag

te sterven en niet direct een ambulance had gebeld, en waarom hij bloedspetters aan de binnenkant van zijn zwembroek had gehad. Van beide zijden moesten er deskundigen aan te pas komen om interpretaties te geven, waarna uiteindelijk zou worden bepaald of het om een moord of een ongeluk ging.
Een ambulanceverpleger die bij het huis was geweest, zei dat hij nog nooit zo veel bloed had gezien. Een deel ervan was volgens hem al droog geweest. Maar hij was geen deskundige en had nog maar één andere dodelijke val meegemaakt. Hij dacht dat Kathleen al enige tijd dood was geweest toen hij arriveerde, maar de rechter droeg de juryleden op om die opmerking niet in hun oordeel te laten meewegen.
De jury kreeg ook een door een forensisch onderzoeker gemaakte video van Kathleen te zien terwijl ze onder aan de trap lag. Daarop waren de sokken en schoenen van Michael naast het lichaam te zien, evenals een aantal bebloede handdoeken. Michael zou Kathleen hebben beetgepakt en vastgehouden, en zijn zoon zou hem hebben weggetrokken. Tijdens een kruisverhoor werd de onderzoeker in kwestie, Dan George, echter gedwongen om toe te geven dat hij een aantal fouten had gemaakt en dat de plaats van overlijden vervuild was geraakt. Belangrijke objecten waren niet als bewijsmateriaal beschouwd, en met een paar andere objecten was verkeerd omgesprongen. Bovendien waren er niet of nauwelijks aantekeningen gemaakt en had ook de politie de locatie geschonden.
De door de aanklager opgevoerde deskundige die licht moest werpen op Kathleens verwondingen, dr. Deborah Radisch, had de autopsie uitgevoerd en had bovendien een tweede autopsie gedaan op het lichaam van Elizabeth Ratliff. Radisch verklaarde dat er veel overeenkomsten bestonden tussen de twee sterfgevallen, en zei dat zij op basis van haar ervaringen met wonden geloofde dat Kathleen was doodgeslagen; een val zou in haar ogen nooit zo veel verwondingen kunnen veroorzaken. Ze zei dat Kathleen verdedigingswonden op haar handen had en gebroken kraakbeen in haar keel, wat erop wees dat iemand had geprobeerd haar te wurgen.

Peter 'Duane' Deaver, bloedsporendeskundige van het North Carolina Bureau of Investigation, had simulatie-experimenten uitgevoerd die dezelfde resultaten opleverden. Volgens hem duidden drie specifieke bloedpatronen erop dat Kathleen met een wapen was doodgeslagen: de bloedspetters die zich tot wel drie meter hoog op de aangrenzende muur van de hal bevonden, waren mogelijk afkomstig van een wapen dat was opgeheven om opnieuw toe te slaan; het bloed op de deurpost gaf aan dat Kathleen had gestaan, en de acht druppels bloed aan de binnenkant van Peters zwembroek werden gezien als bewijs dat hij dicht bij haar stond toen ze werd geslagen. Bovendien leek een bloedpatroon op de trap erop te wijzen dat het wapen daar was neergelegd. Deaver concludeerde dat Kathleen was aangevallen door iemand die een pook had gebruikt om haar te slaan en dat ze met iets in contact was gekomen dat zich in de lucht had bevonden, en niet met de muur. De pook was naar verluidt door Kathleens zus aan de Petersons cadeau gedaan.
Voor de verdediging gaf forensisch neuropatholoog dr. Jan Leetsma aan dat onder andere de snelheid van de val en de hoek van het hoofd de dood konden veroorzaken zonder sporen van *contrecoup* letsel op te leveren, zoals te verwachten zou zijn na een slag tegen het achterhoofd. Hij had in zijn loopbaan 257 mensen onderzocht die waren doodgeslagen en was van mening dat de verwondingen van Kathleen niet consistent waren met doodslag. Volgens hem was haar hoofd bovendien vier keer met een ander object in contact gekomen in plaats van zeven keer. Overlijden als gevolg van slagen met een pook strookte niet met zijn pathologische bevindingen, terwijl een val van de trap in zijn ogen wél mogelijk zou zijn.
De bekende criminalist dr. Henry Lee zei dat de bloedspetters duidden op een onopzettelijke dood; het herhaaldelijke gehoest van de stervende Kathleen zou een groot deel van de bloeddruppeltjes op de muren om haar heen kunnen verklaren. Hij kon doodslag niet uitsluiten, maar vond wel dat er verschillende feiten inconsistent waren met die theorie. Het belangrijkste daarvan was dat er geen sprake was van afdrukken op en/of schade aan de om-

liggende oppervlakken doordat er een pook van een meter lang in een kleine ruimte heen en weer zou zijn geslingerd. In reactie op de kritiek dat hij de door hemzelf ontwikkelde techniek om het vertrekpunt van bloedspetters te achterhalen niet had toegepast, zei hij dat zijn ervaren oog net zo goed was als technieken waarbij computers of touwtjes worden gebruikt. Bovendien bestond het vermoeden dat een deel van de bloedsporenpatronen was veranderd door de activiteiten van de forensisch onderzoekers. Hij bestreed dat de bloedsporen hoog op de muur van de aangrenzende hal alleen afkomstig konden zijn van een wapen en zette zijn getuigenverklaring kracht bij door hoestend verdunde ketchup op een wit paneel te spugen en daarmee verschillende patronen te produceren.

Dr. Faris Bandak, een biomechanisch onderzoekswetenschapper, gaf aan dat Kathleen zich op grondniveau had bevonden toen ze viel. Aan de hand van Kathleens lengte en gewicht en de afmetingen van de trap en het trapgat, had hij het verloop van het incident in kaart gebracht en een computeranimatie gemaakt van wat er volgens hem was gebeurd. In de animatie was te zien hoe Kathleen de trap op liep, achterover viel en met haar hoofd tegen een richel van de deurpost stootte. Vervolgens schampte haar hoofd de muur en sloeg het tegen de rand van een traptrede. Ze probeerde op te staan maar gleed uit en viel opnieuw, waarbij haar hoofd nogmaals verschillende oppervlakken raakte. Hij bestreed dat een object als de pook haar verwondingen had kunnen veroorzaken, maar leek niet in staat om de kneuzingen in haar gezicht te verklaren.

Rudolf had ook nog een verrassing in petto. De aanklager had beweerd dat het moordwapen, de pook, was verdwenen, maar de advocaat kwam met een pook op de proppen die volgens hem een paar dagen eerder in de garage van de Petersons was gevonden. Het was een pijnlijk moment voor de onderzoekers; die hadden verklaard dat de pook nergens was aangetroffen. Desalniettemin was het ding duidelijk niet gebruikt om iemand mee dood te slaan, en de aanklager kon geen alternatief wapen bedenken. Hij beweerde echter dat de pook die Rudolf had laten zien niet de enige in het huis was geweest.

Dr. James McElhaney, een emeritus-hoogleraar techniek, getuigde op zijn beurt dat de verwondingen van Kathleen niet consistent waren met een val. Hij geloofde dat ze waren veroorzaakt door iets lichts en cilindrisch, en hij had de benodigde snelheid daarvan berekend, die meer paste bij slagen dan bij een val. Hij gaf echter toe dat het scenario van de verdediging niet onmogelijk was.
Ook dr. Saami Shaibani, een natuurkundige, meende op basis van experimenten die hij had uitgevoerd met proefpersonen die op zijn verzoek achterovervielen om te kijken waar ze de grond raakten, dat Kathleen niet gevallen had kunnen zijn. Tijdens het proces rezen er echter twijfels over de geloofwaardigheid van Shaibani, en zijn getuigenverklaring werd geschrapt.
Medisch onderzoeker John Butts, de baas van dr. Radisch, verklaarde dat Kathleen niet voldoende bloed in haar longen had gehad om zo veel bloed te hebben kunnen ophoesten. Hij erkende dat Kathleen genoeg valium en alcohol had ingenomen om een black-out te kunnen krijgen en van de trap te kunnen vallen.
In zijn slotbetoog benadrukte Hardin dat het slachtoffer 38 afzonderlijke verwondingen aan haar gezicht, schedel, rug, handen en polsen had, die volgens hem zelfs niet door twee afzonderlijke valpartijen konden worden verklaard. Hij was van mening dat het betoog van de verdediging intuïtief onaannemelijk was. Een fictieschrijver als Peterson verzint dingen, en in dit geval had hij het scenario van een ongeluk gefabriceerd. Hardin hield zich op de vlakte over de pooktheorie, en onderstreepte dat de twee dodelijke trapongevallen in Petersons leven met elkaar te maken moesten hebben. Vervolgens noemde hij woede als motief – Kathleen zou boos zijn geworden om een homoseksuele affaire – en maakte hij melding van het feit dat Peterson nadat hij zijn vrouw had gevonden zijn e-mail had gecontroleerd – gedrag dat niet echt voor de hand ligt voor een rouwende weduwnaar. Het financiële motief liet hij achterwege.
Ook de getuigen van de verdediging hadden een aantal veelbetekenende argumenten. Rudolf voerde in zijn slotbetoog een tiental redenen aan voor twijfel: het veronderstelde moordwapen was niet gebruikt, er was geen geloofwaardig motief, er was geen spra-

ke geweest van gewelddadigheden in het verleden, er waren geen hersenletsel of schedelbreuken aangetroffen, de bloedspetters op de muren waren niet veroorzaakt doordat Kathleen met een stomp voorwerp op haar hoofd was geslagen, er zat geen bloed op Petersons hemd of bril, het bloed in zijn zwembroek zat aan de achterkant, het technisch onderzoek was amateuristisch uitgevoerd en de informatie die het had opgeleverd was onbetrouwbaar. Volgens Rudolf had de staat zich gebaseerd op pseudowetenschap, had zij een overhaaste conclusie getrokken en was ze vervolgens op zoek gegaan naar bewijsmateriaal dat die conclusie ondersteunde.

De juryleden hadden er zes lange dagen voor nodig om tot hun conclusies te komen, en ondertussen bespraken rechtbankverslaggevers de standpunten van beide kanten. Op 10 oktober 2003 verklaarde de jury Michael Peterson schuldig aan moord. Hij kreeg levenslang zonder mogelijkheid tot vervroegde vrijlating.

Tim Palmbach, de directeur van het Forensic Science Program van de University of New Haven, die als criminalist voor de verdediging was opgetreden, was verrast door het vonnis. Hij vond dat het redelijk was geweest om te verwachten dat Peterson zou worden vrijgesproken. Hij en dr. Lee hadden samen aan de zaak gewerkt, en ze waren ieder verantwoordelijk geweest voor een deel van de verdediging.

'De kern van ons team,' zei Palmbach, 'bestond uit mijzelf voor de overkoepelende aansturing en besluitvorming, dr. Henry Lee voor de bloedsporenanalyse, Werner Spitz voor pathologie (hoewel hij zich al snel terugtrok en we hem niet hebben vervangen) en de forensisch neuropatholoog Jan Leetsma. De biomechanische kant werd vertegenwoordigd door dr. George Bandak, die zich boog over de vraag of Kathleens verwondingen consistent waren met de feiten over de energie en de omgeving van de trap. We zijn als team vele malen bijeengekomen.

Het was mijn taak om me samen met dr. Lee over de bloedsporen te buigen, maar ik heb ook gekeken naar de manier waarop de plaats van het incident is behandeld door politie en justitie. Hoe hebben ze die afgesloten? Hebben ze dat überhaupt wel gedaan?

Hoe zijn ze ermee omgegaan? Hebben ze de juiste methoden gebruikt om bewijsmateriaal te verzamelen en om sporen zichtbaar te maken? Hebben ze op een holistische en objectieve manier naar het bewijsmateriaal gekeken en hun theorie ontwikkeld? Met andere woorden: hebben ze zich aan een reconstructiemodel gehouden waarin alle correcte gegevens zijn meegenomen en zijn ze op de geëigende manier tot een hypothese gekomen, of hebben ze gewoon geprobeerd een manier te vinden om hun onvolledige theorie op onwetenschappelijke wijze kracht bij te zetten? Omdat dr. Lee voor de verdediging de belangrijkste getuige was op het gebied van de bloedsporen, heb ik de rol op me genomen van consultant bij de ondervraging van Deaver. Ik heb geholpen met het voorbereiden van de verklaring van de verdediging over de bloedsporen, maar ik heb zelf ook een getuigenverklaring afgelegd over zaken die betrekking hadden op de plaats delict.
In mijn ogen hebben we op een wetenschappelijke manier onderuitgehaald wat zij hebben gedaan en hoe ze tot hun 'hypothese' zijn gekomen, en op het allerlaatste moment hebben we bewezen dat het veronderstelde moordwapen niet het moordwapen was. Maar tegelijkertijd was het primair de strategie van de verdediging om die twee factoren van elkaar te scheiden en de dubbelzinnigheid ervan te benadrukken. Door verschillende deskundigen van de verdediging werd een plausibele theorie geschetst: dood als gevolg van een val van de trap. Veel van wat er in dat trapgat is gebeurd, bleef echter een mysterie. We hebben geen wetenschappelijk onderbouwde alternatieve theorie geformuleerd. Technisch gesproken zou dit genoeg moeten zijn voor gerede twijfel, maar in dit geval bleek dat niet op te gaan. De bloedsporen vormden zo'n gecompliceerde reeks patronen dat ze alleen maar konden worden verklaard aan de hand van een gecompliceerde reeks gebeurtenissen.
Een van de belangrijkste delen van de plaats van het incident was de muur aan de noordzijde, onder aan het trapgat. Daarop bevonden zich de meeste bloedsporen. Op die muur zaten ongeveer vierduizend bloeddruppels van een tot drie millimeter groot. Er was een mengeling op zichtbaar van bloedspetters, bloedvlekken,

bloedvegen, bloed dat was overgebracht door contact met een ander object en zelfs een laagje van wat volgens mij luminol was, hoewel de onderzoekers ontkenden het daar gebruikt te hebben. Terwijl dat dus allemaal op één muur zat, kwam hun deskundige slechts met een heel beperkte reconstructie. Hij zei: "Ik neem een kleine selectie van druppels van die muur, verbind ze met touwtjes met hun plaats van herkomst, maak ze duidelijk zichtbaar en laat jullie zien op welke twee plekken Kathleen in contact is geweest met die muur." Ons tegenargument was dat hij maar 42 druppels had geselecteerd, terwijl er vierduizend op die muur zaten. We wilden weten hoe hij zo zeker wist dat zijn selectie representatief was voor het hele beeld. Waarom zou het niets betekenen als er meer dan drieduizend negenhonderd druppels niet in dat beeld pasten? Je kon zien dat ze tijdens het onderzoek niet precies hadden geweten wat ze moesten doen, omdat er op de muur een stuk of zestig druppels omcirkeld waren waarvan er een aantal was doorgekrast, terwijl sommige hetzelfde nummer hadden als andere en weer andere helemaal niet waren genummerd. Bij sommige druppels stonden streepjes, wat de tweedimensionale manier is om convergentiepunten aan te geven, en bij andere niet. Iedereen die op dat vakgebied werkzaam is, zou de indruk hebben gekregen dat men hier chaotisch of kortzichtig bezig was geweest. Dat was voor mij het moment waarop het niet meer wetenschappelijk was. Als je objectief te werk gaat, zijn verwarrende gegevens uiterst bruikbare gegevens. Wie een hypothese toetst die niet opgaat, zegt niet dat hij heeft gefaald, maar zegt: "Dit is geen plausibele theorie. Ik moet mijn hypothese opnieuw definiëren." Als ze dat hadden gedaan, hadden ze waarschijnlijk de juiste parameters achterhaald van wat zich daar in dat trapgat heeft afgespeeld en hadden ze zich gerealiseerd dat de gebeurtenissen complex waren en zich over een langere periode hebben afgespeeld. Er was sprake van een reeks gebeurtenissen met een verschillende dynamiek. Wat dr. Lee met zijn ophoesten van ketchup probeerde over te brengen, was dat veel van de gebeurtenissen niet toe te schrijven waren aan een fysieke afranseling door een mens, maar dat er een heleboel kon worden verklaard doordat er sprake was van iemand die onder het bloed zat en die voor haar leven vocht. Tijdens onze teambijeenkomsten bleek dat de bevindingen van dr. Leetsma relevant waren voor onze theorie. Als gevolg van de vorming van rode neuronen had Kathleen zuurstofgebrek gehad dat vermoedelijk was veroorzaakt door haar hoofdletsel, en ze had nog urenlang geleefd. Leetsma wist dat vanuit neuropathologisch perspectief te bewijzen. We wisten dat veel van de bloedpatronen zich hadden gevormd doordat Kathleen had gehoest en gehijgd, in plassen bloed was gevallen en met haar haar had geschud. Dat zou tijd hebben gekost, en die had ze gehad. Michael Peterson zei dat hij ongeveer drie kwartier bij het zwembad was geweest nadat zij het huis was binnengegaan, en er was niemand anders in huis. Misschien heeft ze wel om hulp geschreeuwd, maar het zwembad was helemaal aan het einde van een pad aan de achterkant van het huis.

Ons meest overtuigende argument was denk ik dat de verwondingen niet kenmerkend waren voor slagen met een stomp, staafachtig voorwerp, en dat het aannemelijker was dat Kathleens hoofd in contact was gekomen met een plat, breed, hard oppervlak. Toen we ons verdiepten in de gecompliceerde bloedpatronen, het gebrek aan het juiste type afdrukken, de dynamiek en de beperkte afmetingen van het trapgat en de onjuiste theorie van de tegenpartij over de pook, was het volstrekt duidelijk dat er onmogelijk sprake had kunnen zijn van moord met behulp van een stomp voorwerp. Hoe verder we die hypothese uitwerkten, hoe overtuigender zij werd. Dat wil niet zeggen dat het uitgesloten was dat Michael Peterson met zijn vrouw had gevochten en dat haar hoofd tijdens het gevecht de trap en de vloer had geraakt. Had dat de verwondingen aan haar hoofd kunnen veroorzaken? Ik denk het wel. Ze hadden geen definitieve doodsoorzaak. Ze gingen uit van hoofdletsel aangebracht door een stomp voorwerp, bloedverlies en daardoor de dood. Maar postmortaal onderzoek naar het hoofdletsel leverde geen duidelijke medische diagnose op die haar dood zou kunnen verklaren.

De juryleden waren bevattelijk voor het motief van Petersons biseksuele relatie en dat Kathleen zich daaraan had gestoord. Blijkbaar vonden ze dat een solide motief, hoewel Hardin en de zijnen in eerste instantie van een financieel motief uit waren gegaan. Toen ze daar tijdens de verhoren zo vreselijk naast bleken te zitten, kozen ze voor een ander motief. Michael Peterson zei echter dat hij voor zijn huwelijk ook al biseksueel was geweest. Hij had daar nooit een geheim van gemaakt, en hoewel zijn vrouw er niet blij mee was, wist ze er wel vanaf.

Duane Deaver bouwde een model van de trap. Dat vond ik een uitstekend idee. Maar vervolgens is hij zijn theorie gaan toetsen door 38 ongerelateerde, afzonderlijke experimenten uit te voeren die geen enkele relevantie hadden voor de expliciete theorie van de staat. Hij wist niet hoeveel bloed hij gebruikte – hij deed er maar een gooi naar. Hij wist niet waarom hij een specifiek wapen gebruikte; hij voerde als enige reden aan dat hij wilde bekijken hoe het resultaat eruitzag. De foto die hij uiteindelijk presenteerde vormde de optelsom van al zijn 38 experimenten. Hij had niet meer dan een stuk of 7500 druppels bloed weten te creëren. Toch was hij bereid om te zeggen dat de dood van Kathleen het resultaat was geweest van een reeks contactmomenten tussen haar hoofd en een houten of metalen pen van ongeveer 1,25 centimeter dik. Zijn eigen resultaten spreken dat nota bene tegen. Maar het leek hem geen bewijs dat zijn theorie foutief was.

Hij verklaarde zelfs dat hij geen enkele foto had gemaakt of zijn werk op enig andere manier had gedocumenteerd. Waarom zou een objectieve deskundige dat nalaten, tenzij hij weet dat hij fout zit en achteraf geen kritiek over zich heen wil krijgen? We confronteerden hem met die muur en zeiden: "Hier zitten vierduizend bloeddruppels op. Jij hebt zestig druppels omcirkeld, maar er slechts 42 geanalyseerd. Waarom?" En zijn antwoord daarop was: "Ik weet niet waar jullie het over hebben."

De politie heeft Michael ook toestemming gegeven om naar de trap terug te gaan, een tree boven haar te gaan zitten, haar op zijn schoot te trekken en haar hoofd vast te houden. Intussen huilde hij en lag zijn mobiele telefoon naast hem. Dat is een gigantische misser geweest, en ze moesten uiteindelijk toegeven dat de vlekken op de binnenzoom van zijn zwembroek uiterst moeilijk te analyseren waren. Zodra ze hem haar bebloede hoofd in zijn schoot hadden laten houden, konden ze er niets meer mee. De contaminatie was te groot geworden om er nog een betekenisvolle interpretatie aan te geven.

Verder zijn de onderzoekers niet goed omgegaan met de afdrukken. Stel dat ze een aantal bloederige afdrukken hadden gevonden van Kathleen, en geen van Michael. Dat zou heel veel hebben gezegd over wie de bewegende eenheid was. Maar wat als de afdrukken van allebei waren? Dat had de zaak misschien wel kunnen oplossen.

Bij onze reconstructie werden we beperkt door hun fouten. Ze hadden van alles verkeerd gedaan met het bewijsmateriaal, en wij moesten het ermee zien te doen. Naar de dingen die de onderzoekers ons niet wilden vertellen moesten we gissen, en we moesten speculeren over wat er door hun toedoen zou kunnen zijn veranderd. Ze hebben hun onderzoek niet gedocumenteerd en hebben niet al het patroongerelateerde bewijsmateriaal uitgewerkt. We moesten zeggen dat er een heleboel vraagtekens waren die wij niet konden verklaren en die we ook niet per se wilden onderzoeken. Dat is de realiteit als je iemand verdedigt: als iets potentieel belastend is voor je cliënt, ga je geen eigen tests uitvoeren. We moesten genoegen nemen met een beperkte reconstructie. Dan eindig je met een heel algemene theorie van de zaak die niet erg overtuigend klinkt. Als je daarbij optelt dat de zaak, ook als alles correct was verlopen, sowieso al complex was, zul je nooit tot een definitief resultaat kunnen komen.

Bij een reconstructie is ervaring niet het enige wat telt. Het gaat er ook om dat je objectief en wetenschappelijk te werk gaat. Op je intuïtie afgaan is niet goed genoeg. Waar deze zaak in mijn ogen op is stukgelopen, is dat we een rechtssysteem hebben waarin een zaak niet per se wetenschappelijk hoeft te worden benaderd. Dat is gevaarlijk.

Waarom leek het vonnis in tegenspraak met het fysieke bewijsmateriaal en met de verklaringen van getuigen-deskundigen? Dat lijkt te komen door de manier waarop het verhaal van beide partijen op de juryleden overkwam. Toen een paar juryleden na de uit-

spraak werden ondervraagd, gaven ze een onverwachte rechtvaardiging voor hun vonnis. Nadat ze de verklaringen van de getuigen-deskundigen hadden uitgezeten – of zich er daadwerkelijk in hadden verdiept – besloten ze die direct in hun geheel naast zich neer te leggen. Ze zeiden onder andere dat ze dat hadden gedaan omdat ze verwarrend en technisch waren. Wat het motief betreft accepteerden ze de hypothese dat Kathleen Peterson zo ontstemd was geweest na de ontdekking van een homoseksuele affaire tussen Michael en een andere man (er waren geen bewijzen dat ze er al eerder vanaf wist) dat ze ruzie hadden gemaakt en er een gevecht was ontstaan, dat geëindigd was in Kathleens dood. Blijkbaar had dat hun het meest logisch in de oren geklonken.
De juryleden hadden natuurlijk behoefte aan een definitieve doodsoorzaak. Aangezien er geen direct bewijsmateriaal was dat daarin kon voorzien, zijn ze waarschijnlijk voor een moordzaak gegaan nadat ze hadden gehoord dat Elizabeth Ratliff een jaar of twintig geleden ook al onder verdachte omstandigheden was gestorven.'
Deze discussie maakt duidelijk dat er voor het oplossen van sommige zaken veel meer nodig is dan technische gegevens alleen. Daarom kijken we in het volgende hoofdstuk naar de manier waarop psychologische analyses worden ingezet bij het ophelderen van onduidelijke sterfgevallen.

9 Complicerende variabelen

Het tweede seizoen van CSI-M opende met de aflevering 'Golden Parachute', waarin het lichaam van een vrouw werd ontdekt op een aantal kilometers afstand van de plek waar een vliegtuigje met de voormalige reisgenoten van het slachtoffer was neergestort. Het scenario was onduidelijk: er zou sprake kunnen zijn geweest van een mechanisch defect (een ongeluk of sabotage), van een sprong uit het vliegtuigje (zelfmoord) of van een duw (moord of doodslag). De techniek waarmee deze invalshoeken worden onderzocht, heet psychologische autopsie. Dit begrip, dat ook wel bekendstaat als 'retrospectieve doodsevaluatie', 'reconstructieve evaluatie' of 'analyse van onduidelijke sterfgevallen', heeft betrekking op een specifieke methode die wordt gebruikt om iemands leven te bestuderen – specifieker gezegd: het leven van een dode.

De analyse van een sterfgeval

Bij het opstellen van een overlijdensakte moeten er altijd drie zaken worden vastgesteld: de doodsoorzaak, het mechanisme van overlijden en de wijze van overlijden. De doodsoorzaak is het instrument of het fysieke middel dat is gebruikt om de dood te laten intreden (zoals kneveling), het mechanisme is het pathologische agens in het lichaam dat in de dood heeft geresulteerd (zuurstofgebrek) en de wijze van overlijden wordt, volgens de NASH-classificatie, onderverdeeld in natuurlijke dood (Natural), dood door ongeval (Accident), moord (Homicide) of zelfmoord (Suicide). Soms kunnen de doodsoorzaak en het mechanisme van overlijden eenvoudig worden vastgesteld, maar de wijze van overlijden niet.

Dan komt er 'onduidelijke doodsoorzaak' in de boeken te staan. Bij sommige van deze gevallen wordt 'onduidelijk, nog niet afgesloten' genoteerd, wat betekent dat er nog nader onderzoek zal moeten plaatsvinden.

In de bossen van Tennessee werd een jager doodgeschoten aangetroffen. Het leek erop dat hij over een boomwortel was gestruikeld en zodanig was gevallen dat zijn geweer was afgegaan, met een voor hem dodelijke afloop. De politie stond op het punt om de zaak af te sluiten, maar de medisch onderzoeker was van mening dat de wond en de uiteindelijke positie van het lichaam niet helemaal bij een ongeluk pasten. Ze dacht dat het misschien om een zelfmoord ging die op een ongeluk had moeten lijken. Daardoor zou het gezin recht hebben op verzekeringsgeld. De man was echter een succesvol bankier geweest en had nooit aan depressies geleden of suïcidale neigingen gehad. Zijn familie kon geen enkele reden bedenken waarom hij zichzelf van het leven zou hebben beroofd. Maar toen de arts verschillende experimenten uitvoerde waarbij mensen over de boomwortel vielen, bleken de resultaten daarvan inconsistent met de manier waarop het slachtoffer was gevonden en met de kogelbaan. Ze kon zich er niet toe zetten om het sterfgeval als een ongeluk te bestempelen, maar ze kon ook niet bewijzen dat het een zelfmoord was geweest, dus noteerde ze uiteindelijk 'onduidelijke doodsoorzaak'.

Ook in de aflevering 'Who Shot Sherlock' (*CSI-LV*) werd een dummy gebruikt om de werkelijke toedracht van de dood van een man te achterhalen. De onderzoekers wilden vaststellen of hij betrokken was geweest bij een auto-ongeluk, de hand aan zichzelf had geslagen of was vermoord. Vaak kan zo'n reënscenering duidelijk maken of er iets vreemds is aan een vermeend ongeval. Zo ja, dan kunnen er verdere stappen worden ondernomen om de gemoedstoestand van het slachtoffer te onderzoeken voordat het overleed. Bij een medische autopsie wordt meestal de doodsoorzaak vastgesteld door de fysieke toestand van het lichaam te bestuderen. In gevallen waarin de wijze van overlijden niet kan worden vastgesteld en onduidelijk is wat er precies is gebeurd, kan een psychologische autopsie het mysterie helpen oplossen. Het doel van deze procedure is om te achterhalen hoe het slachtoffer zich voorafgaande aan zijn dood gedroeg en wat zijn gemoedstoestand was. De resultaten van een psychologische autopsie kunnen nodig zijn bij het verkrijgen van duidelijkheid over strafzaken, misdrijven, onroerend-goedzaken, medische fouten of verzekeringsclaims. Als de omstandigheden rond een sterfgeval op meerdere manieren geïnterpreteerd kunnen worden, kunnen psychologen achteraf een beeld schetsen van het gedrag, de psychische toestand en de potentiële motieven van het slachtoffer.

Bij 5 tot 20 procent van de sterfgevallen in de Verenigde Staten is de toedracht onduidelijk, maar bij de meeste daarvan gaat het om de keuze tussen een ongeval of zelfmoord. Moord is minder vaak een optie. Meestal is het erg belangrijk om te weten hoe iemand is overleden. Elke familie hoort liever dat de dood van een adolescent een ongeluk is dan dat hij of zij zelfmoord heeft gepleegd, en bij oudere mensen is de uitbetaling van verzekeringsgeld er vaak van afhankelijk. De psychologische informatie kan invloed hebben op het eindoordeel.

In het kader van een onderzoek uit 1986 kreeg bijna de helft van de medisch onderzoekers in de Verenigde Staten (195 van de 400) scenario's van duidelijke en dubbelzinnige sterfgevallen voorgelegd met de vraag of ze die wilden analyseren. Naast standaard informatie over het overlijden kreeg de helft van hen ook informatie over een psychologische autopsie. Deze groep kreeg bijvoorbeeld te horen of er sprake was geweest van depressies of suïcidale neigingen. Bij de duidelijke zaken had de extra informatie geen effect op de medisch-juridische besluitvorming, maar bij de dubbelzinnige zaken speelde zij een belangrijke rol bij de vaststelling van de wijze van overlijden. Deze uitkomsten onderstrepen het belang van het verzamelen van psychologische informatie die licht kan werpen op de manier waarop iemand is overleden.

De psychologische autopsie kwam voor het eerst in beeld in 1958, dankzij de frustraties van een lijkschouwer uit Los Angeles. Theodore Curphy, de County Chief Medical Examiner van Los Angeles, werd in die tijd overspoeld door drugsgerelateerde sterfgevallen. Vaak was het niet duidelijk of het ging om zelfmoord of om een onbedoelde overdosis, dus schakelde hij de hulp in van Edwin S. Shneidman en Norman Faberow, de directeuren van het Los Angeles Suicide Prevention Center. In 1961 introduceerde Shneidman de term 'psychologische autopsie' in een artikel, waarin hij zestien categorieën onderscheidde die bij dat proces van belang waren. Dat leverde echter nog geen standaard procedures op, hoewel psychologen inmiddels een richtlijn hebben opgesteld waarin 26 belangrijke aandachtsgebieden worden onderscheiden. Dat zijn onder andere veranderingen in eet- of slaappatronen, dreiging met zelfmoord, veranderingen in de gemoedstoestand en gedrag dat erop duidt dat iemand belangrijke zaken aan het afsluiten is.

Om een sterfgeval als een potentiële zelfmoord te kunnen beschouwen, moeten er bewijzen zijn dat het letsel in kwestie door het slachtoffer aan zichzelf kan zijn toegebracht en moet er kunnen worden vastgesteld dat het slachtoffer de consequenties van zijn of haar gedrag overzag. Dat betekent dat er informatie moet worden verzameld over de laatste uren, dagen en weken van de persoon in kwestie. Soms gebeuren er echter ook auto-erotische incidenten, waarbij mensen eigenlijk streven naar erotische bevrediging maar die zo gevaarlijk zijn dat ze onbedoeld tot de dood kunnen leiden. Deze incidenten lijken vaak op zelfmoord; Nick Stokes overtuigde een echtgenote er bijvoorbeeld van dat haar man zichzelf van het leven had beroofd, terwijl hij duidelijk betrokken was geweest bij een auto-erotisch incident. Voordat uiteindelijk kan worden vastgesteld dat iemand zelf bewust de hand heeft gehad in zijn dood, moet er dus met allerlei factoren rekening worden gehouden.

Een grondige bestudering van de plaats van het incident kan aanwijzingen opleveren over de vraag in hoeverre iemand bewust uit was op zijn eigen dood – een afgelegen plaats en het gebruik van een wapen duiden daar eerder op dan langzaam werkende pillen op een plek waar de kans groot is dat het slachtoffer wordt ontdekt. Soms hebben mensen die de overledene kenden een reden om te verzwijgen wat er is gebeurd, dus moet de onderzoeker ook goed door leugens kunnen heen prikken. In sommige gevallen zijn de resultaten ondubbelzinnig, terwijl er in andere gevallen niet met zekerheid uitspraken kunnen worden gedaan over de voorafgaand aan zijn dood heersende gemoedstoestand van de overledene.

Op een begraafplaats in Pennsylvania werd een man aangetroffen die in brand stond. Hij stierf op weg naar het ziekenhuis. De doodsoorzaak was koolmonoxide, en het mechanisme was beschadiging van de longen als gevolg van inhalatie. In eerste instantie werd het incident afgedaan als een zelfmoord. De man had een verleden van geestesziekte en woonde in de buurt van het kerkhof. Het vermoeden was dat hij was gestopt met het innemen van zijn medicijnen, psychotisch was geworden en zichzelf in brand had gestoken. Mensen die hem kenden bleven er echter bij dat dat een overhaaste conclusie was. Bij nader onderzoek bleek dat hij eerder die week door bullebakken uit de buurt was mishandeld omdat hij homofiel was. Het was dus mogelijk dat hij was vermoord. Een andere mogelijkheid was dat hij zichzelf per ongeluk in brand had gestoken. Het incident bleek te hebben plaatsgevonden naast het graf van een familielid, dus afgaande op vergelijkingen met soortgelijke zaken leek het toch het meest waarschijnlijk dat het om zelfmoord ging.

Niet alle zaken zijn zo eenvoudig op te lossen. In de aflevering 'Overload' (*CSI-LV*) is een bouwvakker op mysterieuze wijze om het leven gekomen en moet het team vaststellen of het om een ongeluk, een zelfmoord of een moord gaat. Ook in het echte leven is soms sprake van zaken waarbij beurtelings wordt gedacht aan moord, zelfmoord of een ongeluk. Hieronder gaan we nader in op zo'n zaak om te laten zien hoe moeilijk de interpretatie van een sterfgeval soms kan zijn.

Verwarring

In Portland (Oregon) ging een jong stel op een avond op pad om zich te bedrinken. Het was het jaar 1995. Nadat de 27-jarige David Wahl en de 23-jarige Linda Stangel elkaar hadden ontmoet, hadden ze een relatie gekregen, maar volgens Linda bestond die relatie grotendeels uit samen drinken.
Op 12 november om drie uur 's ochtends besloten ze naar het Ecola State Park aan de kust van Oregon te rijden, waar ze halverwege de ochtend aankwamen. In het gebied bevinden zich hoge kliffen, en het kan een gevaarlijke plek zijn om te gaan wandelen. Langs het rotsachtige pad, dat zich meer dan honderd meter boven de oceaan bevindt, loopt geen reling. Toen ze in hun bestelwagen zaten, had David volgens Linda besloten om een wandelingetje te maken. Hij zei dat hij over tien minuten terug zou zijn. Op een langere wandeling was hij ook niet gekleed; het was een frisse ochtend. Hij pakte nog een blikje bier voor onderweg en ging op pad. Zij wachtte in de auto. Er gingen tien minuten voorbij, en vervolgens twintig. Linda zei dat ze gefrustreerd raakte. Ze viel in slaap, werd weer wakker en ontdekte dat David nog steeds niet terug was. Ze besloot naar huis te rijden. Daar controleerde ze haar antwoordapparaat, in de verwachting dat hij gebeld had, maar er was geen boodschap van hem. Rond acht uur die avond belde ze haar zus om te vertellen wat er was gebeurd, en daarna belde ze de politie. David was inmiddels al zeven uur spoorloos.
Linda's moeder begreep het wel. Haar eigen echtgenoot, Linda's vader, deed vaak zulke dingen als hij gedronken had. Dan verdween hij gewoon een paar dagen. Linda belde ook de moeder van David, die niet zo begripvol was en die naar de kust wilde om hem te gaan zoeken.
De politie, vrijwilligers en Davids familie gingen naar het park en zochten het hele gebied nauwkeurig af, maar er was geen spoor van hem te bekennen. Linda scheen geen hand uit te steken, en haar gedrag ergerde hen. Niemand kon geloven dat ze hem daar gewoon had achtergelaten; hij had niet eens een jas aan gehad.
Er verstreek een week, en er was nog steeds geen teken van leven

van David. De politie vreesde het ergste. Linda verliet de staat en ging naar haar familie in Minnesota. Na twee weken werd het zoeken gestaakt.
Meer dan een maand later spoelde er 100 kilometer noordwaarts, in Washington State, een mannenlichaam zonder hoofd aan. In mei 1996 werd het aan de hand van een vingerafdruk en een deel van het kaakbeen geïdentificeerd als David Wahl. Zijn dood werd bestempeld als zelfmoord. Men ging ervan uit dat hij de oceaan in was gegaan, ofwel vanaf de klif ofwel vanaf het strand, op een dag dat het te koud was geweest om te zwemmen. Hij was onder invloed van alcohol geweest, dus misschien wist hij niet wat hij deed, maar het was ook mogelijk dat hij ontevreden was geweest met zijn relatie met Linda.
De ouders van Wahl waren zeer verontwaardigd over deze conclusie. Ze bleven volhouden dat David zoiets nooit zou hebben gedaan. Volgens hen was hij op zijn minst uitgegleden en per ongeluk in zee gevallen. Ze eisten een uitgebreid onderzoek; ze vermoedden dat Linda nog iets wist wat ze niet wilde prijsgeven. Omdat David en Linda een tijdje bij hen hadden ingewoond, wisten ze dat de twee ruzie hadden gehad en hun relatie bijna hadden verbroken.
Maar Linda bevond zich buiten het bereik van de politie. Ze had al met succes een leugentest doorstaan, dus er was geen goede reden om haar terug te laten komen. De officier van justitie van Clatsop County wilde haar echter nog een keer spreken, dus lokten ze haar naar de staat onder het voorwendsel van een herdenkingsdienst voor David. Ze deed zoals ze hadden gehoopt.
Linda werd gearresteerd en weer mee naar het park genomen, waar haar werd gevraagd de gebeurtenissen van die dag te reconstrueren; het was inmiddels acht maanden na het incident. Twee rechercheurs lieten haar de meer dan honderd meter hoge klif met hen beklimmen en probeerden haar te dwingen op te biechten wat er was gebeurd. Plotseling, boven op die klif, veranderde ze haar verhaal.
David was teruggekomen naar de auto, gaf ze toe, en ze waren samen het pad op gelopen. Hij had haar een duwtje gegeven om

haar bang te maken en zij had ook hem geduwd, waardoor hij onbedoeld zijn evenwicht verloor op een gevaarlijke plek en te pletter was gevallen op de rotsen onder hen. Ze had er niets over gezegd, uit angst dat zij de schuld zou krijgen. Ze herhaalde haar verhaal op band en vertelde het later ook aan de officier van justitie.

Nu werd de dood van David Wahl gezien als een ongeluk. Toch was zijn familie er nog steeds niet tevreden mee, en dat gold ook voor officier van justitie Joshua Marquis. Hij beschuldigde Linda van doodslag en dagvaardde haar voor een proces. Ze verklaarde onschuldig te zijn.

Tijdens het proces veranderde Linda haar verhaal echter opnieuw. Ze zei dat ze het verhaal over de duw had verzonnen omdat ze hoogtevrees had en het in haar ogen de enige manier was geweest om van de klif af te komen. Haar advocaat schakelde een deskundige in om de jury duidelijk te maken dat de rechercheurs een bekentenis bij haar hadden afgedwongen door haar extreme angst aan te jagen; hij vond dat de bekentenis ongeldig moest worden verklaard. Linda vertelde de jury haar oorspronkelijke verhaal en legde uit waarom ze het tweede verhaal had verzonnen.

De juryleden accepteerden het niet. Op 16 januari 1997 werd Linda veroordeeld tot zes jaar gevangenisstraf voor doodslag.

De dood van David Wahl werd dus in eerste instantie beschouwd als een zelfmoord, later als een ongeluk en uiteindelijk als een moord. Desalniettemin blijven er vraagtekens bij deze zaak.

Methoden

Volgens sommige professionals op het gebied van geestelijke gezondheid neemt het uitvoeren van een uitgebreide psychologische autopsie ongeveer twintig tot dertig uur in beslag, terwijl andere van mening zijn dat het veel meer tijd kost. De hoeveelheid tijd die eraan wordt besteed hangt af van het doel, en vaak ook van de beschikbare tijd en middelen. Om inzicht te krijgen in iemands laatste dagen en uren kan een onderzoeker een of meer van de volgende bronnen gebruiken. Daarbij moet hij zich ervan bewust zijn dat iedereen die hij spreekt het proces zowel kan hinderen als vergemakkelijken:

- gesprekken met ooggetuigen of politiemensen die op de plaats van het incident aanwezig waren;
- medische autopsieverslagen (waaruit zaken over het slachtoffer duidelijk kunnen worden die zelfs goede vrienden niet wisten, zoals alcoholmisbruik);
- bestudering van de plaats van het incident, ter plekke of aan de hand van foto's;
- dagboeken/brieven/zelfmoordbriefjes van het slachtoffer;
- het soort boeken dat het slachtoffer las, de muziek waarvan hij of zij hield of de videospelletjes die hij of zij speelde;
- gedragspatronen die door anderen opmerkelijk werden gevonden, vooral kort voor het overlijden van het slachtoffer;
- dossiers (school, leger, werk, medisch, psychiatrisch, telefoongesprekken);
- eventuele medicijnen die het slachtoffer tijdens zijn of haar leven gebruikte.

Vervolgens wordt al deze informatie gecombineerd en wordt een aantal conclusies over de persoon getrokken. Daarvoor zijn ook basisgegevens over hem of haar nodig, details van het overlijden, eventuele aanwijzingen voor kennis van zelfmoordmethoden die de persoon mogelijk had en de toegang tot die methoden, hoe de persoon bij leven op stress reageerde en eventuele stressvolle gebeurtenissen die kort aan het overlijden voorafgingen. Als bekend is dat de overledene dronk of drugs gebruikte, wordt ook dat in het onderzoek meegenomen, net als eventuele opvallende veranderingen in zijn of haar gewoonten. Als de persoon normaal gesproken bijvoorbeeld nooit naar de kerk ging maar plotseling regelmatig een kerk ging bezoeken, kan dat duiden op gedachten over de dood. Ook veranderingen in een belangrijke relatie kunnen een factor zijn. En als vrienden of familieleden vreemd op iemands overlijden reageren, kan dat juist duiden op iets anders dan zelfmoord.

Uit het eindverslag moet een vrij accuraat beeld naar voren komen van de persoonlijkheid, gewoonten en gedragspatronen van het slachtoffer, met nadruk op recente veranderingen daarin. Vaak kan de waarschijnlijke wijze van overlijden hieruit worden afgeleid. Het probleem met onduidelijke sterfgevallen is dat elke nieuwe factor de theorie weer kan veranderen, en dat kan veel vergen van degenen die worden ondervraagd.

Op 29 maart 2001 werd Robert Perry doodgeschoten aangetroffen in een slaapkamer van zijn caravan in Kamiah (Idaho). Hij was 83 en leed aan een terminale vorm van keelkanker. Robert Perry's 57-jarige neef Craig Perry beweerde hem gevonden te hebben, waarna Craigs vriendin, Carol Flynn, de politie had gebeld om een zelfmoord te melden. De politie arriveerde en filmde wat zij aantrof om de situatie later te kunnen analyseren.

Het lijk van Robert Perry lag achter in de caravan. De politiechef van Kamiah beschreef de situatie als volgt: het lichaam lag op de vloer, met het hoofd naar het bed gericht. Uit het achterhoofd van de fragiele man was bloed gestroomd, en aan zijn voeten lag een .22 kaliber pistool met een lange loop. Naast hem lag een spel kaarten verspreid over de vloer. In zijn rechterhand had hij een zuurstofslang.

Craig en Carol, die allebei bij Robert woonden om hem te helpen, legden verklaringen af en leken behoorlijk ondersteboven. Craig gaf aan dat zijn oom al eerder had verklaard dat hij een eind aan zijn leven wilde maken, en Craig had geprobeerd er een grapje van te maken om hem op andere gedachten te brengen. Ook zeiden ze dat ze hem op de vloer hadden gevonden, maar later gaven ze toe dat ze hem voorovergebogen op het bed hadden aangetroffen, zo dicht bij de grond dat ze niet konden geloven dat hij nog steeds zat. Carol vertelde dat Craig zijn oom had omhelsd en hem op de vloer had gelegd toen hij merkte dat hij dood was.

Vijf maanden na het incident werd Craig beschuldigd van doodslag op zijn oom. Hij onderging een leugentest waaruit bleek dat hij de waarheid sprak, maar forensisch deskundigen waren ervan overtuigd dat de plaats delict duidde op een moord. De aanklager zei dat Craig Robert had doodgeschoten. De verdediging bleef echter volhouden dat Robert zichzelf van het leven had beroofd omdat hij zich tot last had gevoeld. Beide partijen moesten hun verhaal zien te ondersteunen met bewijsmateriaal waarmee de dubbelzinnigheid van de zaak zou worden weggenomen. Ze bogen zich opnieuw over aspecten als bloedsporenanalyse, wondanalyse en inconsistenties in de eerste verklaringen. Bovendien waren er problemen met het bewijsmateriaal. Het gebruikte pistool was niet onderzocht op vingerafdrukken, en er waren geen tests gedaan om te achterhalen of er sprake was van kruitsporen in de slaapkamer of op Craig Perry. Er was dus bewijsmateriaal verloren gegaan dat belangrijk was geweest voor een reconstructie.

Verschillende pathologen verklaarden dat een man zichzelf niet twee keer kan neerschieten, maar toch zijn er gevallen bekend waarin dat is gebeurd. De patholoog van de verdediging toonde aan hoe dat had kunnen gebeuren.

Craig beweerde dat hij geen motief had om zijn oom te doden, wat pleitte voor zelfmoord. De man had geen geld gehad en Craig hield van hem als van een vader. Nadat zijn eigen vader was overleden, was hij ook echt opgevoed door zijn oom. Uit medische dossiers bleek dat Roberts ziekte ernstiger was geworden, en de verpleegster van de thuiszorg gaf aan dat hij had afgezien van de traditionele behandeling. Twee dagen voor hij stierf had hij bloed opgehoest en was hij naar het ziekenhuis gegaan, waar de artsen zeiden dat ze niets meer voor hem konden doen.

Een paar uur voor zijn dood meldde Carol Flynn aan zijn arts dat hij moeite had met ademhalen. Diezelfde dag belde ze de politie om te zeggen dat hij zichzelf had doodgeschoten. Ze beweerde dat hij gedeprimeerd was geweest.

Verschillende mensen uit Robert Perry's omgeving getuigden dat Craig een vredelievend man was die van zijn oom had gehouden en die niemand zou doodschieten. Hij betaalde alle onkosten van zijn oom en voorzag in al zijn behoeften. Hij gaf hem eten en bracht hem naar bed. Er waren geen signalen dat hij dat als een last beschouwde. Een verpleegster zei dat Craig hoop was blijven houden dat Robert zou kunnen genezen, ondanks zijn slechte prognose.

Voor moord pleitte volgens het team van de aanklager dat hoewel Robert steeds zieker was geworden, hij eenvoudige medicijnen nam en het niet over zijn testament wilde hebben. Hij had aan zijn verpleegster laten

weten dat hij dolgraag wilde blijven leven. De politie had in een koffer een krantenbericht gevonden over hulp bij zelfmoord, samen met volmachtdocumenten. En een getuige verklaarde dat Craig de tweede kogelhuls had weggegooid toen ze die onder de speelkaarten hadden gevonden: hij had gezegd dat de politie die vast niet nodig zou hebben.
Het was een lastige zaak; er was geen motief om de man te vermoorden, maar het was ook niet volkomen duidelijk dat het om zelfmoord ging. Op 25 juni 2004 sprak de jury Craig Perry vrij.

Hoewel er in dit geval geen formele psychologische autopsie werd uitgevoerd, is het niet moeilijk te raden welke factoren een belangrijke rol zouden hebben gespeeld bij de eindconclusie: het motief van Craig, de gemoedstoestand en de fysieke gezondheid van zijn oom, het feit dat een man die zijn oom zou neerschieten en zijn daad op zelfmoord wilde laten lijken waarschijnlijk niet twee schoten zou afvuren, en Craigs liefdevolle houding tegenover de man. Hoewel het heel goed mogelijk is dat Craig zijn oom heeft geholpen om zelfmoord te plegen, lijkt regelrechte moord onwaarschijnlijk. Al het bewijsmateriaal was dubbelzinnig, en een deel van het cruciale bewijsmateriaal is niet verzameld. Dat oordeel zou dan geveld moeten worden op basis van psychologische factoren, en die wijzen eerder in de richting van zelfmoord.
Maar zijn psychologische autopsies wel toelaatbaar als bewijsmateriaal als we kijken naar de eisen die rechtbanken stellen aan wetenschappelijke getuigenverklaringen? Niet altijd, maar ze spelen wel een steeds nadrukkelijker rol, vooral in hoger-beroepszaken. Er zijn problemen met de afwezigheid van standaarden, en er is nog maar weinig onderzoek gedaan om te bewijzen dat een psychologische autopsie een betrouwbare wetenschappelijke methode is. Zo verwierpen veertien psychologen de bevindingen van een psychologische autopsie die de FBI uitvoerde na een explosie op de *USS Iowa* in 1989. Daarbij kwamen 47 matrozen om. Het onderzoek concentreerde zich op konstabelsmaat Clayton Hartwig, die ervan werd verdacht de bom tot ontploffing te hebben gebracht om een eind aan zijn eigen leven te maken na een emotio-

nele kwestie. De psychologen merkten op dat de interpretatie en de daaropvolgende toewijzing van schuld niet gebaseerd waren op wetenschappelijke methoden, waardoor ze zich niet konden vinden in de mate van zekerheid waarmee het rapport was geschreven. Toch accepteerden drie psychologen de conclusie van de marine. Meer dan twee jaar na de ontploffing gaf de marine alsnog toe dat het een ongeluk was geweest en maakte zij haar excuus aan de familie van Hartwig.

Er bestaan ook psychologische analyses die licht werpen op een ander aspect van een sterfgeval. Soms is de wijze van overlijden duidelijk, maar vergt de manier waarop het precies is gebeurd extra speurwerk waarbij speciale kennis nodig is van menselijke motieven en persoonlijkheden.

Het ware verhaal

In de aflevering 'Coming of Rage' (*CSI-LV*) wordt een jongen dood aangetroffen op een bouwplaats. Hij blijkt te zijn doodgeslagen. In eerste instantie wordt gedacht dat een van de bouwvakkers hem heeft vermoord, maar later wordt een aantal kinderen verdacht. Een meisje vertelt dat de verdachten hebben voorkomen dat ze door het slachtoffer werd verkracht, maar uit het bewijsmateriaal komt een andere lezing naar voren. Soms is een analyse van de wijze van overlijden niet voldoende en kan het sterfgeval zelf belangrijke informatie verschaffen over wat er moet worden gedaan om het motief te achterhalen. Dat komt omdat sommige zaken een totaal andere wending nemen dan verwacht, zoals bij deze zaak het geval was.

De aflevering is gebaseerd op een gebeurtenis in Philadelphia in 2003, die een schok teweegbracht bij iedereen die erover had gehoord. De zestienjarige Jason Sweeney had een afspraakje met zijn nieuwe vriendin Jessica (niet haar echte naam). Ze was bezig met haar examen op een katholieke middelbare school. Jessica was een knap, donkerharig meisje dat van goeden huize kwam en veel vrienden had. De moeder van Jason vond dit een positieve ont-

wikkeling in Jasons leven, die paste bij zijn ambitie om het jaar daarop bij de marine te gaan.
Rond vier uur die middag verliet hij zijn huis, dat in een wijk lag die Fishtown werd genoemd, en kwam vervolgens nooit meer terug. Op zaterdag vond iemand hem dood in een met onkruid begroeid gebied. Volgens medisch onderzoeker Ian Hood bleek uit de autopsie dat het hoofd van het slachtoffer door verschillende krachtige slagen was verbrijzeld. Elk bot in zijn gezicht was gebroken, op het linker jukbeen na, en hij was onherkenbaar. Er werden stukjes bot in zijn hersenen aangetroffen. Er was zodanig op zijn hoofd ingehakt dat het in feite in tweeën was gespleten.
De politie nam contact op met Jasons vader, die het lichaam op maandagochtend identificeerde. Hij kon zich niet voorstellen wie zijn zoon zoiets zou kunnen aandoen. Op dat moment was er ook nog niemand die kon voorzien dat het verhaal zo'n bizarre wending zou nemen.
Omdat Jason op weg was geweest naar Jessica, onderwierp de politie haar aan een verhoor. Zij kon geen relevante informatie verschaffen. Van getuigen hoorde de politie dat Jasons vriend Eddie Batzig en twee bekenden van hem, Dominic en Nicolas Coia, pas geleden bij Jason waren geweest. Toen de politie hun vroeg naar het bureau te komen als mogelijke getuigen, biechtten twee van hen de moord direct op. Volgens een transcriptie van het politieverhoor bekende Dominic dat Jessica als lokaas had gediend om Sweeney naar de plaats delict te krijgen. 'We stalen Sweeneys portefeuille,' zei hij, 'en we verdeelden het geld en hingen gigantisch de beest uit.'
Maar Jessica stond bekend als een fatsoenlijk meisje dat op een katholieke school zat; het leek onmogelijk dat zij betrokken was geweest bij dit misdrijf. De jongens bleven echter bij hun verhaal. Ze werden door het gerechtshof voor civiele zaken als volwassenen berecht en veroordeeld voor moord, samenzwering en gerelateerde vergrijpen en er werd hun de doodstraf opgelegd. Rechercheurs gingen dieper op de zaak in en hoorden van een kennis van de jongens, de achttienjarige Joshua Staab, dat hij toevallig hun plannen had opgevangen en achteraf had geholpen met het uit-

wassen van hun bebloede kleding. Hij wist dat ze van plan waren geweest om Jason te vermoorden. Ze gingen die avond van huis weg, zei hij, en keerden terug nadat ze Jessica niet op de afgesproken plek hadden getroffen. Ze belden haar en gingen weer weg. Twintig minuten later waren ze terug, maar nu met hun kleren onder het bloed. Ze vertelden Staab dat ze Jason hadden vermoord en het zelf niet konden geloven.

'Ze stonden te trillen,' vertelde Staab later in de rechtszaal, 'op een manier die de indruk wekte dat ze het allemaal prachtig vonden.' Ze verdeelden het geld aan de keukentafel. Iedereen kreeg 125 dollar, en hij had de indruk dat Jessica tevreden was. Hij zei dat zij het hele incident 'heftig' had genoemd. Staab bespeurde bij geen van hen tekenen van angst of berouw. 'Ze leken zich prima te voelen.' Het gestolen geld werd uitgegeven aan marihuana, heroïne, cocaïne en Xanax.

Nadat het bewijsmateriaal en de verklaringen eenmaal waren gecombineerd, leek er het volgende te zijn gebeurd: toen Jessica en Jason samen in het bos wandelden, ging haar mobieltje af. Ze zou boos geantwoord hebben: 'Wat krijgen we nou, heb je je keutel ingetrokken?' Vervolgens zou zij zich tot Jason hebben gericht en hebben voorgesteld om seks met hem te hebben. Ze begonnen zich allebei uit te kleden. Toen Jason eenmaal naakt en kwetsbaar was, sloegen de anderen toe.

Eddie Batzig, die al sinds de lagere school bevriend was met Jason, sloeg met een steen op hem in. Daarna namen de gebroeders Coia hem onder handen. Batzig had een bijl en was verantwoordelijk voor de eerste klap op Jasons hoofd. Dominic sloeg Jason met een hamer, waarbij hij hem zo hard raakte dat de hamer in Jasons schedel bleef steken, en de jongere Coia sloeg hem met een baksteen die hij van de met puin bezaaide grond had opgeraapt.

'Het bloed spoot eruit,' herinnerde Dominic zich later. 'We bleven hem maar slaan en slaan.' Dominic scheen in eerste instantie niet te geloven dat ze Jason echt zouden gaan vermoorden, maar toen Eddie de eerste klap had uitgedeeld, volgden de anderen.

Terwijl Jason de klappen probeerde af te weren en de jongens smeekte hem te laten leven, besefte hij dat hij in de val was gelopen. Zijn 'vriendin' had hem in de val laten lopen. Volgens de bekentenissen waren zijn laatste woorden: 'Ik bloed,' en daarna zei hij tegen Jessica: 'Je hebt me erin geluisd.'

De jongens wisten dat Jason geld op zak zou hebben dat hij in de bouw had verdiend bij zijn vader, omdat ze later zeiden dat ze deze aanval al een week van tevoren hadden gepland. Terwijl ze die bewuste dag urenlang hadden zitten wachten, hadden ze meer dan veertig keer naar 'Helter Skelter' van de Beatles geluisterd. Dat was het nummer dat Charles Manson had geïnspireerd om zijn 'familie' er in 1969 op uit te sturen om op een nacht een uitzinnige slachtpartij te houden onder actrice Sharon Tate en haar vrienden, en in een volgende nacht het echtpaar LaBianca te vermoorden.

Ze bleven op Jason inslaan en negeerden zijn geschreeuw, tot hij met een gorgelend geluid in zijn eigen bloed stikte. Een van hen maakte het karwei af door met een kei Jasons schedel te verbrijzelen. Hun kleren zaten onder het bloed, maar met hun gedachten waren ze elders. Toen ze eenmaal wisten dat hij dood was, doorzochten ze zijn zakken en vonden 500 dollar – het salaris dat hij net had geïncasseerd. Opgewonden omarmden ze elkaar. 'Het voelde alsof we blij waren met wat we hadden gedaan,' zei Dominic later tegen de politie.

De drie jongens die de hamer, bijl en steen hadden gehanteerd waarmee Jason om het leven was gebracht werden schuldig bevonden aan moord, terwijl Jessica werd beschuldigd van doodslag in ruil voor haar getuigenis tegen de anderen. De jongens kregen levenslang, terwijl Jessica voor haar 35e vrij zal zijn. Officier van justitie Jude Conroy erkende dat hij een deal met haar had gesloten zodat hij te weten kon komen wat er precies was gebeurd.

Toch bleek na het misdrijf uit de correspondentie tussen Jessica en haar handlangers dat het hele verhaal nog niet was verteld. 'Ik ben een ongevoelige bitch die de dood aanbidt,' schreef ze, 'en die overleeft door de zwakken en eenzamen uit te buiten. Ik lok ze in de val en verpletter ze.'

Hoewel onze kennis van antisociale persoonlijkheidsstoornissen grotendeels afkomstig is van mannelijke gevangenen, hebben sommige onderzoekers zich ook verdiept in kinderen die het risico lopen zich tot volwassen psychopaten te ontwikkelen. Tekenen die reden geven tot bezorgdheid zijn chronisch liegen, manipulatie, gebrek aan berouw, geen verantwoordelijkheid nemen voor de eigen daden, wreedheid, egocentrisme en de neiging om anderen de schuld te geven.

Jessica's gedrag is veelzeggend. In de rechtszaal beweerde ze dat ze haar schokkende brieven had geschreven omdat ze wilde dat de jongens haar 'accepteerden' en omdat ze bang van ze was. Maar toen haar werd gevraagd om schriftelijke dreigementen te laten zien, zei ze dat ze die had weggegooid. In één brief schreef ze echter dat ze geen bedreigingen van Batzig had ontvangen. Het lijkt erop dat ze heeft gelogen, anderen de schuld in de schoenen heeft geschoven, toneel heeft gespeeld in de rechtszaal en haar verantwoordelijkheid heeft ontlopen.

De ware toedracht van dit incident kon alleen aan het licht komen door verder te kijken dan de façade van het katholieke schoolmeisje en te onderkennen dat ook meisjes berekenend en ongevoelig kunnen zijn. Gelukkig keerden de betrokken jongens zich tegen haar en onthulden zij wat haar aandeel bij het misdrijf was geweest. Anders was ze misschien helemaal haar straf ontlopen. In de op dit incident gebaseerde aflevering van *CSI* was er sprake van bewijsmateriaal waaruit bleek dat het meisje had gelogen. Bij de echte zaak was er van dergelijk bewijsmateriaal geen sprake. Daarom speelde een psychologische analyse van de manipulatieve achtergrond van dit meisje een belangrijke rol bij het verwerven van duidelijkheid over haar aandeel in dit afschuwelijke misdrijf.

Meestal vindt een psychologische analyse boven het graf plaats, maar er zijn gevallen waarin het nodig is om het water of de grond in te gaan om te kunnen reconstrueren wat er is gebeurd. Ook die aspecten van de forensische wetenschap spelen een rol in afleveringen van *CSI*.

10 Het graf in

Soms moeten de *CSI*-teams een lichaam opgraven, of een graf openen om naar een lichaam te zoeken dat erin had moeten liggen. Dat gebeurde bijvoorbeeld in 'Friends and Lovers'. Bij een vermeend geval van vergiftiging, dat in eerste instantie was bestempeld als een sterfgeval met een natuurlijke oorzaak, moest het team van Grissom het lijk opnieuw onderzoeken met methoden die nog niet eerder waren gebruikt. Daar hoorde een specifiek protocol bij. Hetzelfde gold voor de opgraving van twee Aziatische vrouwen in 'Nesting Dolls' (*CSI-LV*), die dood en in teer begraven in de woestijn werden gevonden. Zo'n opgraving is sowieso al een nauwgezet karwei, en deze extra complicerende factoren maken het nog lastiger. Bovendien roept het verstoren van de doden altijd gemengde gevoelens op.

Doodgravers

Het opgraven van een stoffelijk overschot wordt *exhumeren* genoemd. Deze procedure heeft verschillende functies. Zij kan worden gebruikt om historische gegevens te controleren, iemand in een massagraf te lokaliseren, te bewijzen dat de juiste persoon in een graf ligt, een overledene opnieuw te onderzoeken of een vermiste persoon te identificeren. Soms wordt een lichaam zelfs geëxhumeerd om het te misbruiken voor een of ander misdadig doel, zoals verzekeringszwendel.
Allereerst bespreken we de exhumatie van een slachtoffer van een misdrijf. In het geval van een vermiste persoon van wie het vermoeden bestaat dat hij of zij is begraven, moet er allereerst worden bepaald waar men moet graven. Als het gebied groot is, worden

daar soms lijkenhonden bij ingezet of wordt een grond-penetrerende radar (GPR) gebruikt om onregelmatigheden onder het grondoppervlak op te sporen.

De GPR werd in 1929 in Australië ontwikkeld om onderzoek te doen op gletsjers. Het instrument bestaat uit een radar op wielen met een digitaal bedieningspaneel, die over het terrein in kwestie wordt bewogen en op een computerscherm een dwarsdoorsnede toont van wat zich onder het oppervlak bevindt. Op die manier is boren of graven overbodig. Terwijl de antenne van het apparaat langzaam over het oppervlak rolt, worden er elektromagnetische trillingen de aarde in gestuurd. Zij detecteren verstoringen in de grond en kaatsen terug als ze op objecten stuiten. Die weerkaatsingen worden via het bedieningspaneel in een visueel beeld vertaald. Het onderaardse profiel wordt zichtbaar in de vorm van verschillende contouren die een dwarsdoorsnede vormen van het onderzochte gebied. In grondoppervlakken met een losse structuur, zoals zand, kan het apparaat tot een diepte van 7,5 meter doordringen en informatie verschaffen over de omvang, dichtheid en vorm van een begraven object. Ook vertelt het hoe diep iets ligt en of het elektromagnetisch gezien verschilt van de omliggende grond. Zo weten de mensen die het apparaat bedienen precies waar ze moeten beginnen met graven.

Het is ook mogelijk om een vliegtuig met een infraroodlamp te gebruiken om verstoringen of verzakkingen (als gevolg van stoffelijke resten die ontbinden) in de grond te lokaliseren. Daarnaast maken onderzoekers soms gebruik van metalen staven die ze op verschillende plaatsen in de grond steken om zachtere grond te lokaliseren en mogelijk een luchtgat te creëren waar ontbindingsgeuren door kunnen opstijgen. Als het vermoeden bestaat dat het lichaam in het water ligt, kunnen er ook andere instrumenten worden gebruikt. Daarop komen we later in dit hoofdstuk terug. Met behulp van dit soort instrumenten brengen archeologen meestal een gebied in kaart voordat de opgravingen beginnen. De onderzoekers moeten ook alles wat ze in het gebied vinden do-

cumenteren, zoals voetafdrukken, door de mens gemaakte objecten of bandensporen. Vervolgens wordt het opgravingsgebied afgebakend. Het is belangrijk om alle grond om het slachtoffer heen te verwijderen, zodat diens positie geschetst en gefotografeerd kan worden. Dat moet echter wel zorgvuldig gebeuren, met kleine schepjes en kwastjes, omdat er anders sporenmateriaal verloren kan gaan. Als er dieper wordt gegraven zal de archeoloog de verschillende grondlagen documenteren, omdat die informatie verschaffen over de weersomstandigheden sinds het lichaam werd begraven.
De grond die is verwijderd wordt door een zeef gehaald die wel grond doorlaat, maar de kleinste objecten tegenhoudt – vooral als het slachtoffer al zo lang begraven ligt dat er alleen botfragmenten over zijn. Nadat alles gefotografeerd en gedocumenteerd is, kan het lichaam verwijderd en onderzocht worden en kan de identificatieprocedure in gang worden gezet.

Na de Amerikaanse invasie van Irak in 2002 en de val van Saddam Hoessein werden er in het zuidwesten van Irak massagraven aangetroffen met duizenden lijken. In de teams die opdracht kregen om potentieel bewijsmateriaal op te graven en te conserveren voor het geval dat Hoessein verantwoording zou moeten afleggen voor deze misdaden, zaten ook archeologen en antropologen. Uit een graf buiten Basra werden zestig lichamen opgegraven waarvan men dacht dat het sjiitische moslims waren die in 1991 na een opstand waren afgeslacht. De archeologische teams probeerden hen te identificeren, vast te stellen hoe ze waren omgebracht en hun hun waardigheid als mens terug te geven. Als gevolg van verminkingen, ontbindingsprocessen en verbranding was het echter lastig om specifieke personen te identificeren en rouwende familieleden definitief uitsluitsel te geven. Het enige wat ze konden doen was de omstandigheden rond zo'n massagraf aantonen, wat andere dictators er hopelijk in de toekomst van weerhoudt om zulke wreedheden te begaan.

Soms stuit men onverwacht op stoffelijke resten. Nadat die zijn geëxhumeerd, zal een onderzoek volgen naar de identiteit en het verleden van de persoon in kwestie.

Forensische bioarcheologie

Dr. Thomas A. Crist is forensisch antropoloog en hoogleraar op Utica College in het noorden van de staat New York. Crist is voormalig directeur archeologische diensten bij het adviesbureau Kise, Straw & Kolodner Inc. in Philadelphia en werkt sinds 1990 ook als forensisch antropoloog voor het Medical Examiner's Office in Philadelphia. Ook is hij lid van het National Disaster Mortuary Operational Response Team (DMORT) van het ministerie van Binnenlandse veiligheid. In die hoedanigheid hielp hij bij de opsporing en identificatie van slachtoffers na de aanval op het World Trade Center op 11 september 2001. Hij stuurt landelijk opgravingen op historische begraafplaatsen aan en werkt elke zomer als veldwerkdocent op een school voor forensische antropologie in Albanië.

'Mijn vakgebied,' legt dr. Crist uit, 'heet bioarcheologie. Daarbij gebruiken we menselijke resten om vragen over het verleden te beantwoorden. Dat houdt in dat we overblijfselen uit historische perioden opgraven en analyseren, en kijken naar de context waarin we ze aantreffen. We verzamelen informatie over hoe mensen leefden aan de hand van hun stoffelijke resten, die ons meer vertellen dan artefacten waarvan je niet altijd zeker weet of ze aan hen hebben toebehoord.'

Tot de jaren zeventig van de twintigste eeuw, zo vertelt hij, gebruikten archeologen zelden menselijke resten uit graven om historische vragen over gezondheid en ziekte te beantwoorden. Ze keken vooral naar zaken als begrafenisrituelen, waaruit informatie kan worden gedestilleerd over de sociale status van een overledene. De laatste decennia worden historische resten echter ook gebruikt om inzicht te krijgen in de verdeling van arbeid tussen mannen en vrouwen, in het soort dieet dat mensen tijdens een bepaalde periode hadden en in de gevaren waaraan kinderen in die tijd blootstonden. 'Het skelet kan ons die informatie verschaffen,' zegt Crist.

Dat brengt ons automatisch bij de forensische taphonomie: de ontdekking, opgraving en analyse van menselijke resten in een juridische context. De term is afgeleid van de Griekse woorden voor begrafenis, *taphos*, en wet, *nomos*. Mensen die zich bezighouden met taphonomie hebben te maken met de vele facetten van de opgraving en conservering van fysieke resten en van de documentatie van de invloed van doodsprocessen. Daarbij maken ze onderscheid tussen biologische processen en omgevingsfactoren. In de loop der tijd ondergaan lijken veranderingen, en de schattingen van deskundigen van hoe lang iemand al dood is (van een paar uur tot een paar eeuwen) zijn afhankelijk van verschillende factoren. Die schattingen kunnen ook invloed hebben op de identificatie van een lichaam en op het vaststellen van de doodsoorzaak en de wijze van overlijden.

'Taphonomie is een tak van de archeologie,' legt Crist uit. 'Het is een discipline die zich richt op de postmortale veranderingen, natuurlijk of anderszins, aan artefacten of stoffelijke resten.'

De unieke kenmerken van een overledene, zoals zijn lengte, gewicht, het type kleding dat hij droeg (of de afwezigheid van kleding), ziekten, medicijn- of druggebruik en de fysieke eigenschappen van zijn botten, spelen een rol bij taphonomische berekeningen. Ook kenmerken van de begrafenis, zoals balsemingsmethoden, rituelen en autopsies, kunnen invloed hebben op de bevindingen. Aan de hand daarvan kunnen de resten in een bepaalde culturele context worden geplaatst. Als er sprake is van letsel aan het skelet, is het van belang om vast te stellen of dat enige tijd voor het overlijden, direct voorafgaand aan het overlijden of na het overlijden is ontstaan. Daarvoor moet men kennis hebben van de processen waaraan botten kunnen worden blootgesteld en van specifieke typen schade aan botten van levende en dode mensen.

In 2000 was dr. Crist betrokken bij een project in Philadelphia, waar zijn adviesbureau de resten van meer dan honderdvijftig

mensen opgroef die op de begraafplaats lagen van de voormalige Second Presbyterian Church of Philadelphia. De begraafplaats lag ter hoogte van block 3 van Independence Mall, waar momenteel het nieuwe National Constitution Center is gevestigd. Zulke opgravingen leveren informatie op over vroeger tijden, maar zorgen soms ook voor verrassingen.
In de graven, die dateerden uit de tweede helft van de achttiende eeuw, werd onder anderen een blanke man van in de vijftig aangetroffen die een klassieke inschotwond van een pistool in zijn voorhoofdsbot had zitten, precies boven en tussen zijn ogen. Het projectiel zat er ook in, misvormd door de inslag en ingekapseld in zijn achterhoofdsbot. 'We hadden nooit verwacht dat we op een plek als deze iemand zouden vinden met een schotwond in zijn hoofd,' zegt Crist. Omdat er duidelijk sprake is van een moord, is het nu een forensische aangelegenheid geworden en worden er pogingen gedaan om de man te identificeren. Hij is het vroegst bekende slachtoffer van een pistoolschot dat ooit in Pennsylvania is aangetroffen.
Recenter gaf dr. Crist in zuidelijk Philadelphia leiding aan een team studenten bij de opgraving van doodskisten die waren aangetroffen in de kelder van een rijtjeshuis uit circa 1860. Tussen 1732 en 1834 werden overleden inwoners van het armenhuis van de stad begraven op een terrein aan de zuidkant van Carpenter Street, tussen Eleventh en Twelfth Street. Tijdens renovatiewerkzaamheden werden de doodskisten bij toeval ontdekt, wat de gelegenheid gaf om de gezondheid van baby's en kinderen uit de instelling te onderzoeken. Het team probeerde de herkomst van de graven vast te stellen en demografische gegevens, tekenen van ziekten, verwondingen en postmortale behandelingen van de aangetroffen individuen te documenteren. Onder de stoffelijke resten bevonden zich de geconserveerde skeletten van zestien baby's en kinderen die samen in één grafschacht waren begraven.
'Twaalf van hen zijn voor hun eerste verjaardag gestorven,' vertelt Crist, 'en er waren vier te vroeg geboren kindjes en twee pasgeborenen bij. Drie van de kinderen waren tussen de twee en drie jaar oud. Bij geen van hen konden we een doodsoorzaak vaststellen.

Het meest opvallend was dat de hoofden en de eerste twee nekwervels van drie van de oudste kinderen vóór hun begrafenis operatief waren verwijderd.'
Met andere woorden: de artsen van het armenhuis hadden deze baby's en kinderen als anatomische specimens gebruikt, een gewoonte die nog niet eerder was gedocumenteerd. De demografische gegevens van de lichamen kwamen overeen met de historische cijfers met betrekking tot kindersterfte in Amerika, 'vooral onder degenen die zo onfortuinlijk waren om in het armenhuis terecht te komen, ook al was dat maar voor korte tijd.'
Er zijn nog andere typen ongebruikelijke zaken waarvoor de diensten van een specialist op het gebied van bioarcheologie vereist zijn. Op 21 juni 2004 ontdekte de eigenaar van het rond 1820 gebouwde Canal Side Guest House in Weissport (Pennsylvania) een witte stoffen zak en wat oude kledingstukken in een kruipruimte van zijn zolder. Tot zijn verbazing bevatte de zak menselijke resten. Er zaten echter geen aanwijzingen of documenten bij waarmee de herkomst van de resten kon worden vastgesteld. Omdat hij geen idee had hoe oud de resten waren, nam hij contact op met de plaatselijke politie, die de resten overdroeg aan de staatspolitie van Pennsylvania. Dr. Crist werd gevraagd om ze te analyseren.
'Het was een oud handelsgebouw aan een kanaal dat door dat deel van de staat stroomt,' herinnert dr. Crist zich, 'en de eigenaar was bezig het te renoveren om er een pension van te maken. Hij vond de zak in de dakspanten.'
Tussen de resten bevonden zich onder andere een volwassen schedel, het voorstuk van een kaak, alle zeven ruggenwervels die met de schedel waren verbonden via verdroogd zacht weefsel, een verdroogde tong, de keelorganen, een volwassen linkerhand, een vrouwelijk heupbeen en een vrouwelijke volwassen kaak zonder tanden. Deze ongebruikelijke verzameling vertegenwoordigde de stoffelijke resten van ten minste twee personen.
Crist bekeek de resten en merkte op dat de overblijfselen droog waren, dat er geen zacht weefsel meer aan zat en dat er geen ontbindingsgeuren vanaf kwamen. Die informatie verschafte hem be-

hoorlijk wat aanwijzingen over de manier waarop ze waren behandeld. 'Normaal gesproken liet men menselijke resten die in de achttiende en negentiende eeuw voor anatomisch onderzoek werden gebruikt uitdrogen. Bij deze resten was dat ook gebeurd. Vaak werden de slagaders en de gewone aders gevuld met verschillende kleuren latexverf. De slagaders werden met een rode substantie gevuld, en de gewone aders met een blauwe. Meestal werden de kaken afgesneden en verwijderd. Dat gebeurde op een specifieke manier, in combinatie met de standaard bij een autopsie aangebrachte snede door en rondom de hersenboog, die vervolgens direct loslaat. Ook ontdekten we dat de botten van de linkerhand waren doorboord en dat ze allemaal waren samengebonden, een klassieke manier om anatomisch materiaal te presenteren. Ook door het linker heupbeen was een gat geboord, een typische plaats om het heiligbeen aan de bekkengordel vast te zetten.
Waar ik naar zocht, waren aanwijzingen dat ik te maken had met standaard typen anatomische preparaten uit die tijd. Ik wilde achterhalen of de gaten op een professionele manier waren geboord of dat ze gewoon in het wilde weg waren aangebracht. Van dat laatste leek geen sprake; ze waren op een professionele manier aangebracht met een echte boor. De autopsiesnede was de standaard snede, en dan hadden we nog dat gedroogde zachte weefsel waarmee het hoofd was bedekt. Bovendien zag ik in een van de slagaders rood materiaal zitten. Bloed dat in aanraking komt met zuurstof wordt bruin, terwijl dit een heel helderrode kleur was. Ik had dat al talloze keren eerder gezien bij historische anatomische preparaten, tijdens mijn werk voor het Mütter Museum en voor andere anatomische collecties in Philadelphia. We controleren resten altijd op snijsporen, aantastingen door (knaag)dieren en andere soorten postmortale veranderingen. Deze resten waren door elkaar gehaald en waren misschien niet van een en dezelfde persoon, maar er hadden geen knaagdieren aangezeten.'
Dr. Crist vond ook geen aanwijzingen dat de resten ooit waren begraven; hij trof geen wortels of vegetatie aan. 'Wanneer iemand eenmaal begraven is, vooral als het al zo lang geleden is, vinden

wortels vaak hun weg in menselijke resten. Het is een uiterst vruchtbare ondergrond voor ze.' Op basis van zijn ervaring kon Crist zeggen dat deze methode van postmortale preparatie hoogstwaarschijnlijk hoorde bij anatomische specimens uit het begin van de negentiende eeuw. 'Er is nog een kleine kans dat een of andere gek in de jaren tachtig van de negentiende eeuw mensen heeft vermoord die hij vervolgens als anatomische specimens heeft geprepareerd. Zo'n mogelijkheid kun je nooit voor honderd procent uitsluiten, maar het is niet erg waarschijnlijk.'

Wat bij zijn analyse goed van pas kwam, was het feit dat de eigenaar van het huis samen met de resten verschillende zakelijke brieven en facturen had gevonden die dateren van het eind van de negentiende en het begin van de twintigste eeuw. 'We moeten ervan uitgaan dat de brieven en het andere materiaal in verband staan met de menselijke resten. Ze zaten immers samen in een zak. We hebben zulke dingen wel vaker aangetroffen bij renovaties van oude gebouwen in Philadelphia, waar allerlei medische en tandheelkundige opleidingen zaten.'

Op één van de brieven uit Weissport zat een postzegel uit 1899. Hij was geadresseerd aan de heer J. K. Rickert, de man die het gebouw in 1826 had gebouwd. Twee andere, met postzegels uit 1909 en 1915, waren geadresseerd aan de heer Hiram Rickert, die blijkbaar het familiebedrijf had overgenomen. Maar er was nooit een medische school of een ziekenhuis in de buurt gevestigd geweest. 'Wat deze zaak zo ongebruikelijk maakt,' zegt Crist, 'is dat er geen goede verklaring voor lijkt te zijn waarom iemand in die buurt in die periode anatomische specimens in bezit had. Daarover tasten we in het duister, en we zullen het waarschijnlijk ook nooit te weten komen.' De herkomst van de botten blijft een mysterie.

Als er dergelijke stoffelijke resten worden gevonden, behandelt de politie de zaak in eerste instantie als een moordzaak totdat het tegendeel wordt bewezen. Sommige van deze zaken zijn vrij bizar. Toen Crist aan de University of South Carolina studeerde, had hij les van de beroemde Ted Rathbun, de forensisch antropoloog van deze staat. 'We hadden een zaak waarbij het stoffelijk overschot van een drie- of vierjarig kind op een sokkel was geplaatst waaruit een grote metalen staaf stak die het kind doorboorde. Zijn armen en benen waren gespreid en zijn borstholte lag open. Deze resten waren door de politie van Charleston gevonden tijdens een inval of een arrestatie in het huis van een of andere vermeende crimineel. Het specimen werd daar gebruikt als kapstok. Toen ze het huis binnenkwamen, dachten ze dat ze te maken hadden met een getikte seriemoordenaar die kinderen afschuwelijke dingen aandeed, dus brachten ze het stoffelijk overschot naar Rathbun, die het terecht identificeerde als een anatomisch specimen. De politie deed verder onderzoek en ontdekte dat de man het specimen op een vlooienmarkt had gekocht. Ze wisten het terug te voeren naar Philadelphia, dus waarschijnlijk was het afkomstig uit een van de oude medische scholen of musea daar.'

Soms vermoedt de politie dat er sprake is van een moord voordat er stoffelijke resten zijn gevonden, en doet zij een opgraving als ze daar de kans toe krijgt. Daarbij wordt vaak de hulp ingeschakeld van een specialist als dr. Crist. 'Ik heb eens zo'n opgraving gedaan met een lijkschouwer uit Pennsylvania, Zachary Lysek. Er was een informant naar de politie gekomen die beweerde dat er tien tot vijftien jaar geleden een jongeman begraven was op een stuk land. Dat stuk land was nu aan iemand anders verkocht die er een nieuw huis op wilde gaan bouwen, dus maakte de politie gebruik van de bouwwerkzaamheden om een kijkje te nemen in het gebied waar deze jongeman vermoord en begraven zou zijn. Zack mobiliseerde een leger van mensen en apparatuur om een archeologische opgraving te organiseren binnen een forensische setting. Die nam verschillende dagen in beslag. Op een gegeven moment stuitte een van de agenten op een paar botten. Ze dachten dat het om botten van dieren ging, dus zonden ze ze naar mij toe voor een analyse. Ik kon hun vertellen dat de meeste botten inderdaad afkomstig waren van een dier, maar dat er ook een menselijk scheenbeen bij zat.

Dus gingen ze opnieuw zoeken, en ze vonden een groot deel van de rest van deze persoon. Op een gegeven moment, toen we in het mortuarium met de resten bezig waren, kwam de agent binnen met een nieuwe zak materiaal. Daarin trof ik het linkerslaapbeen

aan, dat aan de linkerzijde van het hoofd zit, en in dat been zat een klassieke, door een vuurwapen veroorzaakte inschotwond. Ze vermoedden al wel dat er iets met deze man was gebeurd, maar konden het niet bewijzen. De man die ze van het misdrijf verdachten was naar een andere staat verhuisd, maar nu ze een lichaam hadden, konden ze hem misschien voor het gerecht slepen.'
Lijkschouwer Lysek herinnert zich de problemen rond deze zaak. 'We konden geen GPR gebruiken omdat de grond al verstoord was. Dus kozen we voor lijkenhonden, wat niet werkte omdat die overal ontbindingsgeuren roken. Om de enorme hopen grond te doorzoeken gebruikten we graafmachines met voorladers. Het ging om ongeveer 20.000 m^2 land, dus dat konden we onmogelijk zo zorgvuldig onderzoeken als archeologen waarschijnlijk hadden gewild. Ik schat dat er vijfhonderd ton grond lag, dus gebruikten we een machinaal aangedreven zeef. Dat is niet de gebruikelijke methode bij forensisch onderzoek, maar we hadden niet zo veel keus.'
Om te kunnen bepalen waar ze moesten beginnen, namen ze luchtfoto's en legden die op oude foto's van het landgoed uit de periode waarin de verdachte er eigenaar van was geweest. Hij had een graafmachine gehad waarvan de banden lek waren, dus de onderzoekers wisten dat hij er niet ver mee had kunnen rijden. Ze begonnen te graven en de grond te onderzoeken op de plaats waar het voertuig had gestaan. 'Daar vonden we de romp van het lichaam,' aldus Lysek. 'Op digitale röntgenfoto's ontdekten ze dat de persoon in de borst was geschoten en traceerden ze de kogel.' Inmiddels was de verdachte echter allang gevlogen, dus om hem nog te kunnen oppakken moesten de bewijzen zeer overtuigend zijn.
'Bij een forensisch onderzoek,' zegt Crist, 'worden er veel hogere eisen gesteld wanneer we stoffelijke resten van iemand vinden. We moeten vaststellen wie het is, hoe hij is overleden en wat er met zijn lichaam is gebeurd na zijn overlijden. Vervolgens moeten we dat alles ook hard zien te maken in de rechtszaal. Het gaat om mensenlevens. Als het om historische opgravingen gaat, hebben we meer ruimte om te speculeren. We kunnen onderscheid maken

tussen historische en recente menselijke resten, maar we komen meestal nooit achter het hele verhaal, wat soms frustrerend is. In veel andere opzichten is dit echter bevredigend werk. Iedereen houdt wel van een mysterie op zijn tijd.'

Het rechtzetten van het verleden

Exhumatie wordt ook wel gebruikt voor historische doeleinden, hoewel het een controversiële manier is om de resten te identificeren van een persoon die op een specifieke plaats zou zijn begraven, of om erachter te komen of de historische gegevens over een overledene accuraat zijn. Voorbeelden van mensen die voor dit soort doeleinden zijn opgegraven, zijn de vermoorde burgerrechtenactivist Medgar Evers, de moordenaar Lee Harvey Oswald en de voormalige Amerikaanse president Zachary Taylor.
Een van de belangrijkste autoriteiten op het gebied van dergelijke exhumaties is professor James E. Starrs, die recht en forensische wetenschap doceert aan de George Washington University in Washington, D.C. Hij staat internationaal bekend als de man die doden opgraaft en is beroemd vanwege zijn exhumaties van Jesse James en Albert DeSalvo. In *A Voice for the Dead*, zijn boek over zijn bekendste zaken, beschrijft hij hoe zijn loopbaan begon nadat hij in 1989 naar Colorado ging om de bijeenkomsten bij te wonen van de American Academy of Forensic Sciences. Daar nam hij het besluit om zich in deze discipline te verdiepen.
Een verhaal dat hem altijd al geïnteresseerd had, was dat van Alfred Packer, die beschuldigd werd van de moord in 1874 op vijf mannen uit zijn mijnwerkersploeg. Packer had beweerd dat hij uit zelfverdediging had gehandeld, maar hij had vele leugens verteld en de omstandigheden hadden zijn verhalen niet kunnen staven, waardoor de ware toedracht van het incident altijd onduidelijk is gebleven. Starrs reisde naar het stadje waar het incident had plaatsgevonden, praatte met verschillende mensen die het verhaal kenden en besloot een exhumatie te organiseren van de resten van de slachtoffers, zodat hij een antropologische analyse kon uitvoe-

ren. Hij vond alle overledenen, en hun botten waren zo goed geconserveerd dat zijn wetenschappelijke team verschillende aanwijzingen wist te vinden die erop duidden dat deze vijf mannen juist hadden geprobeerd zichzelf te verdedigen en dat ze Packer niet hadden aangevallen. Dit wetenschappelijke onderzoek was zo succesvol voor hem dat hij zijn aandacht op andere historische mysteries ging richten. Inmiddels heeft hij meer dan twintig exhumaties op zijn naam staan.

'Ik vind het interessant,' zegt hij, 'dat we honderd jaar na iemands dood iets kunnen doen dat in die tijd onvoorstelbaar of onmogelijk was.' Bovendien vindt hij het prettig om ervoor te zorgen dat familieleden zaken kunnen afsluiten waarvan hij het gevoel heeft dat ze opheldering verdienen. 'Het betekent zo veel voor mensen om de ware toedracht van de dood van een naaste te kennen. Dat werkt heel motiverend voor mij.'

Toen familieleden van moordslachtoffer Mary Sullivan hulp zochten bij hun pogingen om te bewijzen dat haar moordenaar niet Albert DeSalvo was geweest, zoals de politie sinds 1964 aannam, hielp Starrs hen om haar resten te laten exhumeren en onderzoeken. Ook Albert DeSalvo, de zogenaamde Boston Strangler, werd door zijn team geëxhumeerd. Ze haalden de voorpagina's van de kranten toen ze allerlei inconsistenties ontdekten tussen DeSalvo's 'bekentenis' en Sullivans resten. Bovendien bleek dat het op haar aangetroffen DNA niet overeenkwam met dat van hem. Dit alles maakte de bekentenis van DeSalvo op zijn minst twijfelachtig. Omdat hij nooit terecht had gestaan voor de moorden die aan hem waren toegeschreven, was zijn bekentenis het enige bewijsmateriaal dat de politie ooit had gehad. De familieleden van Sullivan waren niet alleen gesterkt in hun overtuiging dat haar moord nog steeds niet was opgelost, de bevindingen van het team toonden ook aan dat het hele verhaal een Amerikaanse mythe was.

Voordat Starrs aan een exhumatie begint, toetst hij de potentiële zaak aan zijn eigen criteria voor het uitvoeren van een exhumatie en een (tweede) autopsie. Er moet sprake zijn van een belangrijk geschil dat de wetenschap zou kunnen helpen oplossen én van een of andere nieuwe wetenschappelijke methode die niet beschikbaar was op het moment dat de zaak speelde. Bovendien moet het meer dan waarschijnlijk zijn dat de resten in kwestie in voldoende goede conditie zijn om geanalyseerd te kunnen worden. Daarvoor moeten verschillende tests worden uitgevoerd: de pH-waarde en het mineraalgehalte van de grond waarin de resten begraven liggen moeten worden gemeten, de manier van begraven moet worden onderzocht, er moet worden bepaald hoe diep de resten liggen en hoeveel tijd er is verstreken sinds de begrafenis, er moeten klimatologische en omgevingsgegevens worden verzameld en er moet worden voorkomen dat aanliggende graven worden verstoord.

Als eenmaal is vastgesteld dat een zaak aan deze criteria voldoet, moet allereerst alle beschikbare historische documentatie worden verzameld. Dat betekent dat er gesnuffeld moet worden in rechtbankdossiers, kranten, boeken, autopsieverslagen en begrafenisdocumenten. Elke staat stelt zijn eigen eisen, dus moet Starrs zich daarvan op de hoogte stellen en soms een advocaat inschakelen. Wanneer hij eenmaal over de benodigde informatie beschikt en de noodzakelijke toestemming heeft gekregen van familieleden of nazaten, bepaalt hij welke van de verschillende forensische specialismen hij in zijn team vertegenwoordigd wil hebben. 'In sommige gevallen,' legt Starrs uit, 'zijn dat antropologen, archeologen en eventueel werktuig- of vuurwapendeskundigen. Als er nog sprake is van vlees aan de botten moet je ook een patholoog hebben, en als er gif in het spel is heb je een toxicoloog nodig om de organen en weefsels te analyseren. Je wilt bijvoorbeeld ook onder de vingernagels naar weefsel zoeken, dus daar heb je een microscopist voor nodig. Als mensen tijdens een gewelddadige confrontatie overlijden, raken hun tanden vaak beschadigd, dus dan moet je ook een odontoloog hebben – een forensisch tanddeskundige.'

Vaak gaan er maanden werk aan de exhumatie en autopsie vooraf en zijn er voor de daaropvolgende analyse ook nog maanden nodig. Maar als de familieleden van de overledene tevreden zijn,

vindt Starrs dat hij zijn taak goed heeft volbracht. Dankzij zijn bekendheid wordt hij ook betrokken bij onderzoeken naar recente sterfgevallen en helpt hij mensen opheldering te krijgen over wat er in een zaak is voorgevallen... of een advocaat in de arm te nemen.
Hij waagt zich echter nooit aan onderzoeken onder water. En dat is verstandig, want die vergen weer een totaal andere aanpak.

Forensisch onderzoek onder water

Toen de locatie Miami voor een *CSI*-serie werd uitgekozen, betekende dat dat de makers informatie moesten verzamelen over onderwateronderzoek. Sommige forensisch onderzoekers zijn ervaren duikers, zoals in 'Blood in the Water' en 'Dead Zone', en voor het onderzoeken van een plaats delict onder water is speciale training nodig op het gebied van bergingstechnieken en de effecten van verschillende typen water op bewijsmateriaal, inclusief lijken. Technici die zich met dit soort werk bezighouden moeten uitgebreide duikervaring hebben, ze moeten weten waar ze onder water naar moeten zoeken en met speciale apparatuur kunnen omgaan. Maar ze moeten vooral systematisch naar bewijsmateriaal zoeken, dat wil zeggen: volgens wetenschappelijke methoden. Ook moeten ze weten hoe ze dat bewijsmateriaal moeten documenteren en de protocollen kennen die voorschrijven hoe ze ermee om moeten gaan binnen een specifieke context. Zo bestaan er bijvoorbeeld verschillen tussen bergings- en reddingswerkzaamheden in een meer met stilstaand water en in de oceaan of in snelstromend water.

De 32-jarige Christine Elkins uit Kansas City (Missouri), moeder van twee zoontjes, was verslaafd aan drugs en werkte als koerier voor haar dealer, Tony Emery. Toen ze werd gearresteerd, zegde ze toe tegen Emery te getuigen. Op een dag in 1990 verdween ze echter spoorloos in haar tweedeurs Oldsmobile Cutlass.

Uiteindelijk vertelde een informant de politie dat Tony Emery en twee andere mannen een vrouw hadden vermoord. Het slachtoffer zou geslagen zijn met een gummiknuppel, in een vloerkleed zijn gerold en in een auto zijn gelegd, die vervolgens in een steengroeve was gegooid. Maar zoektochten in steengroeves leverden geen spoor van Elkins of haar auto op. Veel later kwamen rechercheurs erachter dat ze in werkelijkheid in de rivier de Missouri was geduwd. Toen waren er echter al zes jaar verstreken, en sinds die tijd was de rivier buiten zijn oevers getreden. Het was niet te zeggen waar het incident precies had plaatsgevonden en of er nog iets van te vinden zou zijn. De politie schakelde de hulp in van een team dat NecroSearch International heette.

NecroSearch, dat in 1991 werd opgericht, is een organisatie van vrijwilligers die optreedt uit naam van slachtoffers en die bestaat uit biologen, geologen, scheikundigen, meteorologen, geofysici, plantenecologen, antropologen en andere specialisten. Zij proberen met behulp van de meest geavanceerde technologieën lichamen op te sporen op lastig te doorzoeken plaatsen. Voor deze zaak kwam er een team in actie dat met speciale apparatuur de rivier de Missouri kon doorzoeken. De teamleden kwamen erachter dat de rivier in het doelgebied zo'n zes tot negen meter diep was en dat het water er snel stroomde. Ze hadden informatie over het gewicht en de constructie van de Cutlass en stelden op basis daarvan hun uitrusting samen: een magnetometer, een Global Positioning System (GPS) en niet-magnetische boten. De Coast Guard en de Missouri State Water Patrol zorgden voor duikers.

Op basis van magnetische anomalieën kwamen ze tot zeven potentiële locaties voor een autowrak. Toen de magnetometer het begaf, schakelden ze over op een gradiometer, die ook veranderingen in magnetische velden kan registreren. Met behulp van het GPS stelden ze een kaart samen.

Vervolgens gingen de duikers het water in, en op de tweede potentiële locatie troffen ze een tweedeurs auto aan. Het bleek de auto waarnaar ze op zoek waren, dus takelden ze hem uit het water en openden de kofferbak. In een doorweekt vloerkleed gerold troffen ze daar inderdaad de resten van een vrouw aan. Het was Christine Elkins, en haar schedel was ingeslagen. Emery werd schuldig bevonden aan haar dood en veroordeeld tot levenslang.

Volgens Mack S. House jr., een ervaren forensisch duiker en schrijver van *Underwater Forensics Research: Commercial Scientific Diving*, worden zulke onderzoekers getraind in het gebruik van apparatuur die een CSI die op land werkt wellicht nooit te zien krijgt. Ze gebruiken bijvoorbeeld een masker waar verlichting op gemonteerd is, zodat ze hun beide handen vrij hebben. Ook hebben ze soms een videocamera met een monitor op afstand waarop mensen op een boot kunnen zien wat zij zien. Deze duikers, die onder auspiciën staan van de gerechtelijke geneeskunde, moeten op de hoogte zijn van de procedures in de rechtszaal en moeten weten hoe ze bewijsmateriaal moeten documenteren en hoe ze ermee moeten omgaan. Maar ze moeten vooral weten welke effecten water kan hebben op bewijsmateriaal.

'Volgens de wet van Boyle Mariotte,' zegt House, 'zijn het volume en de druk van een ideaal gas constant bij een constante temperatuur. Deze wet definieert de relatie tussen het *volume* van de lucht en de *druk* van de omgeving.'

Hij wijst op twee primaire aandachtspunten voor duikers. Ten eerste waarschuwt hij voor blootstelling aan een te hoge druk, dat wil zeggen een druk die groter is dan die bij de normale atmosferische omstandigheden op zeeniveau (760 millimeter kwikkolom). Deze druk heeft invloed op het gedrag van gassen en lucht in iemands lichaam. Kleine luchthoudende lichaamsholten, zoals de sinussen, reageren op plotselinge drukveranderingen. Hetzelfde geldt voor grote luchthoudende organen, zoals de longen. Duikers moeten bedacht zijn op de effecten van decompressie en voor veilige werkomstandigheden zorgen. (Deze zaken kwamen aan de orde in de aflevering 'Breathless' (*CSI-M*).) Daarnaast moeten ze goed kunnen documenteren wat ze waarnemen op het moment dat ze onder water op een lichaam stuiten.

'Als je op een bepaalde diepte gecomprimeerde lucht inademt,' legt House uit, 'neemt de gasdruk in de longen toe, en die is groter dan de atmosferische druk. De grootste drukverandering vindt plaats tijdens de eerste tien meter die een duiker afdaalt. Iemand die bijvoorbeeld zonder samengeperste lucht duikt heeft een liter of twee lucht in zijn longen voordat hij het water in gaat. Tegen de tijd dat hij tien meter diepte bereikt, bedraagt zijn longvolume nog maar één liter.

Voor de scubaduiker ligt het grootste probleem bij het inademen van samengeperste lucht. Laten we zeggen dat hij zich op een diepte van tien meter bevindt en naar de oppervlakte zwemt zonder uit te ademen. Het longvolume, of de druk, is verdubbeld tegen de tijd dat hij de oppervlakte bereikt. Niet-samengeperste lucht zorgt ervoor dat de longen automatisch weer de druk krijgen van voor de duik. Samengeperste lucht zorgt echter voor een grotere druk.'

De wet van Boyle heeft ook invloed op het middenrif. 'Hoe groter de omgevingsdruk, hoe harder het middenrif tegen de klep van de ademautomaat wordt gedrukt, dus hoe minder negatieve kracht er nodig is om het gas uit de automaat in te ademen.'

Het tweede probleem voor duikers vormt het zogenaamde barotrauma, dat House beschrijft als fysieke schade aan lichaamsweefsels als gevolg van *druk*verschillen tussen een luchthoudende (lichaams)holte en de druk van de omringende *gassen* of *vloeistoffen*. 'De schade treedt op in de weefsels rond de luchthoudende holten van het lichaam,' legt hij uit, 'vooral in de longen, omdat gassen comprimeerbaar zijn en onze weefsels – die grotendeels vloeibaar zijn – niet.'

Verder moeten duikers op de hoogte zijn van protocollen voor het omgaan met bewijsmateriaal, of het nu gaat om auto's, wapens, kleding, sporenmateriaal of lichamen. Hoewel er momenteel wordt geëxperimenteerd met het opnemen van vingerafdrukken van objecten die onder water hebben gelegen, is die methode nog niet helemaal betrouwbaar. 'Duikers moeten zich strikt houden aan de procedures voor het conserveren van objecten,' zegt House. 'Er bestaan grote verschillen tussen de conservatieprocedures voor "latente vingerafdrukken" en ander bewijsmateriaal in een onderwateromgeving en de procedures die worden gebruikt voor plaatsen delict op land. Beweging, stroming, watertemperatuur, gebruikte instrumenten, diepte, belichting en de positie van het bewijsmateriaal zijn belangrijke factoren bij het verzamelen van bewijsmateriaal.'

Daarnaast moeten duikers zich volgens House bewust zijn van de psychologische effecten die het vinden van en het werken met slachtoffers in verschillende stadia van ontbinding op de lange termijn op hen kan hebben. Deze effecten kunnen zich voordoen in de vorm van stress en op langere termijn burn-outverschijnselen, waarbij iemand een gevoel van uitzichtloosheid heeft en zich steeds meer terugtrekt. Professionals die voor deze specialistische carrière kiezen, moeten weten wat ze kunnen verwachten en zich daar ook op voorbereiden.

In het geval van een vermiste persoon of een melding van een gedumpt lijk moeten onderzoekers, als ze een globaal idee hebben waar ze moeten zoeken, een aantal belangrijke factoren in ogenschouw nemen.

'Veiligheid gaat voor alles,' zegt House. 'Voordat er ook maar iemand het water in gaat, moet er eerst een risico-inventarisatie worden uitgevoerd.' Vervolgens moet worden beoordeeld hoe diep het water in de omgeving van de bewuste locatie is. 'Op die manier is de tijd dat duikers in het water moeten doorbrengen, tot een minimum te beperken. Een slachtoffer drijft vaak horizontaal wel anderhalve meter af voor elke anderhalve meter die het zinkt. Daarom is er bij veel slachtoffers extra zoektijd nodig. Als een slachtoffer bij een minieme stroming in water verdrinkt van achttien meter diep, is het dus het best om 24 meter van de plek waar het slachtoffer waarschijnlijk te water is geraakt met de zoekactie te beginnen.'

De arts die zaken als tijdstip, oorzaak en mechanisme van overlijden vaststelt moet zo veel mogelijk informatie hebben over de omstandigheden onder water. De volgende factoren zijn van invloed op wat er tijdens de ontbinding met een lichaam gebeurt:

- refloat – de tijd die een gezonken lichaam erover doet om weer naar de oppervlakte te komen;
- autolyse – spontane ontbinding door de in het lichaam aanwezige enzymen;
- effecten van aaseters – waterleven dat ontbindend organisch materiaal consumeert;
- ontbindingsstadia – de stadia die een lichaam doorloopt voor-

dat het tot basiscomponenten is afgebroken, afhankelijk van de omgeving waarin het is achtergelaten;
- weefselconservatie – (adipocire) conversie van vet in een zeepachtige substantie, waardoor het lichaam in een vochtige omgeving soms beter geconserveerd blijft;
- langdurig verblijf onder water – de huid wordt week en gaat loslaten;
- afkoelingssnelheid – de snelheid waarmee een lichaam warmte verliest.

'Uit onderzoek is gebleken,' zegt House, 'dat een lichaam sneller afkoelt als het onder water ligt dan als het aan de lucht is blootgesteld.' Dat is het gevolg van radiatie, de overdracht van warmte aan de omgeving door straling, en convectie, de overdracht van warmte van het slachtoffer aan het hem omringende water.
Bij het rottingsproces van een lijk dat onder water ligt spelen een heleboel variabelen een rol, zoals wat voor soort medicijnen de persoon slikte, wat hij heeft gegeten voor hij te water raakte, of hij voorafgaand aan het incident een mouthoudende drank heeft genuttigd, of er sprake was van een huidprobleem, zoals ernstige acne, wat het slachtoffer droeg toen het in het water terechtkwam en of het op een beschutte plek of in de buurt van een populaire visstek lag. Afhankelijk van de weers- en wateromstandigheden zal een slachtoffer dat onder water ligt sneller verrotten dan een slachtoffer op land. Water heeft een soort 'hyperhydraterend' effect op het lichaam, waardoor de huid sneller los gaat zitten en de stoffelijke resten intensiever worden blootgesteld aan de steeds groter wordende hoeveelheden bacteriën. Bedenk dat de bacteriegehalten in onze meren en rivieren een milieuprobleem aan het worden zijn.'

Op kerstavond van 2002 verdween de acht maanden zwangere Laci Peterson uit haar huis in Modesto (Californië). Haar echtgenoot, Scott Peterson, gaf haar als vermist op en zei dat hij op de dag van haar verdwijning was gaan vissen. Hij gaf interviews voor verschillende media,

totdat er een vrouw opdook die beweerde dat ze zijn maîtresse was geweest. Op 13 en 14 april 2003 spoelde een deel van de stoffelijke resten van een foetus en een vrouw aan op de kust van het Point Isabella Regional Park in Richmond (Californië). Onderzoekers maakten er een zorgvuldige reconstructie van, maar het zeeleven had duidelijk huisgehouden en er was niet veel van de twee over. De vindplaats van de resten lag een kilometer of drie van de plek waar Peterson naar eigen zeggen was gaan vissen. DNA-tests wezen uit dat de resten toebehoorden aan Laci en haar ongeboren zoon Conner. Duikers zochten ook de plaats af waar de lichamen volgens technische en stromingsberekeningen zouden zijn gedumpt.
Op 18 april werd Peterson gearresteerd in de buurt van de grens met Mexico, met pas geverfd haar en 10.000 dollar en het identiteitsbewijs van zijn broer op zak. Hij werd al snel beschuldigd van twee gevallen van moord. Uit onderzoek van de overblijfselen, die bijna vier maanden in het water hadden gelegen, werd echter geen doodsoorzaak of tijdstip van overlijden duidelijk. (Hij werd desondanks veroordeeld en kreeg de doodstraf opgelegd.)

Als de overblijfselen in zo'n slechte conditie verkeren, geeft House aan, moet er extra zorgvuldig mee worden omgegaan. 'Allereerst moeten ze worden gedocumenteerd, bijvoorbeeld door middel van fotografische protocollen en andere documentatievormen die door de medisch onderzoeker worden bepaald,' legt hij uit. 'Voordat er ook maar iets van het lichaam mag worden verplaatst, moet de vindplaats grondig worden doorzocht op extra bewijsmateriaal, zoals sieraden, vingernagels en kleding. Idealiter worden de menselijke resten zodanig verpakt dat ze zoveel mogelijk intact blijven. Daarnaast moeten er bij het hanteren van ieder slachtoffer procedures ter bescherming van de duiker in acht worden genomen, bijvoorbeeld om besmetting te voorkomen.'
Om een gekwalificeerd forensisch duiker te worden volgen sommige duikers in Amerika een Public Safety Diving-cursus, maar House vindt dat er een speciaal opleidingsprogramma moet komen waarin veel meer onderwerpen aan bod komen. Hij zou

graag zien dat deze duikers ook les krijgen in anatomie en fysiologie, psychologie, voedingsleer, het gebruik van commerciële duikapparatuur zoals de Kirby Morgan EXO-26 BR en de regels van de Coast Guard.
Wetenschappers en onderzoekers werken voortdurend samen aan de verbetering van apparatuur en de ontwikkeling van innovaties die forensisch onderzoek efficiënter en beter maken. In het volgende hoofdstuk buigen we ons over een aantal van hun meest recente ideeën en instrumenten.

11 De forensische voorhoede

Dankzij de computertechnologie en de nauwere betrekkingen tussen wetenschap en forensisch onderzoek worden er in hoog tempo nieuwe forensische technieken ontwikkeld. In alle *CSI*-afleveringen komen technologische en wetenschappelijke doorbraken aan bod, en soms worden er zelfs technieken gebruikt die in werkelijkheid helemaal niet mogelijk zijn. Misschien loopt de serie daarmee, net als bij sciencefiction, vooruit op mogelijkheden die op een dag wél kunnen worden toegepast. Soms wijst de serie ons ook op nieuwe gevaren en op hoe daarmee kan worden omgegaan. In dit hoofdstuk behandelen we een aantal vernieuwingen die in *CSI* aan bod zijn gekomen en laten we professionals aan het woord die met deze innovaties werken. We beginnen met een voormalig rechercheur die zijn mening geeft over het enorme aantal veranderingen dat zich op het gebied van forensisch onderzoek voltrekt.

Door de decennia heen

Vernon J. Geberth (Master of Science en Master of Public Administration) is een gepensioneerd hoofdinspecteur van het New York City Police Department en stond aan het hoofd van de Bronx Homicide Taskforce, die jaarlijks ruim vierhonderd moordzaken onderzocht. Hij heeft meer dan zestig onderscheidingen gekregen voor moed en buitengewone prestaties en is persoonlijk betrokken geweest bij het onderzoek naar en de supervisie over meer dan achtduizend moordzaken. Hij verzorgt al 25 jaar een uitgebreide cursus Praktisch moordonderzoek waar politie- en justitieafdelingen in heel Amerika, inclusief de FBI, in totaal al meer dan 51.000 medewerkers naartoe hebben gestuurd.

Geberth heeft zijn leven gewijd aan het onderzoeken van moordzaken. Hij was de eerste politiefunctionaris die standaardrichtlijnen en -protocollen opstelde voor professioneel onderzoek op dit gebied. Hij schreef de 'bijbel van het moordonderzoek', *Practical Homicide Investigation: Tactics, Procedures and Forensic Techniques*, en *Sex-Related Homicide and Death Investigation: Practical and Clinical Perspectives*. Verder zijn er sinds 1982 onder zijn supervisie meer dan veertig studieboeken verschenen voor de serie *Practical Aspects of Criminal and Forensic Investigations*.

Omdat Geberth al meer dan vier decennia politiewerk doet, heeft hij een behoorlijk aantal innovaties meegemaakt. 'Het afgelopen decennium zijn we lichtjaren verder gekomen,' geeft hij aan. 'Niet alleen met de toepassing van DNA-technologie, maar bijvoorbeeld ook met de manier waarop we tegenwoordig plaatsen delict documenteren en bestuderen. Daarbij kun je bijvoorbeeld denken aan de Panoscan (een manier om plaatsen delict driedimensionaal in de computer te krijgen, zoals gebeurde in 'Officer Blue' (*CSI-NY*)). Ook kunnen we nu, dankzij ASPEX, wetenschappelijke tests met schotrestdeeltjes uitvoeren, wat onderzoekers in staat stelt om verschillende analyses tegelijk uit te voeren. Ook zijn onze reconstructies van plaatsen delict verbeterd. We lopen niet meer met onze gewone schoenen en kleding op een plaats delict rond, zoals we twintig jaar geleden deden. Toen wisten we niet dat we op die manier bewijsmateriaal konden besmetten, omdat er aan microscopische besmetting niet gedacht werd.

We zijn inmiddels zo ver met onze technologie dat we bewijsmateriaal kunnen vinden dat we vroeger niet konden vinden. Het is gemakkelijk om oudere zaken te bekritiseren, maar toen hadden we gewoon nog niet de mogelijkheden om bewijsmateriaal op microscopisch niveau te verzamelen. Daardoor kunnen veel zaken die we vroeger niet eens in het systeem konden invoeren nu worden opgelost. Het is alsof je een fiets vergelijkt met een raket.

Neem bijvoorbeeld de forensische laser. Vanwege zijn omvang en constructie kon die vroeger alleen in het laboratorium worden gebruikt. Nu hebben we van die kleine ALS-eenheden (Alternative Light Sources, alternatieve lichtbronnen), waarvan sommige nog

geen tweeënhalve kilo wegen. Met deze apparaatjes kunnen we een plaats delict belichten en microscopisch bewijsmateriaal opsporen en veiligstellen op manieren die vroeger onmogelijk waren.
De keerzijde van de medaille is dat televisieprogramma's ook lucht krijgen van nieuwe technologieën, en dat er in die programma's steevast bewijsmateriaal mee wordt gevonden. In werkelijkheid is dat echter zeker niet altijd het geval; wij kunnen bijvoorbeeld geen vingerafdrukken liften van een aantal van de oppervlakken waarvan ze ze op televisie wel liften. In theorie is het bewijsmateriaal er misschien wel, maar soms kunnen we het om allerlei redenen niet achterhalen: tijdgebrek, omgevingsfactoren, besmetting door de mensen die als eerste aanwezig waren bij een slachtoffer, criminelen die dingen in scène hebben gezet en/of bewijsmateriaal hebben neergelegd of weggenomen, gebeurtenissen op de plaats delict voordat de onderzoekers ter plaatse waren Het is een uiterst complexe weg die we moeten bewandelen, vol met hobbels en valkuilen.'
Om bij te blijven, proberen onderzoekers als Geberth de vele wetenschappelijke en technologische innovaties zo goed mogelijk te volgen. 'Constant onderzoek doen is in feite mijn werk,' zegt hij. 'Ik ga naar forensische workshops en naar bijeenkomsten van vakmensen. Ik moet niet alleen zorgen dat ik alles van een nieuwe technologie afweet, zodat ik mijn cursisten erover kan vertellen, maar toen ik nog bij de afdeling moordzaken werkte wilde ik vooral ook de beste moordoplosser ter wereld zijn. Daar moest ik een hele hoop huiswerk voor doen. En dat doe ik nog steeds.'
Geberth denkt dat je als forensisch onderzoeker vooral moet weten wat er beschikbaar is en hoe je eraan kunt komen, en hij wisselt informatie op dat gebied uit met andere onderzoekers. Net als in zijn politietijd is hij een groot voorstander van teamwork; hij geeft aan anderen door wat hij heeft geleerd, zodat ook zij er hun voordeel mee kunnen doen.
In de toekomst ziet Geberth voor internet een nog belangrijker rol weggelegd. 'Het internet, dat ons onderzoekers heel veel goeds heeft gebracht,' zegt hij, 'heeft ook een keerzijde. Het is ook het

werkterrein geworden van zedendelinquenten, die hun jachtgebied in feite op een heel nieuwe manier hebben kunnen uitbreiden. Of ze nu potentiële slachtoffers proberen te ontmoeten in chatrooms of een of andere persoonlijkheidsstoornis cultiveren via ontmoetingen met anderen met dezelfde parafilieën, het zal allemaal zijn stempel drukken op het politiewerk. De politie zal steeds meer computerdeskundigen in dienst moeten nemen. En dan bedoel ik niet alleen mensen die online gaan en contact met dit soort criminelen proberen te leggen. Ik heb het ook over mensen die zich bezighouden met computercriminalistiek, zoals bij het laboratorium van de FBI en verschillende andere grote instellingen. Computers spelen tegenwoordig ook een belangrijke rol bij huiszoekingen, omdat ze vaak een schat aan informatie bevatten.'
Ook op het gebied van ALS is de afgelopen jaren sprake van verschillende innovaties.

Nieuw licht op de zaak

Fluorescentie maakt dingen helderder, en elk organisch materiaal kan fluorescerend worden gemaakt, zoals gebeurde in de aflevering 'Tanglewood'. Daarin gebruikten de onderzoekers van *CSI-NY* een ALS om sperma te vinden. Ook in 'Blink' werd een ALS gebruikt, ditmaal om de herkomst van een verfschilfer te achterhalen en om initialen en een embleem op een tas op te laten lichten. Fluorescentiediagnostiek helpt onderzoekers dingen duidelijker te zien dan ooit, op microscopisch niveau. Fluorescentie ontstaat doordat kleuren worden geabsorbeerd en weer worden uitgezonden als warmere kleuren. Bij de analyses spelen dus zowel absorptie- als emissiespectra een cruciale rol. (In de aflevering 'Spring Break' van *CSI-M* werd een ALS gebruikt om een vals identificatiebewijs te onderzoeken.) De verschuiving vindt plaats via een transformatieproces van het blauwe uiteinde van het kleurenspectrum, dat kortere golflengtes heeft (het uiterste is UV), naar het oranje en rode uiteinde (het uiterste is infrarood). Vroeger waren er alleen oppervlakkige fluorescentiemetingen mogelijk, wat goed werkte

voor het opsporen van vezels en biologische vloeistoffen, maar tegenwoordig zijn de mogelijkheden groter. Daardoor is ALS waardevoller geworden als onderzoeksinstrument.
De effectiviteit van de ALS-eenheden is verder vergroot dankzij het gebruik van krachtige Light-Emitting Diodes (LED's). Zij kunnen tijdens screeningtests beter aangeven of er behoefte is aan geavanceerdere (en duurdere) tests op een plaats delict. Helderheid varieert per kleur, wat het fluorescentie-excitatiespectrum (FES) oplevert. Omdat dit het gevolg is van kenmerken op het gebied van kleurabsorptie, kun je er ook onbekende stoffen, zoals spermavlekken, mee opsporen en identificeren. Een zorgvuldige fluorescentiemeting met een ALS kan sperma onderscheiden van de fluorescerende eigenschappen van wasmiddelen op dezelfde stof, zodat de vlek correct kan worden geïdentificeerd. Met behulp van het FES kan ook het bekende kleurenspectrum van het sperma als eerste zichtbaar worden gemaakt, zodat het een groter contrast vormt met de stof. Voor dit doel is het goedkoper om LED's te gebruiken dan lasers in ALS-eenheden, omdat LED's op vrijwel elke kleur kunnen worden afgestemd, snel aan en uit te zetten zijn en stabiel zijn.
Instrumenten voor fluorescentiemetingen worden gebruikt met een filteringssysteem waarmee de ene kleur zichtbaar wordt terwijl de andere worden geblokkeerd, meestal in de vorm van een fluorescentiebril die de fluorescentie intensiveert. Het succes van zo'n meting is afhankelijk van de juiste combinatie van lichtstraling en gekleurde filters. Gele of rode lenzen blokkeren blauw licht, terwijl oranje groen en blauw-groen licht blokkeert.
Een type ALS dat een stofspecifiek contrast geeft is Fluorescence Excitation Radiometry (FER). Bij dit systeem worden LED's gebruikt die ervoor zorgen dat combinaties van blauw licht en UV-licht elkaar automatisch in snel tempo opvolgen. Met behulp van een draaischijf kan de intensiteit van een van de twee worden verhoogd of verlaagd. Met dit apparaat zijn bijvoorbeeld vingerafdrukken duidelijker te contrasteren met het oppervlak waarop ze zijn achtergelaten.
Maar met het laten oplichten van vingerafdrukken zijn we er nog

niet. Sommige afdrukken zijn moeilijk te liften, dus proberen wetenschappers ook daarvoor nieuwe methoden te ontwikkelen.

Vingersporen

In een aflevering die in Las Vegas speelt, 'Mea Culpa', werd ineens een duidelijke duimafdruk aangetroffen op een luciferboekje dat vijf jaar eerder als bewijsmateriaal was onderzocht zonder dat het sindsdien nog was opgepakt. Hoewel de technicus het vreemd vond, zei hij dat het mogelijk is dat een vingerafdruk zichzelf pas na verloop van tijd manifesteert op het oppervlak waarop hij was aangebracht (plastic), waardoor men later ineens bewijsmateriaal in handen krijgt dat bij de oorspronkelijke rechtszaak niet beschikbaar was. De afdruk zorgde ervoor dat het team anders ging denken over de schuldvraag. Deze duimafdruk had zich langzamer gemanifesteerd vanwege de manier waarop proteïnen reageren op ninhydrine, de stof die in die zaak was gebruikt om hem zichtbaar te maken.
Hoewel zulke incidenten niet vaak voorkomen, proberen deskundigen steeds betere methoden te ontwikkelen om vingerafdrukken op te sporen en zichtbaar te maken, vooral op oppervlakken die van oudsher moeilijk te liften en zelfs te fotograferen zijn. Voor oppervlakken als baksteen, huid en bloed gebruiken sommige onderzoekers bijvoorbeeld gietsilicone. Transparante silicone, dat vaak wordt gebruikt om een accurate driedimensionale weergave te krijgen van werktuig- en indruksporen, maakt het mogelijk om vingerafdrukken te conserveren en ze zichtbaar te maken voor vergelijkingsdoeleinden. Het is veiliger dan het gebruik van chemicaliën en het is permanent. Deze methode is zelfs bruikbaar bij gewelfde oppervlakken.
Vingersporen zijn echter niet de enige manieren om iemand te identificeren. Biologen hebben daar verschillende andere nuttige instrumenten voor ontwikkeld.

Hulpmiddelen bij een identificatie

In de aflevering 'Stalkerazzi' (*CSI-M*) treft het team zweet aan op de band van een hoed die is gebruikt om een man te vermoorden. Een DNA-analyse levert echter geen treffers op. Met andere woorden: er zijn geen bronnen waaraan het bewijsmateriaal kan worden gekoppeld. Zolang er geen verdachte is, is dit type identificatie dus onbruikbaar. Toch bestaat er ook dan nog een procedure waarmee het aantal potentiële verdachten terug te brengen is: amelogenine-analyse. Hiermee is in ieder geval te achterhalen of de verdachte mannelijk of vrouwelijk is. Dat gebeurde bijvoorbeeld in 'Summer in the City' (*CSI-NY*).
Amelogenine is de belangrijkste eiwitcomponent van tandglazuur – ongeveer 90 procent van het glazuur van zich ontwikkelende tanden bestaat eruit – en produceert X- en Y-chromosoomspecifieke producten. Co-amplificatie van amelogenine met de loci die worden gebruikt voor Short Tandem Repeat (STR) bij DNA-tests levert een gender-identiteitstest op. Bij een STR-procedure wordt gewerkt met nucleotidesequenties die slechts twee tot vier basen lang zijn, waardoor deze procedure gebruikt kan worden in combinatie met het PCR-amplificatieproces, dat geschikt is voor zeer kleine monsters. Meer dan tweeduizend STR-markers zijn bruikbaar voor het maken van een genetisch profiel, en het onderscheid tussen individuen dat ermee kan worden gemaakt, is zeer betrouwbaar. Daardoor is er maar een heel klein DNA-monster nodig voor een test met het amelogenine-STR om vast te stellen of een verdachte een man of een vrouw is. Het allelprofiel van de amelogenine-locus van vrouwelijke monsters is X-X en van mannelijke monsters X-Y. Hoewel dit onderscheid misschien te vaag lijkt om veel op te leveren, bleek het bijvoorbeeld goed van pas te komen bij het oplossen van een massamoord.

Na de terroristische aanval op de Verenigde Staten op 11 september 2001 moesten er zo'n drieduizend slachtoffers worden geïdentificeerd. Van veel mensen werden alleen stukjes teruggevonden. Conventionele

DNA-technologieën bleken soms niet toereikend voor dit karwei, wat de aanzet gaf tot verschillende nieuwe technologische ontwikkelingen. De Bode Technology Group uit Virginia, destijds het grootste DNA-testbedrijf in Amerika, werkte samen met de artsen op locatie, maar al snel werd duidelijk dat veel DNA uit de menselijke resten die tussen de puinhopen lagen was beschadigd nadat de brandweer het rampgebied had schoongespoten. Bovendien waren veel slachtoffers verast. Daardoor moesten de technici vooral met botfragmenten werken, waar lastig een DNA-analyse op los te laten is. Minder dan de helft van de ruim twaalfduizend fragmenten die aan een eerste screeningproces werden onderworpen leverde bruikbare informatie aan de hand waarvan slachtoffers geïdentificeerd konden worden.

Om deze resultaten te verbeteren, boog Bode zich over de ontwikkeling van andere processen. Bij een van die processen werd met succes gebruikgemaakt van ontkalking om het DNA te isoleren, en voor een ander proces werden veelvoudige (multiplex) short tandem repeat systemen ontwikkeld, waarvan ook gendertests aan de hand van de amelogenine-locus onderdeel waren. Amelogenine is de kleinste STR-marker, met ongeveer 115 basenparen. Om de enorme klus te klaren, bedacht het bedrijf een manier om de tests gevoeliger te maken en ook geschikt te maken voor kleinere monsters.

Ook het bedrijf Orchid Biosciences uit New Jersey, dat zich veel bezighoudt met vaderschapstests, leverde een bijdrage aan de technologie. Zij gebruikten een specifiek type zelfstandige genetische marker, die gebruikt kon worden voor de identificatie van stoffelijke resten. Soms was amelogenine de enige marker die aan een monster kon worden onttrokken, en op die monsters paste het bedrijf zijn genotyperingstest toe. Ze wisten op verschillende locaties binnen het getroffen gebied monsters op te sporen die bij elkaar hoorden. Daardoor was hun test een verbetering ten opzichte van de DNA-analyses waarvoor monsters van hogere en meer markers nodig waren.

Een andere methode die momenteel in ontwikkeling is, is de isotopische analyse van zuurstof en strontium in tandglazuur. Deze methode kan van nut zijn bij de identificatie van gecremeerde

lichamen waarvan het tandglazuur nog intact is. Er kan in ieder geval globaal mee worden aangetoond uit welk gebied de slachtoffers afkomstig waren. Het type water en het algemene voedingspatroon in een bepaalde regio spelen een rol bij deze analyse. Het glazuur zou een chemisch profiel in zich herbergen van de omgeving waarin mensen hun jeugd doorbrengen – dat is namelijk de periode waarin het glazuur zich ontwikkelt. Aangezien een groot deel van de zuurstof die bij de vorming van glazuur wordt gebruikt afkomstig is uit het water dat we drinken, wordt het type klimaat waaraan iemand in zijn jeugd werd blootgesteld opgeslagen in zijn tanden. Zwaardere isotopen zijn afkomstig uit warmere klimaten. Vergelijking van de isotopen in de tanden met het water uit verschillende regio's kan een globale indicatie geven van waar iemand vandaan komt. Strontiumanalyse is gerelateerd aan het type grond waarin voedsel wordt verbouwd. Omdat mensen sinds de jaren negentig van de twintigste eeuw echter steeds meer gebotteld water drinken, is deze methode van glazuuranalyse vooral geschikt voor oudere zaken.
Nu we het toch over grootschalige rampen hebben, stappen we over op een ander type dat in *CSI* aan bod komt.

Goede en kwaadaardige toepassingen van straling

Bij een explosie in een club in '10-7' (*CSI-M*) rees het vermoeden dat er sprake was van boze opzet en dat er geen normale bom was gebruikt. De eerste indicatie daarvoor was de aanwezigheid van een hoog kaliumjodidegehalte in het schildklierweefsel van een van de slachtoffers, dat beschermende eigenschappen kan hebben tegen bestraling met joodisotopen. Omdat het slachtoffer geen aandoening aan zijn schildklier had die de aanwezigheid van de stof kon verklaren, dacht het team dat er iemand met straling bezig was geweest, en misschien ook met een vuile bom. Toen er ook nog TNT werd gevonden, dat straling kan verspreiden, en een weerkaart aangaf dat de windomstandigheden die nacht optimaal waren geweest, leek die mogelijkheid steeds reëler te worden.

Volgens de U.S. Nuclear Regulatory Commission (NRC), die federale, staats- en regionale instellingen traint in het omgaan met zulke noodgevallen, bevat een Radiological Dispersion Device (RDD) of 'vuile bom' een combinatie van conventionele explosieven als TNT en radioactief materiaal. De eerste component is direct dodelijk, terwijl de tweede geleidelijker en in een groter gebied schade toebrengt. De besmetting die daarvan het resultaat is, kan leiden tot geboorteafwijkingen, kanker en andere ziekten. De NRC noemt dit soort bommen 'massa-ontwrichtingswapens', omdat ze tot grootschalige paniek kunnen leiden (psychologisch terrorisme). Zij wijst er echter op dat 'directe, accurate en neutrale informatie' zulke paniek kan ondervangen. Een RDD is niet te vergelijken met een kernexplosie. Meestal wordt er maar een beperkt gebied mee besmet – tenzij de terroristen iets doen zoals wat de daders in '10-7' deden: de bom in de lucht laten exploderen als de windomstandigheden optimaal zijn.

Hoewel er soms radioactief materiaal wordt gestolen dat niet wordt teruggevonden, stelt de NRC dat 'de totale optelsom van al het niet-achterhaalde materiaal (in de Verenigde Staten) van de afgelopen vijf jaar nauwelijks genoeg is voor één radioactieve bom die voor grootschalige ontwrichting zou kunnen zorgen.'

Als er ergens een vuile bom explodeert, raadt de NRC op haar website de volgende voorzorgsmaatregelen aan:

- Verlaat direct het besmette gebied.
- Luister naar de radio voor verdere aanwijzingen.
- Trek kleding uit en verpak deze in plastic voor later onderzoek.
- Neem een douche om jezelf te ontsmetten.
- Doe navraag bij de plaatselijke autoriteiten over blootstellingstests en beschermende maatregelen.

Er zijn, in ieder geval in grote steden (de meest waarschijnlijke doelwitten), uitgebreide programma's ontwikkeld waarmee kan worden voorspeld in welke richting de dodelijkste stralingswolk zich zal begeven, en er zijn communicatiesystemen ontwikkeld om mensen in getroffen gebieden te waarschuwen. Wetenschappers beschikken dus over modellen voor zulke noodsituaties. Het is aan de overheidsinstellingen om er alert mee om te gaan, ze op een efficiënte manier in te zetten en het publiek erover voor te lichten.

Bij een misdaadonderzoek kan straling echter ook voordelen opleveren.

Forensische radiologie is een deelgebied van het vakgebied medische beeldvorming (het genereren en analyseren van medische beeldinformatie). Pathologen gebruiken radiologische technologieën en radiologische methoden als hulpmiddel om in onderzoeks- of juridische contexten de doodsoorzaak en het mechanisme van overlijden vast te stellen. Dankzij innovaties als de CT-scan, ultrasone golven en MRI is radiologie nog waardevoller geworden voor forensische doeleinden.

In 1895 ontdekte Wilhelm Röntgen de röntgenstralen, en binnen een paar maanden paste hij ze toe in een zaak. Het slachtoffer van een schietpartij had de kogel nog in zijn been zitten, maar het was niet duidelijk waar. Met behulp van röntgenstralen wist de arts hem te lokaliseren, zodat de aanklagers met succes konden aantonen dat er sprake was van poging tot moord.

Met röntgenfoto's kunnen lichaamsvreemde objecten zichtbaar worden gemaakt, en in een aflevering van *CSI-NY*, 'Creatures of the Night', gebruikten de onderzoekers röntgenfoto's om tussen honderden ratten in een gebouw één rat te lokaliseren die bewijsmateriaal had ingeslikt.

Röntgenspecialisten werken in verschillende contexten samen met pathologen en artsen. Ze bieden bijvoorbeeld ondersteuning tijdens de autopsie. Als een röntgenfoto uitwijst dat er sprake is van een verse botbreuk op een onverwachte plek (die bijvoorbeeld niet het gevolg is van pogingen van medisch personeel om het slachtoffer te reanimeren), kunnen zij daar de aandacht op vestigen. Bovendien kunnen röntgenfoto's die van iemand zijn gemaakt toen hij nog in leven was, bijvoorbeeld na een gebroken been, helpen bij de identificatie van een onbekende persoon die hetzelfde letsel blijkt te hebben.

Radiologie kan ook helpen uitwijzen of een kind is mishandeld. Bij een kind dat verschillende breuken heeft is die mogelijkheid aanwezig, en als een kindermishandelaar terecht moet staan, kunnen röntgenfoto's als bewijsmateriaal dienen. In andere contexten kunnen verdachten via röntgenstralen worden gescreend op de aanwezigheid van drugs in hun lichaam die op een speciale manier zijn verpakt, zodat ze na aankomst op de plaats van bestemming door het lichaam worden afgestoten.

Röntgenstralen hebben ook nog andere mogelijkheden. In *CSI-NY* gebruikten onderzoekers een instrument voor het analyseren van legeringen, een soort draagbaar röntgenapparaat waarmee de aanwezigheid, de samenstelling en het metaalgehalte van legeringen op een draagbaar computerscherm zichtbaar kunnen worden gemaakt. Dit apparaat wordt gebruikt om bodemsamenstellingen te analyseren, metaal in de omgeving op te sporen en geochemische analyses uit te voeren. Doordat röntgentechnologie tegenwoordig mobiel is en bruikbaar is bij verschillende opsporingstypen, biedt het waardevolle aanknopingspunten voor nieuwe ontwikkelingen op het gebied van misdaadonderzoek.

In de toekomst zullen waarschijnlijk ook RFID(Radio Frequency Identification)-tags een revolutie teweeg gaan brengen in onze wereld. Deze bestaan uit silicium chips en antennes die gegevens overzenden naar draadloze ontvangers en die het mogelijk maken om elk type object op te sporen. Er is geen infrarood- of laserstraal nodig om de codes uit te lezen, zoals bij barcodes het geval is, en veel 'smart tags' kunnen meteen worden afgelezen. Naar verluidt verschaft deze technologie computers veel meer mogelijkheden om dingen te 'zien'. Hoewel de meeste toepassingen ervan positief zijn (zoals het herbevoorraden van schappen in de supermarkt), kan RFID op de lange termijn ook 'Big Brother'-achtige problemen gaan opleveren.

Elektronische stabiliteit

De kwaliteit van videobeelden kan op verschillende manieren worden verbeterd, en de NASA biedt bedrijven de gelegenheid om een licentie aan te vragen voor hun videostabilisatie- en -registratietechnologie (VISAR). Deze technologie werd oorspronkelijk ontwikkeld om het bomincident tijdens de Olympische Zomerspelen in Atlanta in 1996 te onderzoeken en hielp in 1995 ook de Rider-truck identificeren die was gebruikt bij de bomaanslag in Oklahoma City.

Bij een bomexplosie in het Olympic Centennial Park in juli 1996 tijdens de Olympische Zomerspelen in Atlanta kwamen twee mensen om het leven en raakten er 110 gewond. Vóór de explosie was er melding gemaakt van een verdacht pakketje in het AT&T Global Village, in de buurt van het podium waarop een concert werd gehouden. De politie evacueerde mensen uit het gebied, maar niet iedereen begreep wat er aan de hand was. Plotseling explodeerde het pakketje en vlogen er granaatscherven in alle richtingen. Tijdens het concert en de evacuatie namen mensen met videocamera's amateurbeelden op, maar dat leverde op zijn best vage en schokkerige beelden op. Er was grote behoefte aan een mogelijkheid om de kwaliteit van die beelden te verbeteren, zodat men misschien zou kunnen achterhalen wie de bom had geplaatst. De politie vroeg om assistentie van Amerikaanse federale laboratoria, en uiteindelijk legde de NASA de vraag neer bij onderzoekers die zich bezighielden met beeldbewerking van zonneopnamen. Zij hadden een technologie ontwikkeld die VISAR heette en waarmee beelden die van grote afstand waren opgenomen konden worden gestabiliseerd.

Volgens de VISAR-website kunnen met deze technologie rotatie- en zoomeffecten worden gestabiliseerd, kan de helderheid van beelden worden verbeterd, 'sneeuw' worden gereduceerd en kunnen onregelmatigheden worden weggenomen. Zij werkt goed bij opnamen die gemaakt zijn vanuit rijdende voertuigen, bij medische beelden, microscoopbeelden en bewakingsvideo's. VISAR kan bewegende beelden verbeteren en stilstaande beelden isoleren. De technologie werd bijvoorbeeld gebruikt in het proces tegen een man van wie een bewakingsvideo beelden had opgenomen toen hij een jonge vrouw ontvoerde die later dood werd teruggevonden.

Wat grond ons kan vertellen

Wetenschappers van het Institute of Environmental Science and Research (ESR) in Nieuw-Zeeland beschouwen grond en de beestjes die erin leven als een soort 'vingerafdruk' die het onderzoek naar en het oplossen van allerlei soorten misdrijven gemakkelijker maakt. Milieudeskundige Jacqui Horswell ontwikkelde een manier om DNA te gebruiken voor het analyseren van bacteriën, zodat een grondmonster van de schoen, de auto of de kleding van een dader kan worden gekoppeld aan een specifieke locatie. Zo kan worden bewezen dat hij of zij op een plaats delict aanwezig is geweest. Omdat de wetenschappers van het ESR de hele bacteriëngemeenschap kunnen coderen, zo zegt Horswell, kunnen ze het ene grondmonster met het andere vergelijken (die allebei bacteriën bevatten) en met een hoge mate van nauwkeurigheid vaststellen of er sprake is van een match.
De wetenschappers onttrekken DNA aan het monster om te kijken naar een gen dat 16S rRNA heet, of passen een techniek toe die Terminal Length Restriction Fragment Polymorphism heet. Vervolgens maken ze kopieën via PCR(Polymerase Chain Reaction)-amplificatie. Wanneer de verschillen in lengte voor een specifiek profiel eenmaal in een grafiek zijn weergegeven, kunnen ze ze in een computerprogramma invoeren dat de vergelijkingen maakt

en een eventuele match vaststelt. Dat levert een begrijpelijk, visueel resultaat op dat aan juryleden kan worden getoond. De techniek schijnt niet duur te zijn en is gemakkelijk uit te voeren door forensisch wetenschappers met kennis van moleculaire biologie en toegang tot de juiste apparatuur.

Het ESR hoopt een databank te ontwikkelen met bacteriële profielen in heel Nieuw-Zeeland, zodat er betrouwbare vergelijkingen kunnen worden gemaakt. Op die manier zou de herkomst van onbekende grondmonsters kunnen worden achterhaald. Aangezien de techniek nog relatief nieuw is in de forensische wereld, heeft zij zich daar nog niet definitief kunnen bewijzen.

Wat er in Nieuw-Zeeland wordt gedaan, is vergelijkbaar met onderzoek door de Anthropological Research Facility (ARF) van de University of Tennessee, ook wel bekend als de Body Farm. In het boek *Death's Acre*, geschreven door ARF-oprichter Bill Bass en Jon Jefferson, heeft een onderzoeker geprobeerd hetzelfde te documenteren. Dr. Arpad Vass, ooit student bij de ARF en nu onderzoekswetenschapper bij het Oak Ridge National Laboratory, doet al jaren microbische metingen aan ontbindende elementen die worden aangetroffen in grond onder lijken. Hiermee heeft hij een bijdrage geleverd aan het preciseren van schattingen van het postmorteminterval (PMI) – de tijd tussen het moment waarop iemand stierf en het moment waarop zijn lijk wordt ontdekt. Beestjes die in grond leven doorlopen bepaalde ontwikkelingsstadia, en als ze sterven en ontbinden laten ook zij sporen achter die van nut kunnen zijn bij het vaststellen van het PMI. Tijdens de verschillende ontbindingsfasen ontstaan er bacteriën, en meer kennis van die fasen, in combinatie met mogelijkheden om ze te vergelijken met informatie uit een databank, kan onderzoekers helpen met het vinden van antwoorden op allerlei vragen over een mogelijke moord.

De Nieuw-Zeelandse onderzoekers hopen een kit voor grondanalyse te ontwikkelen waarmee resultaten te boeken zijn die acceptabel zijn voor de rechtbank. Zij willen het onderzoekers mogelijk maken met zekerheid vast te stellen dat een misdadiger op zijn minst op een specifieke locatie aanwezig is geweest. Hoewel het slechts een van de vele factoren is die nodig zijn om te bewijzen

dat iemand schuldig is, kan een precieze vergelijking tussen monsters zeer overtuigend zijn.
Hieronder richten we ons op een totaal ander aandachtsgebied voor onderzoekers: geur.

Een neus voor geuren

Een bedrijf dat Electronic Sensor Technology heet, heeft de zNose ontwikkeld – een gaschromatograaf die met behulp van de Surface Acoustic Wave (SAW) technologie geuren en aroma's binnen tien seconden kan opvangen en analyseren. Een van hun modellen is draagbaar en kan buiten worden gebruikt, en er is ook een bureaumodel dat in het laboratorium kan worden gebruikt. Drie andere typen zijn in ontwikkeling. (In de aflevering 'Bully for You' van *CSI-LV* komen de torenhoge kosten en de waarde van een elektronische neus aan de orde.) Dit apparaat is in Amerika aangekocht om de binnenlandse veiligheid te bevorderen. Het idee is om het in bepaalde gebouwen te installeren, waar het vroege waarschuwingssignalen kan uitzenden in het geval van chemische of biologische aanvallen. Volgens de website van het bedrijf kan het apparaat elk type damp, giftige stof of samenstelling herkennen.
Van de neus stappen we over naar de mond. Ook wetenschappelijke analyses van de manier waarop we praten kunnen namelijk behulpzaam zijn bij een moordonderzoek.

Taal kan je verraden

We zijn wat we zeggen, wat betekent dat mensen vaak kunnen worden herkend aan hun persoonlijke taalgebruik. Bij op taal gebaseerde auteursidentificatie worden met uiterst nauwkeurige methoden patronen in geschreven documenten geclassificeerd, waardoor een bepaalde tekst met grote zekerheid tot een specifieke auteur kan worden herleid. Sommige mensen proberen auteurs te identificeren via subjectieve interpretaties die alleen gebaseerd zijn op persoonlijke ervaring, terwijl andere jarenlang bezig zijn om er een solide wetenschappelijke basis voor te vinden. Dr. Carole Chaski behoort tot die laatste groep. Ze studeerde linguïstiek aan de Brown University en geeft sinds 1992 linguïstisch advies bij rechtszaken. In 1998 richtte ze het Institute of Linguistic Evidence, Inc. op, een non-profitinstelling die onderzoek ondersteunt naar de validiteit en de betrouwbaarheid van op taal gebaseerde auteursidentificatie en die technieken die niet gestoeld zijn op wetenschappelijke methoden ter discussie stelt. Zij vindt het belangrijk dat onderzoekers het verschil daartussen kennen.

'Forensische linguïstiek,' legt dr. Chaski uit, 'is de toepassing van linguïstische theorieën op forensisch relevante vraagstukken. Linguïstiek is een sociale wetenschap die nauw gerelateerd is aan zowel de cognitieve psychologie, die zich bezighoudt met vraagstukken over taalstructuur, taalverwerving en taalverwerking, als de sociologie, die zich bezighoudt met dialecten, de geschiedenis van talen en subculturen. Alle instrumenten die door linguïsten worden ontwikkeld om dit soort vraagstukken op te lossen, kunnen worden toegepast in forensische situaties.'

Alle wetenschappen moeten voldoen aan de Daubert-kwalificaties, willen ze worden toegelaten in de rechtszaal. Om te beoordelen of dat het geval is, stelt de rechter vast of de getuigenverklaring in kwestie relevant is voor de zaak, of de methodologie acceptabel is voor collega-wetenschappers, of er een foutfrequentie bekend is en of de methode toetsbaar is. Voordat ze een getuigenverklaring afleggen, moeten linguïstisch deskundigen weten hoe ze hiermee om moeten gaan.

'Omdat het een sociale wetenschap is,' geeft Chaski aan, 'wordt linguïstiek geleerd en onderwezen binnen het normale wetenschappelijke paradigma, wat ook in de Daubert-bepalingen van toepassing is. Elke wetenschap is gebaseerd op het idee dat menselijke fouten en vooroordelen voortdurend moeten kunnen worden gecorrigeerd door middel van duidelijke en herhaalbare procedures en verschillende replicaties met dezelfde bevindingen. De wetenschap doet voorspellingen op basis van bekende patronen. Deze voorspellingen zijn alleen valide als uit tests blijkt dat ze in

bepaalde omstandigheden en in bepaalde frequenties keer op keer correct zijn. Bovendien moet elke wetenschap zich bewust zijn van haar eigen beperkingen. De meeste ontwikkelde wetenschappen hebben voldoende herhalingen verzameld om foutfrequenties te kunnen verschaffen.'
Linguïstische procedures die de Daubert-toets niet doorstaan zijn nog niet voldoende gevalideerd in andere omstandigheden dan rechtszaken, waardoor er nog geen foutfrequenties bekend zijn.
'De enige forensische linguïstische methode waarvan ik weet dat hij voldoet aan de Daubert-criteria,' geeft Chaski aan, 'is de syntactische analysemethode voor auteursidentificatie, die ik sinds 1992 aan het ontwikkelen en valideren ben. Als sociaal wetenschapper heb ik het probleem volgens het normale wetenschappelijke paradigma benaderd, zodat ik op het Daubert-onderzoek was voorbereid.'
Toch proberen ook veel andere linguïsten voet aan de grond te krijgen in de rechtszaal, en een deel van hun werk wordt beschouwd als pseudowetenschap. Chaski herkent dat soort getuigenverklaringen aan verschillende signalen. Zo zijn er 'deskundigen' die de term forensische linguïstiek gebruiken maar geen linguïstische methoden gebruiken. Maar er zijn ook andere indicatoren: 'Persoonlijke mening, intuïtie en ervaring zonder documentatie zijn geen wetenschappelijke procedures,' zegt zij. 'Ik heb eens een verslag gelezen waarin de analist zei dat een arbeider niet zo'n lang document kon schrijven. Deze volkomen ongefundeerde, persoonlijke en nogal elitaire mening werd later krachtig weerlegd door de ontdekking dat de arbeider in kwestie een bekend en frequent auteur van internetpornografie was.'
Ze maakt ook mee dat linguïstische terminologie op niet-standaard of foutieve manieren wordt gebruikt, wat erop duidt dat de analist in kwestie niet echt kennis heeft van linguïstiek. Rechters en jury's zijn zich daar echter niet altijd van bewust, omdat ze niet de technische kennis bezitten om het vocabulaire te beoordelen. 'Dit kan heel gevaarlijk zijn, omdat een rechter of jury onder de indruk kan zijn van de wetenschappelijke termen die worden gebruikt.'

Een van de verantwoordelijkheden die het beroep van dr. Chaski met zich meebrengt, is alert zijn op methoden waaraan 'geen grenzen schijnen te zitten in termen van de hoeveelheid tekst die nodig is of het type tekst dat nodig is,' en op 'de bewering dat nieuwe gegevens niets zullen of kunnen veranderen aan de conclusie'. Een ander waarschuwingssignaal is 'een methode waaraan geen statistische analyse gekoppeld is, ook al is de conclusie gesteld in pseudostatistische termen, zoals "zeer waarschijnlijk" of "aannemelijk"'. In haar ogen is dit misleidend.
Wanneer een deskundige zich vooral bezighoudt met literatuur en literatuurkritiek, zal er volgens haar bovendien sprake zijn van een 'literaire benadering die afhankelijk is van de reactie van de analist op de documenten. In de literatuur en de literatuurkritiek ontbreekt de normale wetenschappelijke norm dat een conclusie repliceerbaar moet zijn.'
Ze heeft een hekel aan elke benadering die gestoeld is op 'het soort grammatica dat in scholen wordt onderwezen en dat voorschrijft wat een schrijver wel en niet mag doen,' omdat dat aangeeft 'dat de analist in kwestie niet erg veel kennis heeft van linguïstiek. Pedagogische grammatica is niet te rijmen met linguïstiek. Bovendien maken de meeste schrijvers dezelfde pedagogisch-grammaticale fouten, anders zou er geen reden zijn om hun te leren om die fouten niet te maken.' In haar ogen is het 'onlogisch om te denken dat je met zulke fouten individuen kunt identificeren'.
Een andere aanwijzing voor pseudowetenschap is volgens haar 'minachting voor ons juridische systeem. Dat heb ik op verschillende manieren tot uiting zien komen. Sommige deskundigen klagen dat de Daubert-criteria er helemaal naast zitten, dat er verschillende soorten wetenschappen bestaan en dat linguïstiek zich niet zou hoeven houden aan de normale wetenschappelijke procedures van Daubert. Ik denk dat die houding om verschillende redenen erg gevaarlijk is. Het plaatst de deskundige in de schoenen van de advocaat, terwijl de deskundigen die over dit soort dingen klagen juist geen juridische achtergrond bezitten. Ze gaan voorbij aan het feit dat zowel fysieke als sociale wetenschappen wetenschappen zijn die uitgaan van hetzelfde wereldbeeld. Dat maakt

linguïstiek zeker niet geliefd bij rechters. Het vertraagt het onderzoek waar zo dringend behoefte aan is. Het is gewoon een afleidingsmanoeuvre: deze klagers hebben blijkbaar niet het onderzoek gedaan dat ze hadden moeten doen om te voldoen aan de criteria van Daubert.'

Maar soms bespeurt zij nog een grovere blijk van respectloosheid, waar geen enkele professional zich schuldig aan zou mogen maken. 'Wat mij betreft is het prima als een deskundige over een lopende zaak praat wanneer hij niet actief bij die zaak is betrokken en weet dat hij er ook in de toekomst niet betrokken bij zal zijn. Maar een deskundige die over een lopende zaak praat waarin hij zelf bewijsmateriaal analyseert of heeft geanalyseerd, treedt het recht van elke burger op een eerlijk proces met voeten. Ik beschouw dat als vergiftiging van de potentiële jurypool.'

Chaski's eigen methode, de syntactische analyse, is gebaseerd op de generatieve grammatica, al vijf decennia lang een linguïstische toetssteen. Daarnaast gebruikt ze een standaard statistische test om haar verklaringen op te baseren.

'Nadat ik verschillende zaken had meegemaakt waarin mijn conclusie werd gevalideerd door een bekentenis van de verdachte in het getuigenbankje,' zegt ze, 'ben ik op zoek gegaan naar middelen om validatieonderzoeken te kunnen uitvoeren die los stonden van concrete processen. Ik kreeg een onderzoeksbeurs van het National Institute of Justice van het Amerikaanse ministerie van Justitie, waar ik drie jaar heb gewerkt. Ik zette er een databank op met schrijfvoorbeelden van bekende auteurs, waarmee ik experimenten kon uitvoeren. Ook testte ik honderden linguïstische variabelen en verschillende statistische procedures. Dit werk is nog steeds gaande, maar de huidige validatietests, waarbij tien auteurs zijn betrokken, tonen aan dat de methode op dit moment in 95 procent van de gevallen documenten aan de juiste auteur toeschrijft.'

Soms wordt haar gevraagd zelfmoordbriefjes te analyseren om vast te stellen of ze daadwerkelijk zijn opgesteld door de overleden persoon. Als ze op een computer zijn achtergelaten, is handschriftanalyse nutteloos, dus dan moet er een andere methode worden gebruikt. 'Syntaxis is de manier waarop we woorden

combineren om frasen en zinnen te maken,' legt Chaski uit. 'Het is een automatisch, onbewust proces dat binnen milliseconden weer uit het geheugen verdwijnt. Deze feiten worden gestaafd door bijna veertig jaar van psycholinguïstische experimenten, maar iedereen kan merken hoe waar ze zijn door simpelweg te proberen om letterlijk te herhalen wat er in een gesprek is gezegd. Het feit dat dat heel veel inspanning vergt, toont aan dat de normale taalverwerking niet gericht is op syntaxis, maar op betekenis. Omdat syntactische structuren onbewust zijn en automatisch worden gegenereerd, zijn ze moeilijk te imiteren. Eerst analyseer ik dus de syntactische patronen binnen een document, vervolgens laat ik een statistische analyse op die patronen los en baseer ik mijn conclusies op de statistische resultaten. Ik heb zelf computersoftware ontwikkeld om het grootste deel van de syntactische analyse te automatiseren, en ik gebruik commercieel beschikbare statistische software.'
Hoe ze precies te werk gaat, wordt hieronder geïllustreerd aan de hand van een van haar eerste zaken.

In 1992 werd de 23-jarige computerprogrammeur Michael Hunter dood aangetroffen in zijn bed. Zijn kamergenoot, Joseph Mannino, was degene die de politie waarschuwde. Uit een autopsie bleek dat Hunter was gestorven aan een combinatie van verschillende vrij verkrijgbare medicijnen en een overdosis lidocaïne, een verdovingsmiddel. De patholoog ontdekte een afdruk van een injectienaald op zijn arm. Omdat het onwaarschijnlijk leek dat hij zichzelf zo'n medicijn had toegediend en hij dan sowieso de naald niet zou hebben kunnen verwijderen voordat hij stierf, besloot de politie een onderzoek in te stellen.
Al snel bleek dat Hunter een appartement, en zijn liefdesleven, met twee mannen deelde: de 26-jarige Mannino en de dertigjarige Garry Walston. Walston was landschapsarchitect en Mannino studeerde geneeskunde. Omdat driehoeksverhoudingen vaak emotionele problemen opleveren, en omdat Mannino relatief gemakkelijk aan lidocaïne had kunnen komen, ontstond het vermoeden dat hij reden had gehad om Hunter te vermoorden. Walston bevestigde dat Mannino en Hunter ruzie hadden gemaakt,

waarbij hij zelf partij had gekozen voor Hunter. Mannino had op het punt gestaan om de relatie te verbreken en zijn biezen te pakken.
Toen de politie de verdachte met haar vermoedens confronteerde, ontkende Mannino dat hij een misdrijf had gepleegd. Hij vertelde echter wel dat hij Hunter lidocaïne had gegeven tegen zijn migraine-aanvallen. Mannino vertelde ook dat Hunter onlangs had ontdekt dat hij hiv-positief was, dus wellicht had hij de lidocaïne gevonden en die gebruikt om zichzelf van het leven te beroven. Niet lang daarna kwam Mannino met een diskette waarop verschillende zelfmoordboodschappen van Hunter aan vrienden en familieleden leken te staan. Omdat ze waren getypt was een handschriftanalyse niet mogelijk. Op dat moment schakelde de politie dr. Chaski in.
'Ik was destijds hoogleraar aan de North Carolina State University,' herinnert zij zich. 'Ik werd benaderd door W. Allison Blackman, een rechercheur van de Raleigh Major Crimes Unit, met vragen over de herkomst van zelfmoordbriefjes die op een computer waren achtergelaten.' Om vergelijkingen te kunnen maken, kreeg ze talloze schrijfvoorbeelden van zowel Mannino als Hunter. Ze liet haar computerprogramma op de voorbeelden en de vermeende zelfmoordbriefjes los en verzamelde statistische informatie over grammatica en uitdrukkingswijzen. De auteur van de briefjes bleek verschillende unieke stilistische gewoonten te bezitten; hij maakte bijvoorbeeld lange zinnen en gebruikte heel veel bijwoorden. In geen van Hunters schrijfvoorbeelden werden deze kenmerken aangetroffen. 'Ik analyseerde de syntaxis van de documenten,' zegt dr. Chaski, 'en paste vervolgens een statistische methode toe waarmee ik de tellingen uit de vermeende zelfmoordbriefjes vergeleek met die uit de voorbeelden van de vermeende auteurs. Op basis daarvan kwam ik tot de conclusie dat de kans uiterst klein was dat de overledene de briefjes zelf had geschreven. Tussen de briefjes en geschriften van de andere potentiële auteur bestonden echter geen significante verschillen.'
Die auteur was Mannino, en hij werd gearresteerd. De linguïstische analyse leverde het bewijs voor Mannino's betrokkenheid in de zin dat hij in ieder geval de briefjes had geschreven. Bovendien had hij een motief en toegang tot het moordwapen. Toen eenmaal was aangetoond dat de zelfmoordbriefjes nep waren, werd Hunters lichaam getest op hiv. Hij bleek niet geïnfecteerd met het aidsvirus.

Mannino moest voor de rechter verschijnen en bekende in het getuigenbankje dat hij de zelfmoordbriefjes had geschreven, maar omdat de jury dacht dat Hunter de injectie misschien wel zelf had toegediend vanwege zijn migraine, werd Mannino slechts schuldig bevonden aan doodslag. Hij kreeg zeven jaar gevangenisstraf. Dr. Chaski heeft later nog veel over de zaak geschreven en sindsdien aan nog veel meer zaken meegewerkt die de kwaliteit en de betrouwbaarheid van haar methoden verder hebben onderschreven.

Veelzeggende stemmen

In CSI wordt gebruikgemaakt van allerlei typen audiotechnologie, zoals computerprogramma's die ruis kunnen verwijderen uit opnamen, programma's die geluiden helderder kunnen maken zodat ze kunnen worden herkend en programma's die bepaalde achtergrondgeluiden kunnen isoleren om ze beter te kunnen identificeren. Aiden, uit het team van CSI-NY, analyseert bijvoorbeeld een spectrografisch sonogram van de voicemail van een slachtoffer om achtergrondgeluiden te isoleren en te verduidelijken. Voor dit doel wordt zogenaamde enhancement software (verbetersoftware) gebruikt. Forensisch analisten kunnen ook beschadigde opnamen herstellen, vaststellen of er mee geknoeid of aan gesleuteld is, stempatronen stabiliseren en de bronnen van stemmen identificeren via voiceprint-technologie.
Voiceprints zijn grafische voorstellingen die verschillende kenmerken van iemands stem weergeven. De omvang en vorm van de stembanden, tong en neusholten spelen hierbij een rol, net als de manier waarop de persoon in kwestie zijn lippen, kaak, tong en gehemelte gebruikt om spraak voort te brengen. Dat gebeurt allemaal met behulp van een geluidsspectrograaf. Om tot een positieve identificatie van een verdachte te komen aan de hand van geluidsopnamen, zijn verschillende stemvoorbeelden nodig. De analist luistert naar de manier waarop iemand spreekt, pauzeert, ademt, woorden verbuigt en typerende zinsneden of stopwoord-

jes herhaalt, zoals: 'weet je wel?' In 'Committed', een aflevering van *CSI-LV*, werd echter een andere techniek uitgeprobeerd. Het was een nogal gedurfde aflevering, die kritiek kreeg van een aantal forensisch wetenschappers. Grissom nam apparatuur mee naar een psychiatrische inrichting met het doel een moord op te lossen. Toen Sara zag wat hij van plan was, noemde ze het 'akoestische archeologie'. Grissom erkende dat ze het bij het rechte eind had. Hij vertelde over onderzoek naar schilderijen en keramische potten dat sinds de jaren zestig van de twintigste eeuw wordt gedaan en waarbij wetenschappers via dit soort ogenschijnlijk ondoordringbare en stille materialen geluiden van het creatieve proces konden achterhalen. Deze techniek heeft wel iets weg van een grammofoon; dat is in feite een mechanische omvormer die muziek voortbrengt en versterkt doordat een naald de groeven van een grammofoonplaat raakt waarin geluidsvibraties zijn opgeslagen.

Maar kunnen we ook naar een willekeurig stenen gebouw toe lopen en achterhalen wie daar in de buurt heeft staan praten? Kan de aarde zulke duidelijk herkenbare geluiden absorberen? En zelfs als dat het geval is, kunnen wij die geluiden dan echt in coherente boodschappen vertalen?

In *Stone Age Soundtrack: The Acoustic Archaeology of Ancient Sites* deed wetenschapper Paul Devereux een reeks metingen aan plaatsen met grote steenmassa's zoals Stonehenge, de tempel van de Gevederde Slang en andere prehistorische ceremoniële plekken, om te zien of hij de geluiden van de rituelen aan de stenen kon ontlokken. Met behulp van een computer en laseroptische omvormers berekende hij frequenties en timbres, in de hoop te achterhalen hoe de echo's op deze plekken de rituele muziek konden hebben versterkt. Hij vond inderdaad bewijzen voor de theorie dat deze plaatsen zijn gebouwd vanwege hun vermogen tot akoestische versterking: 'De structuur, de omvang, de vorm en de menselijke logica die erachter zit zijn zodanig dat we met redelijke zekerheid kunnen concluderen dat geluiden onderdeel waren van het historische doel van deze constructies.' De façade van de stenen werd volgens hem mogelijk gezien als schakel tussen de fysieke en spirituele wereld. Sommige plaatsen resoneerden waarschijnlijk bij het bereik van een mannelijke bariton. Als je daar de hallucinogenen bij optelt die tijdens religieuze rituelen werden gebruikt, zal zo'n echo wellicht nog mystieker hebben geleken.

In de bewuste CSI-aflevering wist het team uit Las Vegas met behulp van een Doppler-laser en een optische omvormer het geluid van een woord te onttrekken aan een keramische pot die op een pottenbakkersschijf was geplaatst terwijl er twee mensen aan het praten waren. Dat brengt ons op weer een andere tak van wetenschap, de interferometrie. Daarbij worden twee of meer inputpunten van een bepaald type gegevens gecombineerd om een intensere of hogere resolutie te krijgen. Het principe is dat twee golven die met elkaar samenvallen, elkaar versterken. De componenten die hierbij worden gebruikt zijn een lichtbron (zoals een laser), een detector, twee spiegels en een halfdoorlatende spiegel. Hiermee worden twee routes gecreëerd die de lichtbronnen kunnen nemen om naar de detector te reizen.
Met behulp van de laser is waarschijnlijk het geluid uit de kleigroeven afgelezen terwijl het aardewerk ronddraaide. Een optische sonde als deze kan visuele beelden produceren van objecten onder een oppervlak (zoals grond of huid) die akoestische golven genereren als ze door een laserstraal worden verhit en door middel van lichtdiffusie binnen het weefsel worden getransporteerd. Met een zogenaamde dual-beam common-path interferometer kunnen oppervlaktebewegingen worden opgespoord. Dit instrument ontwikkelt een beeld van een absorberend object. De omvormer ontvangt de elektromagnetische energie van de omgeving en zet die om in bio-elektrische signalen die begrijpelijk zijn voor de menselijke geest.
Onderzoekers die deze technologie proberen toe te passen beweren dat ze er resultaten mee boeken, hoe primitief die ook zijn. De schrijvers van CSI, die altijd op zoek zijn naar unieke nieuwe methoden om misdrijven op te lossen, hebben in dit geval misschien

hun toevlucht genomen tot sciencefiction, maar het is heel goed mogelijk dat ze daarmee een onderzoeker ergens op aarde op een idee hebben gebracht. De toekomst zal het uitwijzen.
Innovators zijn mensen die nieuwe toepassingen ontdekken die niemand nog heeft bedacht, en die stappen zetten om die toepassingen uit te werken. Hier volgen nog een paar andere uitvindingen en ontwikkelingen die we in de toekomst wellicht kunnen verwachten:

- Draagbare DNA-apparatuur en preciezere methoden voor het onttrekken van DNA en voor het uitvoeren van DNA-tests aan de hand van piepkleine monsters, met minder risico van aantasting.
- Een elektronisch instrument dat net als een lijkenhond geuren van ontbindende resten opspoort (sommige instrumenten komen al een eind in de buurt, maar zijn nog niet goed genoeg).
- Microbische forensische technologie om biologisch terrorisme op te sporen en voor te zijn.
- Computerprogramma's waarmee achtergrond-extractiealgoritmen en simulaties van incidenten kunnen worden verbeterd.
- Nauwkeurige computerprogramma's die de kans op gericht geweld, zoals terrorisme, kunnen inschatten.
- Preciezere methoden voor op fysiologische kenmerken gebaseerde leugendetectie.

De mogelijkheden van deze en andere nieuwe ontwikkelingen worden momenteel onderzocht. Het raakvlak tussen wetenschap en forensisch onderzoek is een spannend gebied geworden, met ruimte voor vele innovaties. Er zijn pioniers nodig die deze ideeën verder kunnen uitwerken. De mensen die we in het volgende hoofdstuk zullen ontmoeten, zijn daar voorbeelden van. Zij hebben programma's ontwikkeld of instellingen opgezet die unieke invalshoeken voor forensische situaties verschaffen.

12 Unieke toepassingen

Hoewel wetenschap bij doorsnee misdaadonderzoeken vaak al een behoorlijk grote rol speelt, komen in *CSI* soms ook wetenschappelijke activiteiten voor het voetlicht die de inzet van speciale teams of talenten vergen. In dit hoofdstuk volgen we een aantal van deze fascinerende zijwegen.

Vals geld

Vervalsing is het drukken van vals geld om het te laten doorgaan voor echt geld. De *CSI*-teams worden in verschillende afleveringen geconfronteerd met vervalsing, zoals in 'Money for Nothing' (*CSI-M*), waarin een beveiligde vrachtwagen werd beroofd die alleen valse bankbiljetten aan boord had. In die aflevering werd uitgelegd hoe mensen het verschil kunnen zien tussen echt en vals geld. Echt geld heeft een watermerk dat bij een bepaalde lichtval zichtbaar wordt. Bij valse biljetten ontbreekt dat watermerk. Soms hebben ze echter wel een ander watermerk, wat onderzoekers kan helpen om het type papier te identificeren dat bij de vervalsing werd gebruikt. Hierbij komen dus ook vaardigheden op het gebied van documentanalyse om de hoek kijken. In de echte wereld zouden de onderzoekers een federaal team in de arm hebben kunnen nemen om hen te assisteren (of de zaak over te nemen).
Sinds 1865 hield de Amerikaanse Geheime Dienst zich voornamelijk bezig met het onderzoek naar en het voorkomen van vervalsing en fraude die gericht was tegen de overheid. In 1883 werd zij een aparte organisatie binnen het ministerie van Financiën, en elf jaar later kreeg zij ook de taak om de president te beschermen. Uiteindelijk werd een aantal agenten van de Geheime Dienst over-

geplaatst naar het ministerie van Justitie, en dat was het begin van de FBI. Zo tegen 1915 deed de Geheime Dienst ook onderzoek naar spionage. Tevens ging zij zorgdragen voor de bescherming van voormalige presidenten, de vice-president en hun directe familieleden. In 1984 nam het Congres een wet aan die het frauduleuze gebruik van creditcards en betaalpasjes tot een federale overtreding verhief, en niet lang daarna fuseerde het politiekorps van het ministerie van Financiën met de Geheime Dienst.

Op de website van de Geheime Dienst staat te lezen: 'Het soort strafzaken waaraan wij werken heeft voornamelijk te maken met het waarborgen van de financiële veiligheid van de natie. We besteden veel tijd aan onderzoek naar vals geld in en buiten de Verenigde Staten. Verder doen we momenteel onderzoek naar fraude met creditcards, computerfraude en fraude door financiële instellingen. Hoewel de computer tegenwoordig een belangrijk hulpmiddel voor ons is, gaan we ook nog steeds op pad om vragen te stellen aan slachtoffers, getuigen en verdachten. Ook doen we onderzoek naar mensen die bedreigingen uiten tegen de president, de vice-president of andere beschermelingen van ons.'

Als gevolg van de nieuwe ontwikkelingen op het gebied van computertechnologie en desktop publishing, waardoor kleurenprinters en kopieermachines echt geld behoorlijk dicht kunnen benaderen, is vervalsing een ernstiger probleem geworden. Met behulp van digitale technologie kunnen vervalsers nu zelfs grote banken oplichten. Een internationale bende stal bijvoorbeeld eens een dividend-cheque van een bank in Californië, scande die en veranderde het bedrag en de naam van de ontvanger, waarna de bank een kwart miljoen dollar uitbetaalde.

Om papiergeld tegen vervalsing te beschermen heeft het Amerikaanse ministerie van Financiën een aantal kenmerken aan Amerikaanse bankbiljetten toegevoegd die het moeilijker maken om ze te dupliceren. Als je bijvoorbeeld een biljet van 20 dollar met het hoofd van Andrew Jackson naar boven tegen het licht of onder een microscoop houdt, zie je aan de rechterkant het gedetailleerde watermerk verschijnen. Aan de linkerkant zit een veiligheidsstrip, die horizontaal loopt. Verder zijn de getallen op zo'n manier gekleurd dat hun kleur anders lijkt wanneer je er recht op kijkt dan wanneer je er van de zijkant op kijkt. Onder een microscoop kun je nog andere details aantreffen, zoals heel klein gedrukte lettertjes. Door middel van ultraviolet licht worden de fluorescerende inkt en vezels geactiveerd die in de biljetten (en in andere overheidsdocumenten) zijn verwerkt, en de biljetten zijn licht magnetisch. Ook gaan ze een chemische reactie aan met een specifieke substantie die, als zij erop wordt aangebracht, in een bepaalde kleur zal veranderen en uiteindelijk zal verdwijnen. Toch blijven vervalsers manieren vinden om zichzelf ten koste van de overheid te verrijken.

De Geheime Dienst was al een paar jaar op het spoor van James Mitchell DeBardeleben. Ze noemden hem de 'Mall Passer' omdat hij in verschillende voorstedelijke winkelcentra met vals geld betaalde. In één jaar tijd wist hij, in 38 verschillende staten, in totaal ongeveer 30.000 dollar aan vals geld te slijten. Hij ging van de ene winkel naar de andere en schafte met valse briefjes van twintig dollar overal goedkope producten aan die hij niet nodig had, zoals sokken of ansichtkaarten, om echt wisselgeld terug te krijgen. De agenten spoorden hem verschillende malen op, maar verloren hem ook steeds weer uit het oog. Uiteindelijk wisten ze echter nauwkeurig te voorspellen waar hij heen zou gaan.
Op 25 april 1983 stapte de 43-jarige oplichter een specifiek (op de hoogte gebracht) winkelcentrum binnen en kocht een pocketboek in een boekenwinkel. Hij gaf vier dollar uit en kreeg zestien dollar wisselgeld. De winkelmedewerker zag dat hij vervolgens naar een speelgoedwinkel ging om ook daar iets te kopen, en waarschuwde de beveiliging van het winkelcentrum. Zij volgden DeBardeleben in verschillende winkels en naar het parkeerterrein, waar ze zijn automerk en kenteken noteerden. Ook hadden ze videobeelden van hem waarop hij met valse biljetten betaalde. Van daaruit ging hij naar verschillende andere staten, waar hij steeds weer valse biljetten van 20 dollar uitgaf. Agenten hielden verschillende andere winkelcentra in de gaten waar ze verwachtten dat hij zou opduiken, en waarschuwden winkelpersoneel dat met hem te maken zou kunnen krijgen.

Een maand later arriveerde de 'Mall Passer' in Knoxville (Tennessee) met een auto die in twee staten geregistreerd stond en die nummerplaten droeg die waren gestolen in Virginia. Hij bezocht verschillende winkels in een plaatselijk winkelcentrum en werd herkend door een winkelmedewerker, die hem aangaf. Tegen de tijd dat hij besefte dat hij werd gevolgd, was hij al gepakt.
Bij doorzoeking van zijn auto werden vuurwapens, valse bankbiljetten, verschillende nummerplaten, medicijnen, een politie-insigne, negen valse rijbewijzen en een aanzienlijke hoeveelheid pornografie gevonden. Later rees ook het vermoeden dat DeBardeleben niet alleen vals geld had gedrukt, maar wellicht ook verschillende vrouwen had verkracht en vermoord. Hij werd in verband gebracht met vier incidenten. De onderzoekers lokaliseerden zijn drukpers, en na zes rechtszaken in verschillende districten die resulteerden in veroordelingen voor vervalsing, kreeg hij levenslang. Gezien het feit dat hij pas in aanmerking komt voor voorwaardelijke vrijlating als hij over de honderd zou zijn, besloten de andere districten van verdere vervolging af te zien.

De sleutel tot de oplossing

In de aflevering 'MIA/NYC-Nonstop' brachten gerelateerde zaken in Miami en New York Horatio Caine in contact met Mac Taylor, waarna de serie *CSI-NY* ontstond. Bij de oplossing van de zaken speelde kennis van sleutels en sloten een cruciale rol. De informatie die uiteindelijk de doorslag gaf, was dat duplicaatsleutels een rode schittering hebben die ze onderscheidt van de originele exemplaren. Dit is een van de aspecten van het werk van de forensische slotenspecialist.
De International Association of Investigative Locksmiths heeft een aantal normen opgesteld voor de wetenschappelijke analyse van sloten. Ze hebben een certificeringsexamen, trainingsprogramma's en een commissie van toezicht die ervoor zorgt dat de leden de juiste kwalificaties bezitten op het gebied van werktuigsporenanalyse en onderzoeksprocedures.

Aangezien er bij criminele activiteiten vaak sloten worden geforceerd, of dat nu is om een huis, een bedrijf, een auto of een kluis binnen te komen, kunnen forensisch slotenspecialisten van nut zijn als er een slot moet worden onderzocht om vast te stellen of er sprake is geweest van clandestiene pogingen om binnen te komen. Zij kijken allereerst naar het type slot waarmee ze te maken hebben.

Het meest voorkomende type is het cilinderslot, dat meestal vijf of zes pennen bevat. De cilinder loopt van voren naar achteren door het slot; de pennen zijn erbovenop geplaatst. Als er een sleutel in de cilinder wordt gestoken, worden de pennen naar boven geduwd en komt de cilinder in beweging, waardoor het slot opengaat. De meeste sloten hebben ronde pennen, maar veiligheidssloten zitten complexer in elkaar; die hebben bijvoorbeeld pennen met inkepingen. Ook die kunnen clandestien worden geopend, maar dat is een veel moeilijker proces dat alleen is voorbehouden aan de meest ervaren indringers en dieven.

De pennen van een slot kunnen ook omhoog worden gebracht met een loper. Een loper is meestal een metalen staafje met aan het ene uiteinde een punt waarmee men kracht kan zetten of die voor houvast zorgt. Verder is voor dit karwei een L-vormige spanner nodig. Met deze twee instrumenten wordt druk uitgeoefend op het sluitmechanisme, zodat de spanner fungeert als een sleutel. Er bestaan ook zogenaamde elektropicks (elektronische lopers) en slotpistolen die op dezelfde manier werken.

Om vast te stellen of er een poging is gedaan om een slot open te krijgen met een loper, kijkt een forensisch onderzoeker allereerst naar de buitenkant van het slot om sporen te achterhalen die daarop duiden. Vaak zitten er krassen op. Maar voor een grondiger onderzoek is het nodig om het slot te verwijderen en het uit elkaar te halen, zodat men kan zoeken naar krassen op de pennen. Soms worden de pennen daarvoor onder een microscoop gelegd. De echte sleutels laten geen krasjes achter, dus elk krasje wijst in feite op een poging tot inbraak. Ook elektropicks laten kenmerkende inkepingen achter.

Om combinatiesloten open te krijgen is een techniek nodig waarbij je de juiste combinatie moet weten anders zit er niets anders op dan de deur opblazen die je de toegang verspert. Hangsloten worden meestal doorgeknipt met een zware tang. Daarbij is het voor deskundigen dus meestal niet moeilijk om vast te stellen dat het om een inbraak gaat. Forensisch slotenspecialisten kunnen mensen ook adviseren over welk slot het best werkt voor het doel dat zij voor ogen hebben.

Cold cases

In 'American Dreamers', een aflevering van *CSI-NY*, wordt in een toeristenbus een skelet gevonden dat wordt geïdentificeerd als het overschot van een jongeman die sinds 1987 wordt vermist. Hij blijkt te zijn gestorven door een klap op zijn hoofd, dus gaat men op jacht naar de moordenaar. Het grootste obstakel bij deze zaak is de hoeveelheid tijd die verstreken is sinds zijn dood; het is moeilijk, zo niet onmogelijk, om onderzoek te doen op de plaats delict (die misschien zelfs nooit zal kunnen worden gevonden), en bewijsmateriaal dat zich ooit misschien op de resten van de jongeman heeft bevonden is allang verdwenen. Toch worden er tegenwoordig dankzij nieuwe technologieën soms zaken opgelost die tien tot twintig of zelfs vijftig jaar oud zijn. Er bestaan zelfs speciale teams, in de Verenigde Staten Cold Case Squads genoemd, die zich puur bezighouden met het zoeken naar nieuwe aanknopingspunten in oude zaken.

Op 8 december 1999 vond Larry Vincent in Chicago (Illinois) het skelet van een kind terwijl hij aan het werk was in zijn tuin. Bij het skelet lagen een zelfgemaakte jurk, een trui en een pyjamajasje. De forensisch antropoloog die bij de zaak werd ingeschakeld gaf aan dat de resten van een meisje waren en dat ze al minstens tien jaar en waarschijnlijk nog langer begraven lag. Ze was ook mishandeld, wat op te maken was uit het feit dat ze een aantal gebroken ribben en een gebroken onderkaak had.
De rechercheurs spoorden de fabrikant van de pyjama op aan de hand

van het serienummer in het jasje, en die vertelde hun dat het ontwerp uit 1968 dateerde. Het kind lag dus al meer dan dertig jaar begraven. Buren uit die tijd wisten zich namen te herinneren, en via de dossiers van de Chicago Board of Education spoorden de rechercheurs een jongen op uit dat gezin. Ze haalden hem over om hun het adres van zijn moeder te geven. Hoewel hij zich niet kon herinneren dat hij een zus had gehad, vertelde hij dat hij zijn ouders had horen ruziën over iemand die 'Holly' heette. Met die informatie vonden de rechercheurs een geboortecertificaat. Vervolgens spoorden ze de moeder op, die op sterven lag. Vlak voor haar dood bekende ze de moord. Zo kreeg dit jonge slachtoffertje uiteindelijk een identiteit en een fatsoenlijke begrafenis.

De Cold Case Squads werden opgericht naar aanleiding van een daling van het aantal geweldsmisdrijven in Amerika. Van 1960 tot halverwege de jaren negentig steeg het aantal in de Verenigde Staten gepleegde moorden gestaag en moest de politie extra personeel aannemen. In 1985 werden er bij het ministerie van Justitie bijna 20.000 moorden geregistreerd, en tien jaar later lag dat aantal nog hoger. Een complicerende factor was dat het percentage moorden door vreemden – de moeilijkste om op te lossen – steeds groter was geworden en ongeveer de helft van het totaal vertegenwoordigde. Het leek erop dat het alleen nog maar erger zou worden, maar halverwege de jaren negentig begon het aantal moorden af te nemen. Politieafdelingen hadden ineens middelen over die ze niet gebruikten. Omdat er nog heel veel zaken op de plank lagen, konden rechercheurs zich nu over deze oudere misdrijven buigen. Ze werden 'cold cases' genoemd.

Dankzij spectaculaire nieuwe ontwikkelingen op het gebied van forensische wetenschap en technologie, zoals DNA-analyse, leek de oplossing van een aantal van die zaken nabij. Er ontstond een nieuw type rechercheur, dat zich specialiseerde in wetenschappelijke hulpmiddelen en computertechnologie en dat bekeek hoe die zaken bij misdaadonderzoeken konden worden ingezet. Er werden seminars georganiseerd door ervaren rechercheurs om te

brainstormen en middelen uit te wisselen, en er werden ook databanken beschikbaar gesteld voor deze doeleinden.
De afgelopen tien jaar hebben cold case units in Amerika honderden oude zaken opgelost en daders achter de tralies gekregen die dachten dat ze aan de arm der wet waren ontsnapt. Bovendien hebben ook veel onschuldige mensen die onterecht in de gevangenis zaten eerherstel gekregen en zijn uit de gevangenis vrijgelaten. Deze onderzoekers kunnen zich echter niet met elke oude zaak bezighouden. Ze moeten prioriteiten stellen. Cruciaal bij de selectie van geschikte zaken is de 'oplosbaarheidsfactor'. Er is dan bijvoorbeeld reden om aan te nemen dat een getuige die vroeger niet mee wilde werken nu wel bereid is om te praten (misschien als gevolg van een scheiding of een schuldig geweten). Of misschien is een verdachte nog in leven of is een nieuwe, voor de zaak relevante techniek nog niet eerder uitgeprobeerd. Bovendien moet er belangrijk bewijsmateriaal bewaard zijn gebleven en beschikbaar zijn voor tests: biologisch bewijsmateriaal kan worden getest op DNA-profielen, of vingersporen kunnen worden vergeleken met een databank waarin dagelijks nieuwe afdrukken worden ingevoerd.
Cold case-rechercheurs worden ondersteund door het National Center for the Analysis of Violent Crime van de FBI, de U.S. Marshals Service, militaire onderzoeksdiensten, georganiseerde groepen gepensioneerde vakmensen en groepen vrijwilligers die zich bezighouden met misdaadonderzoek en die vaak unieke diensten bieden. Hun successen worden gedocumenteerd in televisieprogramma's, boeken, seminars en tijdschriftartikelen, en zelfs als het aantal geweldsmisdrijven opnieuw stijgt, zullen de cold case units hun werk waarschijnlijk gewoon kunnen voortzetten.

Wie maakt er schoon?

In 'Swap Meet' (*CSI-LV*) arriveerden de schoonmakers terwijl Nick en Warrick nog ter plaatse waren, waardoor de kijker kortstondig kennis kon maken met een uniek beroep dat ook een rol kan spelen bij een moord- of zelfmoordincident. Gespecialiseerde schoonmakers komen soms zelfs in actie na een natuurlijk sterfgeval, als de overledene ergens langere tijd heeft gelegen voordat hij werd gevonden.

In 2004 ging de politie naar een huis in New Jersey van waaruit zich een onaangename geur verspreidde. Daar trof zij de resten aan van een 82-jarige man aan die al een paar weken dood was. Hij lag nog in zijn bed, en schokkend genoeg leefde er nog gewoon een heel gezin in het huis. Nog verontrustender was dat het volwassen stel dat er woonde drie pleegkinderen had en hun dertienjarige pleegkind dwong om het ontbindende lichaam elke dag voedsel te brengen. De pleegouders wisten dat de man was gestorven, maar volhardden toch in dit bizarre gedrag. Ze werden gearresteerd en beschuldigd van wreedheid tegenover kinderen en ouderlijke verwaarlozing.

Forensisch technici nemen monsters en foto's als dit soort zaken om nader onderzoek vraagt, maar ze nemen niet de schoonmaak voor hun rekening. Toch moet ook dat door iemand worden gedaan.

Schoonmakers van plaatsen delict zijn ondernemers die werk doen waar de meeste mensen niet aan moeten denken: ze brengen een kamer, huis, bedrijf of straat weer terug in de oude staat nadat daar een moord is gepleegd of een lichaam is aangetroffen dat in verregaande staat van ontbinding verkeerde. Met andere woorden: ze verwijderen alle fysieke tekenen die erop wijzen dat er een onplezierig sterfgeval heeft plaatsgevonden.

Het eerste bedrijf dat zich toelegde op reinigingswerkzaamheden na dergelijke incidenten opende in 1993 zijn deuren aan de Amerikaanse oostkust. Al snel werd het in heel Amerika en Canada een lucratieve bezigheid. Deze professionals kunnen veel betekenen voor families die een tragedie hebben meegemaakt en die de plek des onheils niet zelf willen schoonmaken of eenvoudigweg niet de middelen bezitten om gevaarlijk biologisch materiaal op te ruimen. Zelfs een gewoon schoonmaakbedrijf zal niet altijd weten hoe het zich op de juiste manier van het afval moet ontdoen. Voor dit werk zijn een beschermend pak, een masker en handschoenen nodig, en uitgebreide kennis van procedures voor het omgaan met gevaarlijke stoffen. Verder moet men ook weten welke schoonmaakmiddelen in welke omgeving moeten worden gebruikt. Met enzymen zijn bijvoorbeeld bloedvlekken te verwijderen, maar soms is dat niet afdoende. En tapijt dat helemaal doordrenkt is moet volledig worden gedesinfecteerd, en de vloer eronder moet ook worden behandeld. Bij een schoonmaakklus binnenshuis zijn er ook sterke geurverdrijvers nodig. Het schoonmaken van een plaats delict is duidelijk een vak apart.

Schoonmakers verplaatsen geen lichamen; dat is de taak van een lijkschouwer of arts. Maar als een plaats eenmaal is vrijgegeven, kunnen zij vrij duidelijk zien wat er is gebeurd: bloedspatten en stukjes herseninhoud op een muur, een plas bloed op een vloer, biologische vloeistoffen die uit een ontbindend lijk zijn gesijpeld. Bij een sterfgeval waarbij een vuurwapen is gebruikt, zitten er vaak minuscule bloedspatjes en stukjes herseninhoud verspreid over vloer, muren en plafond. Ook beddengoed en boeken kunnen vervuild zijn. Soms is dat wat achterblijft nog nat, maar als het eenmaal is opgedroogd kan het vreselijk lastig te verwijderen zijn. Bovendien moet er ook iets aan de geur worden gedaan. Een lichaam dat in verregaande staat van ontbinding verkeert of dat op een warme plek heeft gelegen, kan een verrotte stank verspreiden die niemand wil inademen. Ook kunnen er maden en andere insecten op of in het lichaam zitten.

Nadat een gebouw of voertuig grondig is gereinigd, moet er ook iets met het afval gebeuren. Dat kan niet zomaar in de afvalcontainer worden gegooid. Het moet worden verbrand, net als een lijk dat wordt gecremeerd. Om dat te mogen regelen, moeten schoonmakers van plaatsen delict geregistreerd staan bij een gediplomeerd bedrijf dat medische afvalproducten verwerkt.

Het gebeurt regelmatig dat mensen in huizen wonen of huizen kopen waarin verschrikkelijke dingen zijn gebeurd of waar iemand gewoon rustig is heengegaan, en vaak realiseren ze zich niet wat

zich daar heeft afgespeeld. Dat komt doordat schoonmakers na zo'n incident de plek weer in de oude staat hebben hersteld, zodat de levenden er weer gebruik van kunnen maken. Ook assisteren zij bij de administratieve afhandeling van verzekeringsclaims.
Gespecialiseerde schoonmaakbedrijven verlenen niet alleen diensten ten behoeve van burgers, ze reinigen soms ook politieauto's waarmee biologisch bewijs is vervoerd. Ook helpen ze bij het weghalen van bezoedelde meubels en verwijderen ze de restanten van illegale amfetaminelabs.
Voor degenen die zich voor dit beroep willen diplomeren bestaan er trainingsprogramma's en een certificeringsproces dat wordt verzorgd door de Certified Alliance of Trauma Practitioners. In trainingscentra worden scènes gesimuleerd om mensen praktijkervaring te laten opdoen. Cursisten leren dat ze hun ogen open moeten houden tijdens het reinigen van een plek waar iemand is overleden. De kans bestaat immers altijd dat de technici iets over het hoofd hebben gezien, zoals een kogel onder een spel kaarten of een afgerukte vinger die door de kamer is gevlogen. Ook moeten ze naar biologische vloeistoffen zoeken op minder voor de hand liggende plaatsen, zoals op de bladen van een plafondventilator of in de kieren in een vloer, en moeten ze leren hoe ze daarmee moeten omgaan omdat het potentieel bewijsmateriaal kan zijn.
Schoonmakers van plaatsen delict moeten ook weten hoe ze zich moeten opstellen tegenover nabestaanden, de politie en huisdieren die in het huis worden aangetroffen. Bovendien moeten ze er alert op zijn dat zij en hun collega's niet te zeer aangedaan raken doordat ze voortdurend geconfronteerd worden met de donkere kanten van het leven – wat mensen zichzelf en elkaar kunnen aandoen. De stress die daardoor kan ontstaan kan soms overweldigend zijn. Goede trainers hebben technieken om deze professionals de gelegenheid te geven afstand te nemen van de overledenen waarmee zij worden geconfronteerd. Zo'n training moet hen ook op verrassingen voorbereiden, omdat mensen soms rare dingen kunnen doen.

In juli 2005 kreeg de politie in Queens (New York) verschillende klachten over een vreselijke geur die uit een bepaald gebouw opsteeg. Toen ze naar het appartement gingen waar de geur vandaan kwam, deed een vrouw de deur in eerste instantie open, maar sloeg hem daarna weer hard dicht. Nadat de politiemannen zich uiteindelijk toegang tot het appartement hadden verschaft met behulp van een conciërge, ontdekten ze het ontbonden lichaam van een bejaarde vrouw, dat in de hal voor een slaapkamer op de grond lag. Het leek erop dat ze al een aantal weken in het appartement lag, dat ze bewoond had met twee zussen en een nicht. Blijkbaar hadden die al die tijd met haar stoffelijke resten samengeleefd. Het spreekt voor zich dat alle levende bewoonsters aan een psychologisch onderzoek werden onderworpen.

Massarampen

Toen de Verenigde Staten op 11 september 2001 door terroristen werden aangevallen, stond er een speciaal team klaar. Leden van datzelfde team werden naar Georgia gestuurd toen er een paar honderd lichamen waren ontdekt op het terrein van een crematorium en rouwende familieleden wilden weten of hun overleden naasten daarbij lagen. (De aflevering 'Forced Entry' van *CSI-M* is gebaseerd op deze gebeurtenis.) Dit team regelde ook de middelen die nodig waren op de plek van de bomaanslag in Oklahoma City in 1995, waarbij 168 mensen om het leven kwamen en meer dan zevenhonderd mensen gewond raakten, en ze assisteerden bij de nasleep van een tornado in dezelfde stad. Massarampen kunnen allerlei onverwachte vormen aannemen, en dankzij de vooruitziende blik van een paar sleutelfiguren en de toewijding van speciale vakmensen staat het Disaster Mortuary Response Team (DMORT) altijd klaar.
Rampen zadelen overlevende vrienden en familieleden op met verdriet, shock en ongeloof. Iemand moet hen bijstaan om hun gevoelens te kunnen verwerken en om informatie te krijgen over de

toestand of het lichaam van hun naaste(n). In de jaren tachtig van de twintigste eeuw sprong de National Funeral Directors Association op deze behoefte in. Zij riep een commissie in het leven die een actieplan moest opstellen voor gebeurtenissen waarbij veel mensen om het leven kwamen. Vrij snel daarna werd er zo'n plan in gebruik genomen.
Eind januari 1990 assisteerde een vrijwilligersgroep van vakmensen onder leiding van Tom Shepardson de plaatselijke artsen na het neerstorten van Avancia Vlucht 052 op Long Island, waarbij 73 mensen om het leven kwamen. Shepardson installeerde zijn team in de danszaal van een hotel en trommelde razendsnel andere instellingen op om bijstand te verlenen aan rouwende familieleden. Twee maanden later werd hij met zijn team bij een andere ramp ingeschakeld.

Het was 25 maart 1990, en de 36-jarige Julio Gonzales was woedend op zijn vriendin Lydia Feliciano. Na zeven jaar had ze hun relatie verbroken. Omdat hij vond dat ze zijn eigendom was, besloot hij haar een lesje te leren. Feliciano werkte bij de Happy Land-sociëteit in de New Yorkse wijk The Bronx. Het was een plek waar mensen de hele nacht konden dansen, hoewel het gebouw eigenlijk niet geschikt was voor zulke evenementen. Er was slechts één functionerende buitendeur, en die bevond zich op de begane grond. Als er brand uitbrak, was er maar één uitweg. De mensen boven zouden in de val zitten.
Die avond had Gonzales een laatste poging gedaan om Feliciano op andere gedachten te brengen, maar ze bleef bij haar besluit. Er werd hem gevraagd om te vertrekken, maar hij zwoer dat hij terug zou komen. Rond half vier 's ochtends kocht hij een jerrycan benzine bij een benzinestation in de buurt van de sociëteit, nam die mee naar het gebouw en gooide hem leeg bij de voordeur. Toen stak hij een lucifer aan en liep naar de overkant van de straat, vanwaar hij toekeek hoe het houten gebouw vlam vatte.
Slechts vijf mensen wisten naar buiten te komen. 61 mannen en 26 vrouwen kwamen om het leven doordat ze in de chaos werden vertrapt, rook inademden of op een vreselijke manier verbrandden. Feliciano behoorde

niet tot de slachtoffers. Zij was al naar huis gegaan, waardoor de rampzalige nacht die voor haar was bedoeld volledig langs haar heen ging. Gonzales werd gearresteerd en tijdens zijn verhoor zei hij: 'Ik werd boos. Waarschijnlijk hebben duivelse krachten bezit van mij genomen, waarna ik de tent in brand stak.' Hij werd beschuldigd van 87 gevallen van moord. Een jury veroordeelde hem voor alle moorden, en hij kreeg 25 jaar tot levenslang voor elke moord.

Terwijl politie en justitie zich met Gonzales bezighielden, moesten anderen de doden zien te identificeren. Het aantal lichamen was veel te groot voor de plaatselijke diensten alleen, zelfs voor een stad zo groot als New York. Er werd een beroep gedaan op Shepardson en zijn vrijwilligers, en het was precies een klus voor hen. Naar aanleiding van deze gebeurtenis ontwikkelde Shepardson een cursus voor het omgaan met rampen waarbij veel slachtoffers vallen, die werd gesponsord door de National Foundation for Mortuary Care. In deze cursus leerde hij vrijwilligers hoe ze moesten reageren in het geval van een massaramp. Zij moesten in een fractie van een seconde kunnen handelen en zich direct naar de plaatsen begeven waar ze nodig waren. Dit initiatief kreeg een vervolg in andere plaatsen en vormde de aanzet tot de ontwikkeling van multidisciplinaire teams die allerlei verschillende activiteiten coördineerden. In 1992 zag DMORT het levenslicht en kwamen de leden, met Shepardson aan het hoofd, in dienst van de overheid.

DMORT is een overheidsprogramma dat onderdeel is van het Federal Emergency Response Plan van het ministerie van Binnenlandse Veiligheid, zo is te lezen in een historisch overzicht van forensisch odontoloog David Williams. Tot de verantwoordelijkheden van deze organisatie behoren onder andere het opzetten van tijdelijke mortuaria, zoek- en bergingswerkzaamheden, het assisteren bij de identificatie van slachtoffers en het verwerken, prepareren en onderzoeken van menselijke resten. Ook bieden zij hulp aan teamleden die psychische ondersteuning nodig hebben of die te veel stress te verwerken hebben gekregen.

De organisatie is voortgekomen uit het Office of Civil Defense Planning, dat in 1948 is opgericht. Officiële programma's voor grootschalige rampen zijn onder verschillende presidenten verschillende malen gewijzigd, en na 11 september 2001 voegde president Bush een aantal instellingen, waaronder DMORT, samen tot het ministerie van Binnenlandse Veiligheid. DMORT is onderdeel van het medische responssysteem, dat nu is georganiseerd in tien regionale teams die corresponderen met de tien districten van het Federal Emergency Management Agency (FEMA).
De eerste officiële taak van DMORT was hulp bieden na een overstroming van de rivier de Missouri op 31 juli 1993. Daarbij liep een begraafplaats in Hardin County (Missouri) onder water en werden 769 graven weggevaagd, waarvan enkele al meer dan een eeuw oud waren. Toen de DMORT-leden arriveerden, troffen ze een ruim twintig meter diep meer in het midden van de begraafplaats aan en leken er overal lijkkisten te drijven, wat gevaar opleverde voor de gezondheid van de omwonenden en afschuwelijk was voor de nabestaanden. Sommige kisten waren nog intact, andere waren opengegaan, en veel waren er al half verrot. De inhoud van de graven bleek over een gebied van 260 vierkante kilometer te zijn verspreid. Kisten werden tot maar liefst vijftig kilometer verderop aangetroffen, en lijken dreven weg van de plek waar ze waren begraven. Eén voor één werden alle teruggevonden lijken verzameld.
DMORT installeerde een mortuarium en schakelde antropologen, tandartsen, pathologen, begrafenisondernemers en balsemers in om de resten die zij konden identificeren in nieuwe kisten te kunnen plaatsen. Ook onderhielden ze de contacten met bezorgde familieleden die hun naasten opnieuw moesten begraven. Sommige overledenen werden geïdentificeerd aan de hand van hun tandheelkundige gegevens of aan de hand van beschrijvingen van familieleden. De meeste moderne lijkkisten hadden een serienummer dat samen met de naam van de overledene geregistreerd stond. Lichamen en delen van lichamen werden in nieuwe kisten geplaatst en opnieuw begraven. Het duurde vijf maanden, maar uiteindelijk lukte het om 607 van de lichamen die door de over-

stroming op drift waren geraakt naar hun – hopelijk – laatste rustplaats te brengen. (Ook in de aflevering 'Crime Wave' van *CSI-M* is sprake van een overstroomde begraafplaats, hoewel minder grootschalig dan die in Missouri.)

Bij de ramp in Oklahoma City in 1995 zette DMORT een aantal posten op om te assisteren bij de opsporing en de identificatie van slachtoffers. Er was een post die het letsel van de slachtoffers documenteerde om de doodsoorzaak te kunnen bepalen, een post voor foto's en vingerafdrukken, een radiologische post en een post voor gebitsfoto's. Ook waren er therapeuten ter plaatse om rouwende familieleden te ondersteunen. Het bleek een efficiënt systeem, dus het bleef gehandhaafd.

Op 17 juli 1996 stortte TWA-vlucht 800 neer in de Atlantische Oceaan, waarbij 230 mensen om het leven kwamen. Dit keer werd DMORT niet officieel ingeschakeld, maar Shepardson ging toch naar de plaats des onheils en vertelde een indrukwekkend verhaal voor een documentaire van Discovery Channel. De familieleden van een vrouwelijk slachtoffer, wier stoffelijke resten niet toonbaar werden geacht, waren vreselijk verdrietig dat ze haar niet konden zien om definitief uitsluitsel te kunnen krijgen over haar lot. Shepardson zag dat een van haar armen nog heel was, dus regelde hij dat haar resten in een lijkenzak werden gedaan en dat de nabestaanden de arm en hand konden aanraken en vasthouden om definitief afscheid van haar te kunnen nemen.

In 1999 werd naar aanleiding van een ongeluk met een Amtraktrein in Louisiana een Disaster Portable Morgue Unit (DPMU) ingezet, met werkstations, autopsie-instrumenten, röntgenapparatuur voor volledige lichaamsscans, identiteitslabels voor slachtoffers, medische voorzieningen en een compleet mobiel computernetwerk. Als een catastrofe als deze de plaatselijke middelen te boven gaat, laat DMORT de DPMU installeren. In die periode werden naast mortuariummedewerkers ook forensisch wetenschappers als teamleiders aangewezen. Inmiddels had een tandarts uit St. Louis, dr. James McGeivney, een gecomputeriseerd databanksysteem ontwikkeld, WinID, waarin tandheelkundige informatie over slachtoffers kon worden ingevoerd om gemakkelijker matches tot stand te brengen. Alle leden van DMORT streven ernaar om zo goed mogelijk op de hoogte te blijven van de ontwikkelingen op het gebied van rampenmanagement, zodat ze in noodsituaties maximale bijstand kunnen verlenen.

DMORT-lid Joyce Williams is gediplomeerd verpleegkundige en Master of Arts, houder van het certificaat van de American Board of Medico-legal Death Investigators en forensisch verpleegkundige voor de staat Maryland. Zij beschrijft de werkwijze van de organisatie.

'Individuen of teams van DMORT kunnen via vier verschillende procedures worden gevraagd om assistentie,' zegt zij. 'Wij komen in actie na een verzoek op basis van de Public Health Act, de Federal Disaster Declaration, de Aviation Disaster Family Assistance Act of een Memorandum of Understanding van een federale instelling. DMORT-teams worden ingezet bij vliegrampen, overstromingen, branden en bij alle andere incidenten die te groot zijn om door de plaatselijke autoriteiten te kunnen worden afgehandeld en waarbij de juiste procedures worden gevolgd.'

In eerste instantie had DMORT geen forensische component. Bij massarampen die ook potentiële plaatsen delict waren, zoals de Happy Land-sociëteit, was het echter belangrijk om bewijsmateriaal te verzamelen, zodat er professionals in het team nodig waren die daarnaar zochten en het veiligstelden. Soms kan de plaatselijke politie dat zelf, maar bij zeer grote incidenten of incidenten die op verschillende locaties plaatsvinden, zoals de aanslagen van 11 september, is externe hulp nodig. Teamleden werken voor de plaatselijke autoriteiten, maar ze weten precies wat hun taken zijn. Ze kunnen worden ingeschakeld voor het zoeken naar en het bergen van lichamen of voor werkzaamheden in het tijdelijke mortuarium, waar triage van de slachtoffers plaatsvindt. 'Daarna,' legt Williams uit, 'worden de lichamen doorgestuurd naar de verschillende posten waar het identificatieproces plaatsvindt. Bij veel van deze posten worden vergelijkingen gemaakt tussen antemortale en postmortale gegevens. Op basis daarvan worden de lichamen of de resten geïdentificeerd. Niet alle definitieve identificaties vinden in dit stadium plaats, vooral niet als er DNA-analyse nodig is – wat bijvoorbeeld het geval is bij gefragmenteerde resten na een explosie of vliegramp. Verder hebben we een Family Assistance Center, waar de familieleden van de slachtoffers wachten op actuele informatie over identificaties. Hier wordt waar nodig ook DNA afgenomen voor vergelijkingsdoeleinden en wordt informatie over het slachtoffer verzameld om de vergelijking met antemortale gegevens te vergemakkelijken. Na de identificatie worden de resten soms ook gebalsemd. Vervolgens worden alle gegevens overgedragen aan de plaatselijke autoriteiten, die ze archiveren en de overlijdensakten verzorgen.'

DMORT heeft inmiddels meer dan 1200 leden. 'Daarnaast,' voegt Williams toe, 'is er een kernteam dat de DPMU bemant. Zij worden vaak de "Red Shirts" genoemd.'

Bij vacatures binnen de tien regionale teams worden verschillende functie-eisen gehanteerd. Wie bij een van de units wil komen werken, moet in ieder geval een gedegen opleiding achter de rug hebben. 'Teamleden zijn officieel gekwalificeerd voor hun vak in de staat waar ze wonen, en tijdens het uitoefenen van hun werk worden hun diploma's door alle staten erkend. Elk jaar moeten de leden ook aan een aantal federale eisen voldoen. Daarvoor verzorgt het National Disaster Medical System (NDMS) cursussen die worden afgesloten met een examen. Het Federal Emergency Management Agency (FEMA) verzorgt cursussen en jaarlijkse teamactiviteiten in de vorm van lezingen, demonstraties en praktijktraining. Specialistengroepen krijgen bovendien extra training, en er is een jaarlijkse NDMS-conferentie waarbij teams uit het hele land elkaar kunnen ontmoeten en kennis kunnen nemen van de laatste ontwikkelingen. Veel leden zijn lid van de American Academy of Forensic Sciences, die presentaties geeft over allerlei nieuwe ontwikkelingen en ervaringen op het gebied van rampen en identificatiemethoden.'

Nadat ze tijdens een aantal rampen voor DMORT zijn ingezet, willen plaatselijke professionals soms lid worden van het landelijke team. Hetzelfde geldt voor mensen die via het nieuws of via documentaires kennismaken met DMORT. Wat moeten zij doen?

'Allereerst moeten ze een sollicitatieformulier invullen, dat te vin-

den is op internet,' zegt Williams. 'Dat wordt vervolgens aan het teamhoofd en het hoofd bestuurszaken voorgelegd, die beoordelen of er relevante vacatures zijn. Het NDMS beoordeelt alle sollicitaties en geeft identificatiebadges uit die nodig zijn om toegang te krijgen tot een ramplocatie wanneer een teamlid eenmaal is aangenomen. Elk regionaal team stelt zijn eigen eisen. Zo moeten de tandartsen de AFIP Identification Course volgen, die elk jaar in maart wordt aangeboden.'
Wanneer er sprake is van een noodsituatie, stelt het FEMA de juiste instellingen op de hoogte van welke mensen en middelen er nodig zijn en komt DMORT onder de bevoegdheid te staan van een Management Support Team, dat op zijn beurt verzoeken van de plaatselijke arts of lijkschouwer in behandeling neemt. Via een conferentie van teamleden wordt de tweejaarlijkse training geregeld en wordt ervoor gezorgd dat een team, als dat nodig is, probleemloos in een andere regio kan worden ingezet. Kortom, in het geval van een grootschalige ramp beschikt DMORT over een geïntegreerd rampenmanagementsysteem met hightech-capaciteiten en professionele standaarden. Williams: 'Ze geven de bevolking het vertrouwen dat alles wat menselijkerwijs mogelijk is wordt gedaan om slachtoffers te bergen, te identificeren en aan hun families terug te geven.'

Dit tweede boek over wetenschap en forensisch onderzoek gaat verder dan de basisbeginselen en richt zich op de meer geavanceerde methoden en technieken. Er worden voortdurend nieuwe ontdekkingen gedaan, en nu de wetenschap haar plek heeft weten te verwerven in de juridische arena, raken er meer wetenschappers geïnteresseerd in forensisch onderzoek. Er vallen echter nog een heleboel grenzen te verkennen, en ook binnen de disciplines die ik heb beschreven worden er steeds verfijnder methoden ontwikkeld en getoetst. De *CSI*-series, waar er inmiddels drie van zijn en die al verschillende jaren lopen, leveren het overtuigende bewijs dat wetenschap en forensisch onderzoek uit naam van de rechtvaardigheid een productieve alliantie zijn aangegaan. De behoefte aan nieuw materiaal zal ertoe leiden dat de makers van het programma zich op steeds innovatiever onderzoeksgebieden zullen begeven, en hoewel de weergave daarvan misschien niet altijd even accuraat is, zullen ze de belangstelling van miljoenen mensen voor de forensische wetenschap ongetwijfeld levend blijven houden. Hoe je het ook wendt of keert, de *CSI*-revolutie heeft permanent haar intrede gedaan in onze samenleving.

Verklarende woordenlijst

Aanklacht: een door een grand jury geformuleerde beschuldiging waarin een individu een wederrechtelijke handeling ten laste wordt gelegd.

Actus reus: een van de twee vereisten om iemand verantwoordelijk te stellen voor een misdrijf; deze eis heeft betrekking op het vermogen om de daad fysiek te kunnen hebben uitgevoerd. Zie ook *mens rea*.

AFIS: Automated Fingerprint Identification System: een gecomputeriseerde databank voor het opslaan van vingerafdrukken en het maken van snelle vergelijkingen daartussen.

Akoestische archeologie: een methode om geluiden aan oude monumenten te onttrekken om vast te stellen of de stenen het ritme van vroegere rituelen in zich herbergen.

Algor mortis: afkoeling van het lichaam na overlijden.

ALS: Alternative Light Source (alternatieve lichtbron), gebruikt om latente vingersporen, bloed, vezels en andere sporen zichtbaar te maken die bij normale belichting moeilijk te zien zijn.

Amelogenine-gen: locus van de chromosomen die via een DNA-test kan worden geanalyseerd en waarmee het geslacht kan worden vastgesteld van menselijke resten als deze te ver ontbonden zijn om dat op een andere manier te kunnen vaststellen.

Amplificatie: de procedure die bij de Polymerase Chain Reaction (PCR) methode wordt gebruikt om een DNA-monster exponentieel te repliceren.

Antemortem: voorafgaand aan het overlijden.

Antisociale persoonlijkheidsstoornis: volgens de definitie in de *DSM-IV* manifesteren zich hierbij antisociale gedragspatronen zoals liegen, manipuleren en het overtreden van de wet.

Arseenspiegel: een test voor het opsporen van arsenicum die in de negentiende eeuw werd uitgevonden en die gebaseerd is op een uiterst weerkaatsende afzetting.

Auto-erotisch incident: een sterfgeval dat het gevolg is van zuurstofgebrek door verstikking tijdens masturbatierituelen.

Automatisme: een van de redenen die in de rechtszaal worden aangedragen om iemands verantwoordelijkheid voor een misdrijf te reduceren. Hierbij wordt gesteld dat de verdachte het misdrijf heeft gepleegd terwijl hij slaapwandelde, waardoor hij niet de juiste geestestoestand bezat om zich bewust te kunnen zijn van zijn gedrag.

Autopsie: het medisch onderzoek dat op een lichaam wordt gepleegd om de doodsoorzaak te achterhalen.

Bewijslast: de noodzaak om een bepaald feit te bewijzen volgens de standaard die bij een bepaalde procedure is vereist. Bij strafrechtszaken is dat bijvoorbeeld 'zonder gerede twijfel'.

Bewijsmateriaal: documenten, verklaringen en alle voorwerpen die worden meegenomen in de overweging van de jury aangaande de vraag of de verdachte al dan niet schuldig is.

Bioarcheologie: een deelgebied van de archeologie dat zich voornamelijk bezighoudt met menselijke resten. Bioarcheologen doen bijvoorbeeld onderzoek op historische begraafplaatsen om meer te weten te komen over begrafenisgebruiken.

Brain fingerprinting: een techniek waarvan wordt gezegd dat die kan meten wat er in de hersenen is opgeslagen over iemands aanwezigheid op een bepaalde plek, in dit geval een plaats delict.

Case linkage: het vinden van verbanden tussen twee of meer zaken.

Chain of custody: methode om vast te leggen wie bepaald bewijsmateriaal in bezit heeft en wat ermee gedaan wordt.

CODIS: Combined DNA Indexing System, de databank van de FBI met genetisch materiaal.

Cold case: een onopgeloste zaak waarvan het onderzoek is stopgezet, maar die nog niet is afgesloten; veel van deze zaken kunnen alsnog worden opgelost met behulp van de hedendaagse geavanceerde technologie.

Competentie: het vermogen om deel te nemen aan de rechtsgang, bijvoorbeeld om terecht te staan, van rechten af te zien en te getuigen.

Computeranimatie: visuele reproductie van de manier waarop een misdrijf heeft plaatsgevonden als hulpmiddel voor de jury of het onderzoeksteam.

Computercriminalistiek: de discipline die de schakel vormt tussen computertechnologie en het gerechtelijke proces, vooral als het gaat om onderzoek en bewijsmateriaal.

Computersimulatie: een geïnterpreteerde reconstructie gebaseerd op verzamelde gegevens van hoe een incident kan zijn verlopen.

Corpus delicti: essentieel, fysiek materiaal dat aantoont dat er een bepaald misdrijf is gepleegd.

Criminalistiek: de wetenschap die zich bezighoudt met het analyseren van concreet bewijsmateriaal van een misdrijf.

CSI-effect: de invloed van populaire misdaadseries op de cultuur. Verwijst met name naar de mogelijke misleiding van kijkers die potentiële juryleden zijn.

Cybercriminaliteit: misdrijven die worden gepleegd met behulp van een computer, meestal via internet, zoals identiteitsdiefstal, inbreken in beschermde computersystemen (hacken) en het verspreiden van kinderporno.

Dagvaarding: een gerechtelijk bevel waarin staat dat iemand op een bepaald tijdstip en op een bepaalde plaats dient te verschijnen om een verklaring over een bepaalde zaak af te leggen.

Daubert-norm: een recent in Amerika ingevoerde norm die in federale rechtbanken en veel staatsrechtbanken wordt gebruikt om de toelaatbaarheid van wetenschappelijk bewijsmateriaal vast te stellen. Een bijstelling van de Frye-norm.

Depositie: de verklaring die getuigen in een rechtszaak onder ede afleggen.

Digitale data: informatie in digitale vorm, zoals foto's en computerbestanden.

Dissociatieve identiteitsstoornis: de term die tegenwoordig wordt gebruikt voor wat vroeger bekendstond als meervoudige persoonlijkheidsstoornis (MPS). Kenmerkend voor mensen die een zodanig gefragmenteerde persoonlijkheid hebben dat het lijkt of er complete personen naast elkaar in hetzelfde lichaam leven.

DMORT (Disaster Mortuary Operational Response Team): een Amerikaanse federale organisatie van professionals op uiteenlopende vakgebieden, onder de vlag van het FEMA in verschillende regio's georganiseerd, die in actie komt bij massarampen.

DNA (deoxyribonucleïnezuur): de genetische blauwdruk die aanwezig is in elke cel van iemands lichaam en die uniek is voor elk individu.

DNAPrint: een DNA-test waarmee informatie kan worden verkregen over iemands etnische afkomst.

DNA-profiel: de blauwdruk van iemands fysieke identiteit, zoals bepaald door zijn of haar genen.

Doodsoorzaak: een verwonding of ziekte die het lichaam zodanig aantast dat de dood intreedt. Staat meestal vermeld op een overlijdensakte.

Draagbare legeringsanalysator: röntgenapparaat dat gebruikmaakt van fluorescentie en dat de aanwezigheid en samenstelling van metaalmengsels kan aantonen.

DSM-IV (The Diagnostic and Statistical Manual for Mental Disorders, 4th edition): de bijbel van de moderne psychiater en psycholoog voor de diagnose van psychische stoornissen.

Eerste hoorzitting: een hoorzitting waarbij de rechter bepaalt of er voldoende bewijsmateriaal voorhanden is om een rechtszaak te beginnen.

Exhumatie: het uit een graf verwijderen van menselijke resten.

Fluorescentie: als moleculen elektromagnetische straling absorberen, kan die energie worden gebruikt om de elektronen te exciteren. Wanneer ze weer in hun oorspronkelijke staat terugkeren, geven ze energie met een lagere golflengte af zolang de bron die ze heeft geëxciteerd aanwezig is.

Folie à deux *(gedeelde psychotische stoornis)*: een waanidee van twee of meer mensen, doorgaans geïnstigeerd door iemand die er echt in gelooft en die anderen kan overhalen om er ook in te gaan geloven.

Forensisch slotenspecialist: een vakman die zich voor de rechtbank bezighoudt met zaken als vaststellen of iemand een poging tot inbraak heeft gedaan door een slot te forceren.

Forensische archeologie: de discipline die zich bezighoudt met het lokaliseren en opgraven van menselijke resten voor juridische doeleinden.

Forensische kunst: het gebruik van kunstzinnige methoden als tekenen en beeldhouwen voor juridische doeleinden, zoals het vervaardigen van posters van verdachten of het identificeren van vermiste personen.

Forensische linguïstiek: de wetenschappelijke analyse van de manier waarop individuen zich uitdrukken. Hiermee kunnen geschriften van onbekende herkomst worden gekoppeld aan een verdachte auteur.

Forensische psychologie: het raakvlak tussen professionele activiteiten in de psychologie, zoals formele assessments, counseling en onderzoek, en de juridische professie.

Frye-test: een test die betrekking heeft op de toelaatbaarheid van wetenschappelijk bewijsmateriaal; het bewijsmateriaal dat in een rechtszaak wordt aangevoerd, moet in de betreffende wetenschappelijke kringen algemeen geaccepteerd zijn.

Gaschromatografie: een methode waarbij samengestelde stoffen worden gesplitst in afzonderlijke elementen. Zie ook *zNose*.

Gedragssporen: forensisch bewijsmateriaal dat duidt op bepaalde gedragspatronen. Wordt vaak gebruikt bij het opstellen van een daderprofiel.

Gen: een onderdeel van DNA dat de code voor de productie van een bepaalde proteïne bevat.

Getuige-deskundige: iemand met specialistische kennis op een bepaald vakgebied of met een bepaalde vaardigheid die van belang is bij een proces, zoals haaranalyse, DNA-onderzoek of expertise op het gebied van psychische stoornissen. Moet de rechter en de juryleden inzicht verschaffen in complexe materie.

Ground Penetrating Radar (GPR): een apparaat waarmee de diepte en de dichtheid kunnen worden gemeten van vormen die zich onder het grondoppervlak bevinden.

Identiteitsdiefstal: de illegale daad van het zich toe-eigenen van andermans identiteit met het doel diens (financiële) middelen te stelen, of om met bepaalde criminele bedoelingen voor hem of haar door te gaan.

Informatica: de systematische ordening van gecomputeriseerde gegevens.

Innocence Project: een project van Cardoza University waarbij via DNA-tests op biologische monsters van misdrijven wordt achterhaald of de persoon die voor het misdrijf is veroordeeld wel echt schuldig is. Sinds augustus 2005 is op deze manier de onschuld van 175 mannen bewezen.

Inzage van stukken: het proces waarbij beide partijen in een geschil feiten over een zaak onder ogen krijgen.

Jurisdictie: de bevoegdheid om binnen een specifiek geografisch gebied macht uit te oefenen over individuen of juridische zaken.

Latente vingersporen: vingersporen die ergens zijn achtergelaten maar die niet zichtbaar zijn. Kunnen met bepaalde technieken zichtbaar worden gemaakt.

Lijkschouwer: in sommige districten de persoon die de leiding heeft over het onderzoek naar de doodsoorzaak; dit kan een arts zijn, maar ook een speciaal daarvoor aangestelde functionaris.

Livor mortis: verkleuring van het lichaam na overlijden. Wordt veroorzaakt doordat de rode bloedlichaampjes naar het laagste punt in het lichaam zakken. Ook wel lijkvlekken genoemd.

Marshtest: een negentiende-eeuwse test die werd uitgevonden door James Marsh. De eerste betrouwbare procedure om de aanwezigheid van arsenicum in menselijk weefsel aan te tonen.

Massaspectrometrie: een techniek om elementen van een verbinding te analyseren door de stof met elektronen te bombarderen. Een massaspectrometer kan stoffen splitsen die te klein zijn om met behulp van gaschromatografie te worden waargenomen.

Medisch onderzoeker: in sommige districten de persoon die het onderzoek naar de doodsoorzaak leidt, in andere districten degene die de autopsie verricht.

Mens rea: een van de twee vereisten om iemand verantwoordelijk te stellen voor een misdrijf. Mens rea heeft betrekking op het bezit van de juiste geestestoestand om iets doelgericht en bewust te kunnen doen. Zie ook *Actus reus*.

Microsporen: de kleinste stukjes bewijsmateriaal die worden aangetroffen op een plaats delict, zoals weefsel, haar, gras, zaden, stof en grond.

Misdaadprofilering: het opstellen van kenmerken van de dader die relevant zijn voor het onderzoek, aan de hand van observaties van de plaats delict en van patronen die zichtbaar zijn in misdrijven. Met behulp van een daderprofiel kan de politie gerichter naar een verdachte zoeken en een verhoorstrategie ontwikkelen.

Misdaadreconstructie: het gebruik van de positie van bewijsmateriaal en eventueel lichamen om vast te stellen wat er bij een misdrijf precies heeft plaatsgevonden en in welke volgorde.

Misinformatie-effect: het verschijnsel dat optreedt bij de ondervraging van ooggetuigen en dat erop duidt dat mensen die worden blootgesteld aan onjuiste informatie die informatie in hun geheugenschema's integreren en later als feiten presenteren.

Modus Operandi (MO): de manier waarop de dader het misdrijf heeft gepleegd.

Moord: een sterfgeval dat door iemand anders is veroorzaakt.

National Center for the Analysis of Violent Crime (NCAVC): een onderafdeling van de Behavioral Science Unit van de FBI, die ook de VICAP- en profileringsprogramma's beheert.

NecroSearch: een organisatie van professionals die wordt ingeschakeld om te assisteren bij het opsporen van vermiste slachtoffers die zich vermoedelijk op lastige plaatsen bevinden.

Onderzoeker van feiten: de persoon (rechter) of personen (jury) die het bewijsmateriaal in een proces beoordelen om tot een vonnis te komen.

Onduidelijke doodsoorzaak: zie *psychologische autopsie*.

Ongevalsreconstructie: een methode om auto- en gerelateerde ongelukken te onderzoeken, waarbij een incident met behulp van techniek en kennis van mechanica wordt gereconstrueerd.

Ontoerekeningsvatbaarheid: een juridische term voor een psychische aandoening of stoornis die, als er sprake van was op het moment dat het misdrijf gepleegd werd, de persoon kan ontslaan van verantwoordelijkheid voor dat misdrijf.

Ooggetuigenverklaring: wat een ooggetuige over een misdrijf te melden heeft.

Oogmerk: psychische staat die varieert van doelgerichtheid tot een zich bewust zijn van de consequenties.

Openbare aanklager: de jurist die de staat vertegenwoordigt tijdens een (straf)rechtszaak.

Overtreding: minder zwaar vergrijp dan een misdrijf. Wordt meestal gestraft met een boete of een korte gevangenisstraf.

Parafilie: een stoornis of afwijking die gebaseerd is op ongebruikelijke seksuele voorkeuren, zoals fetisjen.

Perimortem: de periode vlak voor het overlijden.

Polygraaf: een apparaat dat wordt gebruikt om aan de hand van fysiologische veranderingen te meten of iemand liegt.

Polymerase Chain Reaction (PCR): methode die wordt gebruikt om kleine hoeveelheden DNA te dupliceren om nader onderzoek mogelijk te maken.

Post-morteminterval (PMI): de tijd die er na het overlijden is verstreken. Bij het vaststellen hiervan spelen verschillende factoren een rol.

Pseudowetenschap: onderzoek of methodologie die in de rechtszaal ten onrechte wordt gepresenteerd als wetenschap.

Psychologische autopsie: onderzoeksmethode om duidelijkheid te krijgen over iemands geestesgesteldheid vlak voor zijn dood als er twijfel bestaat of die persoon zelfmoord heeft gepleegd.

Psychologische-stressevaluator (Voice Stress Analyzer): een apparaat waarmee leugens aan het licht zouden kunnen worden gebracht door de spanning in een stem te analyseren. Deze methode heeft tot nu toe echter nog geen echt bevredigende resultaten opgeleverd.

Psychometrisch testen: dat wat psychologen en psychiaters doen als ze worden ingeschakeld om een individu te evalueren dat voor de rechter moet verschijnen; ze gebruiken formele tests en instrumenten om vast te stellen of er sprake is van zaken als competentie, organische stoornissen en geestesziekte, vooral ten tijde van het misdrijf.

Psychopathie: persoonlijkheidsstoornis die zich kenmerkt door aanhoudend antisociaal gedrag, aan de dag gelegd door een persoon die geen schuldgevoel of berouw kent en die niet geneigd is met zijn acties te stoppen. Gaat vaak gepaard met uitbuiting en manipulatie.

Psychose: een ernstige psychische stoornis waarbij de betreffende persoon niet voldoende in staat is om te denken, te reageren, te communiceren, zich iets te herinneren en de realiteit te interpreteren.
Mensen die last hebben van een psychose zijn onderhevig aan merkwaardige stemmingen, kunnen hun impulsen slecht onder controle houden en hebben last van waanbeelden. Wordt vaak verward met ontoerekeningsvatbaarheid, wat een juridische term is, en met psychopathie, wat een persoonlijkheidsstoornis is.

Query by example: de procedure om door middel van het gebruik van databanken vergelijkingen te maken en eventuele overeenkomsten te vinden.

Radiological Dispersion Device: het gebruik van conventionele componenten van bommen, zoals TNT, in combinatie met radioactief materiaal.

Syndroom van Renfield: een syndroom dat gebaseerd is op een personage uit *Dracula*. Personen die lijden aan dit syndroom, denken dat ze bloed nodig hebben en kunnen proberen dat aan dieren of mensen te onttrekken.

Restricted Fragment Length Polymorphisms (RFLP): de oorspronkelijke methode waarmee een DNA-profiel kan worden opgesteld. Hierbij wordt de molecuul in afzonderlijke delen opgesplitst.

Rigor mortis: de verstijving van het lichaam na overlijden.

Seriemisdrijven: een reeks misdrijven waarin een patroon zichtbaar is dat erop wijst dat ze door een en dezelfde persoon zijn gepleegd.

Seriemoordenaar: iemand die drie of meer mensen vermoordt en tussendoor een afkoelingsperiode inlast.

Serologie: de analyse van lichaamssappen zoals bloed, sperma en speeksel.

Short Tandem Repeats (STR): een methode om een DNA-profiel op te stellen na amplificatie via PCR (Polymerase Chain Reaction).

Signatuuranalyse: methode die wordt gebruikt om plaatsen delict te interpreteren door naar overeenkomstige sporen te zoeken die erop zouden kunnen wijzen dat er sprake is van een seriemisdadiger.

Spectrometrie: het analyseren van verschillende golflengtes van het licht. Hierbij wordt gebruikgemaakt van spectrografische apparatuur. Soms analyseert men de golflengten die worden weerkaatst, soms de golflengten die worden geabsorbeerd.

Sporenmateriaal: alles wat op een plaats delict een afdruk heeft achtergelaten die iemand in verband kan brengen met een misdrijf: bandensporen, voetafdrukken, vingerafdrukken, tandafdrukken en bijtsporen.

Syntactische analyse: een wetenschappelijke analyse van de manier waarop iemand praat. Daarbij wordt gebruikgemaakt van een statistisch programma dat iemands spreekstijl analyseert en met monsters vergelijkt.

Taphonomie: het systematisch onderzoek naar de invloed van omgevingsfactoren op de ontbinding van lijken om het post-morteminterval vast te stellen.

Timestamping: een methode waarmee onomstotelijk kan worden vastgelegd op welke datum en op welk tijdstip digitale gegevens zijn gecreëerd, zodat ze niet zodanig kunnen worden gemanipuleerd dat het lijkt of ze op een ander tijdstip zijn gecreëerd.

Toxicologie: de laboratoriumafdeling waar men weefsels of stoffen onderzoekt op de aanwezigheid van geneesmiddelen, drugs, vergif en alcohol.

Variable Number of Tandem Repeats (VNTR'S): polymorfe DNA-reeksen die steeds in een vaste volgorde terugkomen en die voor ieder individu uniek zijn.

Verdorvenheidsschaal: de methode die wordt gebruikt om een onderzoek in gang te zetten om voor de rechtbanken met een consistente norm te komen met betrekking tot belastende factoren als verdorvenheid of andere vormen van kwade opzet.

Verhoor: gesprek waarin een verdachte wordt aangezet tot praten, mogelijk om een bekentenis af te leggen.

Verminderde toerekeningsvatbaarheid: een psychologisch verweer waarbij men zich beroept op het onvermogen om de aard van een misdrijf in te schatten of het eigen gedrag te beheersen. Wordt niet in alle staten van Amerika gebruikt.
Verouderingstechnieken: technieken op het gebied van forensische kunst waarmee een (visuele) inschatting kan worden gemaakt van hoe iemand van wie alleen oude afbeeldingen beschikbaar zijn er momenteel uit zou kunnen zien.
Verzachtende omstandigheden: factoren zoals leeftijd, motief, dwang of instabiele thuissituatie waardoor iemands mate van schuld aan een misdrijf enigszins wordt verlicht.
Verzwarende omstandigheden: omstandigheden die een misdrijf ernstiger maken, zoals wanneer iemand op de hoogte was van de risico's van een situatie die heeft geleid tot verwondingen of overlijden.
Victimologie: onderzoek waarbij op basis van slachtofferinformatie aanwijzingen worden gezocht met betrekking tot de wijze waarop een dader zijn slachtoffers selecteert en benadert.
Violent Criminal Apprehension Program (VICAP): het nationaal opgezette informatiecentrum van de FBI, bedoeld om informatie over misdrijven te verzamelen, te categoriseren en te analyseren.
Virtuele autopsie: methode waarbij met behulp van CT-scans en computers in bepaalde gevallen de doodsoorzaak kan worden vastgesteld zonder dat er in het lichaam hoeft te worden gesneden.
Voir dire: de kwalificatie van juryleden voorafgaand aan een rechtszaak; wordt ook wel gebruikt om de geschiktheid van deskundigen te beoordelen.
Vonnis: het oordeel van een rechter of jury na het aanhoren en in overweging nemen van het bewijsmateriaal.
Voorgeschreven rechtsgang: de vaste stappen in een rechtszaak.
Vuile bom: zie *Radiological Dispersion Device*.
zNose: een gaschromatograaf die informatie verzamelt en verschaft over geuren en aroma's in de lucht.
Zonder gerede twijfel: de kracht van het bewijs die de onderzoeker van feiten er met aan zekerheid grenzende waarschijnlijkheid van overtuigt dat de aantijgingen gegrond zijn. Dit is de hoogste van drie typen bewijslast in een rechtszaal. Wordt gebruikt in alle strafrechtprocessen.
Zwaar misdrijf: een misdrijf waar een zware straf voor wordt geëist; dat kan de doodstraf zijn. In Amerika is de term hiervoor *felony*.

Literatuurlijst

Baden, Michael, with Marion Roach. *Dead Reckoning: The New Science of Catching Killers*. New York: Simon & Schuster, 2001.

———, with Judith Hennessee. *Unnatural Death: Confessions of a Medical Examiner.* New York: Ivy Books, 1989.

Bass, Bill and Jon Jefferson. *Death's Acre: Inside the Legendary Forensic Lab the Body Farm.* New York: Putnam, 2003.

Beavan, Colin. *Fingerprints.* New York: Hyperion, 2001.

Bell, Suzanne. *The Facts on File Dictionary of Forensic Science.* New York: Checkmark Books, 2004.

Benedict, Jeff. *No Bone Unturned.* New York: HarperCollins, 2003.

Berlow, Alan. 'The Wrong Man,' *Atlantic Monthly,* November 1999.

Brenner, John C. *Forensic Science Glossary.* Boca Raton, FL: CRC Press, 1999.

Butler, John M. *Forensic DNA Typing: Biology, Technology, and Genetics of STR Markers, 2nd Edition.* San Diego, CA: Academic Press, 2005.

Casey, Eoghan. *Digital Evidence and Computer Crime: Forensic Science, Computers and the Internet, 2nd Edition.* San Diego, CA: Academic Press, 2004.

Chaski, Carole. 'Forensic Cases in a Murder Trial,' linguisticevidence. org.

Cleckley, Hervey. *The Mask of Sanity* (rev. ed.). St. Louis, MO: C.V. Mosby, (1941), 1982.

Clement, John G. and Murray K. Marks. *Computer-Graphic Facial Reconstruction.* San Diego: Academic Press, 2005.

Devereux, Paul. *Stone Age Soundtracks.* London: Vega, 2001.

'Digging the Dirt on Criminals,' *The Guardian,* May 26, 2005.

Douglas, John, Ann W. Burgess, Allen G. Burgess, and Robert K.

Ressler. *Crime Classification Manual.* San Fransisco: Jossey-Bass, 1992.
Douglas, John and Mark Olshaker. *Mindhunter: Inside the FBI's Elite Serial Crime Unit.* New York: Scribner, 1995.
———, *Cases That Haunt Us.* New York: Scribner, 2000.
Dowling, Paul, with Vince Sherry. *The Official Forensic Files Casebook.* New York: Simon & Schuster, 2004.
Doyle, James M. *True Witness: Corps, Courts, Science and the Battle Against Misidentification.* New York: Palgrave Macmillan, 2005.
Evans, Colin. *The Casebook of Forensic Detection.* New York: John Wiley & Sons, 1996.
———, *Murder 2: The Second Casebook of Forensic Detection.* New York: John Wiley & Sons, 2004.
Faretta v. California, 422 U.S. 806. (1975).
Fisher, Barry. *Techniques of Crime Scene Investigation, 6th Edition.* Boca Raton, FL: CRC Press, 2000.
Fridell, Ron. *Solving Crimes: Pioneers of Forensic Science.* New York: Grolier, 2000.
Frye v. U.S. 293 F.1013, 34 A.L.R. (DC Circuit 1923).
Geberth, Vernon J. *Practical Homicide Investigation, 3rd Edition.* Boca Raton, FL: CRC Press, 1996.
———, *Sex-Related Homicide and Death Investigation.* Boca Raton, FL: CRC Press, 2003.
Haglund, William D. and Marcella H. Sorg. *Advances in Forensic Taphonomy: Method, Theory and Archaeological Perspectives.* Boca Raton, FL: CRC Press, 2002.
Hare, Robert. *Without Conscience.* New York: Pocket, 1993.
Houde, John. *Crime Lab: A Guide for Nonscientists.* Ventura, CA: Calico Press, 1999.
House, Mack S., Jr. *Underwater Forensics.* Bloomington, IN: AuthorHouse, 2005.
Imman, Keith, and Norah Rudin. *An Introduction to Forensic DNA Analysis.* Boca Raton, FL: CRC Press, 1997.
'Investing on a Whiff: Chemical Spray Shows Power as Trust Booster,' *Science News,* Vol. 167, no. 23, June 4, 2004.
James, Stuart H. and Jon Nordby. *Forensic Science: An Introduction*

to Scientific and Investigative Techniques. Boca Raton, FL: CRC Press, 2003.
Kurland, Michael. *How to Solve a Murder: The Forensic Handbook.* New York: Macmillan, 1995.
Lee, Henry C. and Howard A. Harris. *Physical Evidence in Forensic Science.* Tucson, AZ: Lawyers & Judges Publishing Company, 2000.
Lee, Henry C. and Frank Tirnady. *Blood Evidence: How DNA Revolutionized the Way We Solve Crimes.* Cambridge, MA: Perseus, 2003.
Loftus, Elizabeth. *Eyewitness Testimony.* Cambridge, MA: Harvard University Press, 1979, 1996.
———, 'Our Changeable Memories: Legal and Practical Implications.' *Science and Society* Vol. 4: March 2003.
———, 'Misinformation and Memory: The Creation of New Memories,' *Journal of Experimental Psychology:* General 118 (1), March 1989.
Loftus, Elizabeth and Pickrell, J.E. 'The Formation of False Memories,' *Psychiatric Annals,* 25, 1995.
Lovgren, Stefan. 'Artful Software Spots Faked Masterpieces,' *National Geographic News.* November 23, 2004. news.nationalgeographic.com
McCrary, Gregg, with Katherine Ramsland. *The Unknown Darkness: Profiling the Predators Among Us.* New York: Morrow, 2003.
McCuthcheon, Chuck. 'Solving Old Mysteries: Exhumations on the Rise,' newhousenews.com, June 9, 2005.
McNally, Richard J. *Remembering Trauma.* Cambridge, MA: Belnap Press of Harvard University, 2003.
Melton, Gary B., John Petrila, Norman Poythress and Christopher Slobogin. *Psychological Evaluations for the Courts, 2nd Edition.* New York: Guilford Press, 1997.
Morris, Mill. 'Casting a Wide Net: Lifting Fingerprints from Difficult Surfaces,' *Forensic Magazine,* Vol. 2, No. 4. August/September 2005.
Nickell, Joe and John Fischer. *Crime Science: Methods of Forensic Detection.* Lexington, KY: The University Press of Kentucky, 1999.
Noll, Richard. *Bizarre Diseases of the Mind.* New York: Berkley, 1990.

Nordby, Jon. *Dead Reckoning: The Art of Forensic Detection*. Boca Raton, FL: CRC Press, 2000.
Perkins, Sid. 'Seeing Past the Dirt' *Science News*, Vol. 168, No. 5. July 30, 2005.
Platt, Richard. *The Ultimate Guide to Forensic Science*. London: DK Publishing, 2003.
Ramsland, Katherine. *Inside the Minds of Mass Murderers*. Westport, Connecticut: Praeger, 2004.
———, *The Forensic Science of C.S.I.* New York: Berkley Boulevard, 2001.
———, *The Human Predator: A Historical Chronicle of Serial Murder and Forensic Investigation*. New York: Berkley 2005.
———, *The Science of Cold Case Files*. New York: Berkley, 2004.
Randall, Brad. *Death Investigation: The Basics. Tucson, AZ: Galen Press, 1997.*
Rhine, Stanley. *Bone Voyage: A Journey in Forensic Anthropology*. Albuquerque, NM: University of New Mexico Press, 1998.
Roane, Kit R. 'The C.S.I. Effect,' *U.S. News & World Report*. Vol. 138, No. 15, April 25, 2005.
Rosenhan, J. 'On Being Sane in Insane Places,' *Journal of Abnormal Psychology*. 84, No. 5, 1975, pp. 442-452.
Schechter, Harold. *The Serial Killer Files*. New York: Ballantine, 2003.
Scheck, Barry, Peter Neufeld, and Jim Dwyer. *Actual Innocence*. New York: Random House, 2000.
Starrs, James E., with Katherine Ramsland. *A Voice for the Dead*. New York: Putnam, 2005.
State v. Crisafi. 128 NJ 499, 510-12 (1992).
Taylor, Karen T. *Forensic Art and Illustration*. Boca Raton, FL: CRC Press, 2000.
Trestrail, John Harris. *Criminal Poisoning*. Totowa, NJ: Humana Press, 2000.
Van Kirk, Donald J. *Vehicular Accident Investigation and Reconstruction*. Boca Raton, FL: CRC Press, 2001.
'Virtual Autopsies May Cut Scalpel Role,' cnnhealth.com. December 4, 2003.

Wingate, Anne. *Crime Scene Investigation.* Cincinnati, OH: Writer's Digest Press, 1992.
Welner, Michael and Katherine Ramsland. 'Behavioral Science and the Law,' in *Forensic Science and Law: Investigative Applications in Criminal, Civil, and Family Justice,* edited by Cyril Wecht and John Rago. Boca Raton, FL: CRC Press, 2006.
Wrightsman, Lawrence S., Michael Nietzel and William Fortune. *Psychology and the Legal System, 3rd Edition.* Pacific Grove, CA: Brooks Cole Publishing, 1994.

Index

aanklacht 299
actus reus 127, 299
Admixture Linkage Disequilibrium (ALD) 62
AFIS 299
akoestische archeologie 299
algemene toxicologie 77
algor mortis 299
ALS 256, 257, 299
ALS-eenheden 254
amelogenine-analyse 259
amelogenine-gen 299
amnestische barrière tussen identiteiten 159
amplificatie 299
amputatie als obsessie 150
amputee wannabe's 151
analyse van onduidelijke sterfgevallen 214
anatomische specimens 239, 240
Ancestry Information Markers (AIM) 62
antemortem 299
antidateren 40
antisociale persoonlijkheidsstoornis 158, 299
apotemnofilie (amputatiefetisj) 151
arseenspiegel 76, 77, 299
ASPEX 254
atomaire-absorpsiespectrofotometrie 90
auto-erotisch incident 299
autolyse 249
Automated Fingerprint Identification System (AFIS) 20
automatisme 150, 299
autopsie 66, 70, 73, 76, 80, 238, 299
autovampirisme 152
barotrauma 248
basale screeningtest 71
beeldmodificatie 58
Behavioral Analysis Unit 138, 139, 141
Bender-Gestalt 135
bewijslast 299
bewijsmateriaal 92, 300
bifurcated trial 102
bioarcheologie 234, 300
bipolaire affectieve of manisch-depressieve stoornis 162
blogosfeer 28
blogs 27, 28
Body Dysmorphic Disorder 151
Body Integrity Identity Disorder 151
borderlinestoornis 157
brain fingerprinting 300, 122
brainprint 123

case linkage 300
chain of custody 300
Child Abduction and Serial Murder Investigative Resource Center (CASMIRC) 141
chromatografie 86
codering 115, 118
CODIS 300
cold case 284, 285, 300
Combined DNA Index Systems (CODIS) 20
competentie 300
Computer and Technology Crime High-Tech Response Team (CATCH) 40
computeranimatie 42, 43, 300
computercriminalistiek 17, 300
computersimulatie 300
computersimulatieprogramma's 40

convectie 250
corpus delicti 300
correspondenties 152
criminalistiek 300
Critical Incident Response Group (CIRG) 141
CSI-effect 11, 12, 13, 300
cybercriminaliteit 300
cyberstalking 165

daderprofilering 137, 139, 140,
dagvaarding 300
datamanipulatie 34
Daubert-criteria 271
Daubert-kwalificatie 269
Daubert-norm 300
Daubert-toets 270
degeneratietheorie 152
depositie 301
detectiemethoden voor giftige stoffen 84
Diagnostic and Statistical Manual of Mental Disorders (DSM-IV-TR) 148
digitale analyse 65
digitale data 301
digitale gegevens 29
digitale voetafdrukken 25
digitale voetsporen 24
Disaster Portable Morgue Unit (DPMU) 294
Dissociatieve identiteitsstoornis (meervoudige persoonlijkheidsstoornis) 134, 135, 159, 301
dissociëren 160
DMORT (Disaster Mortuary Operational Response Team) 292-197, 301
DNA 301
DNA-analyse 96, 110, 111, 123,
DNA-identificatie 110
DNA-markers 63
DNAPrint 60, 301
DNA-profiel 301
DNA-typering 110
doodsoorzaak 301
DPMU 296
draagbare legeringsanalysator 301
DRUGFIRE 21
DSM-IV (Diagnostic and Statistical Manual for Mental Disorders, 4th edition) 301
dual-beam common-path interferometer 277
dunelaagchromatografie (DLC) 87

eerste hoorzitting 301
energiemethode 195
Engelse gewoonterecht 108
enhancement software (verbetersoftware) 275
erotomanie 164
evaluatietest 135
exhumatie 242, 244, 301
exhumeren 231, 243

felony murder 143
Fluorescence Excitation Radiometry (FER) 257
fluorescentie 301
fluorescentiediagnostiek 256
fluorescentie-excitatiespectrum (FES) 257
focusgroep 100
foetusdieven 153
folie à deux gedeelde psychotische stoornis 154
folie à deux 301
forensisch gedragsspecialisten 136
forensisch kunstenaar 56
forensisch onderzoeker worden 14
forensisch psycholoog 130
forensisch rechercheur en *voir dire* 102
forensisch slotenspecialist 301
forensisch wetenschapper 78
forensische archeologie 301
forensische computerdeskundigen 30
forensische databank 19
forensische fraude 119
forensische informatica 17
forensische kunst 49, 301
forensische linguïstiek 269, 301
forensische onderzoekers 92
forensische onderzoeksmethode 75
forensische psychologie 125, 302
forensische radiologie 263

forensische slotenspecialisten 283
forensische taphonomie 235
forensische toxicologie 69, 76, 84
Frye-norm 103
Frye-test 302

gaschromatograaf 87, 302
gaschromatografie met een massaspectrometer (GC/MS) 86
gedragssporen 302
gen 152, 302
genetische getuigen 63
genoomanalyse 61
getuige-deskundige 302
getuigenverklaringen 113
gezichtsidentificatie 56
gezichtsreconstructie 49-53
grand jury (kamer van inbeschuldigstelling) 98
grond-penetrerende radar (GPR) 232
Ground Penetrating Radar (GPR) 302

halsmisdaad 96
Halstead-Reitan neuropsychologische testbatterij 135
handelingsbekwaamheid 108
handelingsbekwaamheid, typen 104
handelingsonbekwaam 106
handschriftanalyse 20
hervonden-herinneringstherapie (Recovered Memory Therapy of RMT) 132
hervonden-herinneringstherapie 133, 134
hinderlaag 44
hogedruk vloeibare chromatografie met massaspectrometer (LC/MS) 86

IBIS (Integrated Ballistic Information System) 21
identificatiemethode 49
identificatieproces 57
identiteitsdiefstal 46, 195, 302
impulsmethode 195
informatica 302
Innocence Project 114, 119, 120, 302
interferometrie 277
inzage van stukken 302

Jocasta-complex 156
jurisdictie 302
juryconsultants 100
juryconsulting 99
jurylidprofiel 99

klinisch vampirisme 152

LARP's 180, 181
latante vingersporen 302
Light-Emitting Diodes (LED's) 257
lijkschouwer 302
Live Action Role Playing (LARP) 178
livor mortis 302
Lucis 37, 38

M'Naghten Rule 127
mans rea 303
Marshtest 77, 302
massaspectrometer 87, 303
medisch onderzoeker 303
medische autopsie 215
Memory and Encoding Related Multifaceted Electroencephalographic Response (MER-MER) 123
mens rea 127-129, 150
mentale scripts 117
microsporen 303
Minnesota Multiphasic Personality Inventory-2 135
misdaadprofilering 303
misdaadreconstructie 303
misinformatie-effect 116, 117, 303
modus operandi (MO) 303
moord 303

nabootsers 171
narcistische persoonlijkheidsstoornis 157
National Center for the Analysis of Violent Crime (NCAVC) 303
NecroSearch 303
non-invasieve autopsie 68

onderzoeker van feiten 303

onderzoeksrechter 98
onduidelijke doodsoorzaak 303
ongevallenanalisten 194
ongevalsreconstructie 303
ontbindingsstadia 249
ontoerekeningsvatbaarheid 127, 303
ooggetuigen-identificatie 118
ooggetuigenverklaring 303
oogmerk 304
openbare aanklager 304
opslag 115
overtreding 304
oxytocine 169

Panoscan 254
papierchromatografie 86
parafilie 183, 304
paranoïde schizofrenie 161
PCR (Polymerase Chain Reaction)-amplificatie 266
PCR-amplificatieproces 259
perimortem 304
persoonlijkheidsstoornissen 156
phase-contrast X-ray imaging (fase-contrastvorming via röntgen-stralen) 67
pica 156
polygraaf 304
Polymerase Chain Reaction (PCR) 95, 304
post-morteminterval (PMI) 267, 304
posttraumatische stressstoornis 146
pseudologia fantastica 155
pseudowetenschap 304
psychologisch terrorisme 164
psychologische autopsie 214, 216, 217, 221, 225, 304
Psychologische-stressevaluator (Voice Stress Analyzer) 93, 122, 304
psychometrisch testen 304
psychopathie 158, 304
Psychopathy Checklist 82
psychose 304
psychotische stoornissen 160

query by example 21, 304

radiatie 250
radioimmunoassay (RIA) 71
Radiological Dispersion Device (RDD) / vuile bom 262, 304
rechter als poortwachter 103
reconstructieve evaluatie 214
red shirts 296
refloat 249
Restricted Fragment Length Polymorphism (RFLP) 95, 305
retrospectieve doodsevaluatie 214
RFID (Radio Frequency Identification)-tags 264, 265
rigor mortis 305
Rorschach 135

Scanospere laser 3-D programma 41
schizofrenie 160, 161
schuldigverklaring 102
screeningtest 80
seriemisdrijven 305
seriemoordenaar 165, 167, 168, 170, 305
serologie 305
Short Tandem Repeats (STR) 305
signatuur van de dader 137
signatuur van een moordenaar 170
signatuuranalyse 305
Single Nucleotide Polymorphisms (SNP) 62
slaapwandelen 149
smart-tags 264
SNIPS 62
SNP-technologie 62
spectrometrie 86, 305
sporenanalyse 10
sporenmateriaal 305
stalker 163, 162, 164
Stas-methode 85
STR-procedure 259
subculturen 173-190
Surface Acoustic Wave (SAW) technologie 268
synchotron 67
syndroom van Renfield 151, 152, 305
syndroom van Capgrasc 155
syntactische analyse 305

syntaxis 272

taphonomie 305
teamseriemoordenaar 167
Terminal Length Restriction Fragment Polymorphism 266
Thematic Apperception Test 135
timestamping 34, 35, 40, 305
toelaatbaarheid van wetenschappelijk bewijsmateriaal 103
toelaatbaarheidstest 39
toxicologie 68, 69, 71, 83, 92, 305
toxicologietest 69
toxicologische analyse 74, 75, 87
toxicologische screeningtest 83
toxicologische test 80
toxisch 74

Variable Number of Tandem Repeats (VNTR's) 305
verdorvenheidsschaal 97, 305
verhoor 305
verminderde toerekeningsvatbaarheid 306
veroordelingsfase (*sentencing phase*) 142
verouderingsprogramma's 53-56
verouderingstechnieken 306
vervalsingen vaststellen 64-66
vervalste realiteit 36
verzachtende omstandigheden 306
verzwarende omstandigheden 306
victimologie 80, 306
vingerafdrukken 40
vingersporen 19
vingersporenanalyse 124
viodeostabilisatie- en registratietechnologie (VISAR) 265
Violent Crime Apprehension Program (VICAP) 20, 141, 306
virtual imaging 66, 67
virtuele autopsie (Virtopsy) 66, 67, 306
VISAR 266
visueel beeld verbeteren 64
vitalisme-theorie 152
voiceprints 275
voir dire 99, 100, 102, 306
vonnis 306
voorgeschreven rechtsgang 306
vuile bom 261, 306

Wechsler Adult Intelligence Scales 135
weefselconservatie 250
weerleggingsfase 101
wet van Boyle 247, 248

zNose 268, 306
zonder gerede twijfel 306
zoöfage element 152
zwaar misdrijf 306

Over de auteur

Dr. Katherine Ramsland is afgestudeerd in de forensische psychologie aan het John Jay College of Criminal Justice. Daarnaast studeerde zij klinische psychologie en filosofie. Ze heeft 27 boeken op haar naam staan, waaronder *Inside the Minds of Mass Murderers, The Science of Cold Case Files* (*De forensische wetenschap van de Cold Case Files*), *The Criminal Mind: A Writer's Guide to Forensic Psychology* en *The Forensic Science of* C.S.I. (*De forensische wetenschap van* CSI). Haar *Vampire Companion: The Official Guide to Anne Rice's Vampire Chronicles* was een bestseller, en haar werk is in negen talen vertaald. Samen met voormalig FBI-profielschetser Gregg McCrary schreef ze *The Unknown Darkness: Profiling the Predator Among Us*, en met hoogleraar in de rechten James E. Starrs schreef ze *A Voice for the Dead.* Verder heeft Ramsland meer dan driehonderd artikelen geschreven over seriemisdadigers, criminologie en misdaadonderzoek en was zij onderzoeksassistent van voormalig FBI-profielschetser John Douglas voor *The Cases that Haunt Us*. Ze schrijft forensische artikelen voor Court TV's *Crime Library*, schrijft stukken over forensische onderwerpen voor de *Philadelphia Inquirer* en doceert forensische psychologie aan DeSales University in Pennsylvania.

ISBN 978 90 6112 923 3

Lees ook van Karakter Uitgevers B.V.

KATHERINE RAMSLAND

De forensische wetenschap van CSI

'Dit boek is een must voor iedereen die zich afvraagt hoe de echte forensische wetenschappers van CSI misdaden oplossen.'
– Michael Palmer, bestsellerauteur van tal van medische thrillers

- Hoe kun je aan een zonnebril zien dat er geen sprake is van zelfmoord, maar van moord?
- Hoe kan zand uit een aquarium naar de plaats van een gewelddadige misdaad voeren?
- Hoe kan het ontwikkelingsstadium van een insect de schuld of onschuld van een verdachte aantonen?
- Hoe kan een beschadigde deurpost het bedrog ontmaskeren van een brandweerman die beschuldigd wordt van moord?

Hoe komen forensische wetenschappers tot hun onweerlegbare conclusies na analyse van vezels van vloerbedekking, huidschilfers, schoenafdrukken, bloedspatpatronen, gebroken glas en zelfs één enkele losse haar? Welkom in de forensische wereld achter *CSI: Crime Scene Investigation.*

In dit boek laat forensisch psychologe Katherine Ramsland – tezamen met prominente experts op het gebied van forensisch misdaadonderzoek, daderprofielen, ballistisch onderzoek en DNA-analyse – zien wat de meest actuele ontwikkelingen zijn in forensische technologie aan de hand van de meest intrigerende afleveringen van de televisieserie *CSI.*

ISBN 978 90 6112 873 1